LES MAISONS FAMILIALES RURALES

RURALES

*L'ordre symbolique
d'une institution scolaire*

Collection « Le Sens Social »

dirigée par Yves BONNY et Jean-Manuel DE QUEIROZ

© **PRESSES UNIVERSITAIRES DE RENNES**
UHB Rennes 2 – Campus de la Harpe
2, rue du doyen Denis-Leroy – 35044 RENNES CEDEX

Mise en page : Sylvain LEPAROUX pour le compte des PUR

Dépôt légal : 1er semestre 2000
ISBN : 2-86847-479-9
ISSN : 1269-8644

Franck SANSELME

LES MAISONS FAMILIALES RURALES
RURALES
L'ordre symbolique d'une institution scolaire

Préface de
Yves DUPONT

Collection « Le Sens Social »

PRESSES UNIVERSITAIRES DE RENNES

2000

Pour Jean et Léonie

Remerciements

Qu'il me soit d'abord permis ici d'exprimer toute ma reconnaissance ainsi que mon amitié à Yves Bonny et à Jean-Manuel de Queiroz, sociologues à l'université de Rennes 2. Bénéficiant tout au long de cette recherche – qui fut d'abord une thèse – de leur soutien intellectuel sans failles, j'ai pu également apprécier la confiance de ces « aînés » à mon égard.

Je tiens par ailleurs à remercier particulièrement Michel Boulet, professeur à l'ENESAD de Dijon, pou son aide documentaire et, plus globalement, pour l'intérêt scientifique que ce spécialiste de l'enseignement agricole a su témoigner à mon travail.

Il convient enfin de souligner cette ouverture d'esprit dont ont fait preuve les Maisons familiales dans leur ensemble durant cette enquête. L'institution s'est toujours montrée très coopérative et particulièrement prompte à fournir l'information demandée par le chercheur. Qu'elle en soit ici sincèrement remerciée.

SOMMAIRE

Préface

Yves Dupont
Professeur de sociologie à l'université de Caen

Il ne m'a pas semblé souhaitable, dans cette préface, de procéder à une présentation « scolaire », et donc nécessairement réductrice, de l'ouvrage de Franck Sanselme. Pourquoi ? Parce que cet ouvrage se caractérise d'abord par la maturité qui s'y révèle et qui tient pour une bonne part à son originalité et à son audace. Je n'en prendrai qu'un exemple. Il ne faut en effet manquer ni de l'une ni de l'autre pour prendre d'emblée le parti de considérer que les liens paraissant s'imposer presque naturellement entre l'agriculture et les Maisons Familiales Rurales d'Éducation et d'Orientation (MFREO) ne vont pas de soi, ce que pourtant ce travail parvient à démontrer. Ainsi, Franck Sanselme commence-t-il par mettre en évidence le caractère trop souvent réducteur des analyses sociologiques de la domination et de la reproduction (socio-économistes et déterministes) ayant traité de la paysannerie et, plus généralement, de l'école. À considérer sans autre procès, en effet, un groupe social ou une institution comme dominés à partir du traitement d'indicateurs statistiques, et en se privant d'entretiens ou de récits de vie permettant d'accéder au point de vue des principaux intéressés, on finit toujours par instrumentaliser les hommes et, surtout, à évacuer la question de la liberté. Prenant un parti différent, Franck Sanselme a procédé à l'élaboration d'une anthropologie dialogique (Kilani), qui lui a permis d'accéder à la compréhension de l'imaginaire social historique des MFREO, ainsi que de leur travail dialectique de légitimation et d'institutionnalisation du sens qui est au fondement de leurs pratiques.

Chercheur au département d'économie et de sociologie rurales de l'INRA de 1975 à 1990, j'ai participé jusqu'à aujourd'hui, y compris avec les MFREO, à l'accompagnement théorique et pratique des agriculteurs et des ruraux qui, en Bretagne et ailleurs, ont imaginé puis mis en œuvre en les dotant d'institutions légitimantes puis légitimes, les formes diversifiées de ce que l'on appelle aujourd'hui le développement durable ou soutenable. J'ai ainsi pu mesurer à quel point les analyses déterministes et historicistes, même les mieux intentionnées, contribuaient elles aussi bien qu'à leur corps défendant, à la reproduction des formes de domination qu'elles entendaient critiquer.

Deux axes complémentaires de la problématique développée par Franck Sanselme doivent être particulièrement soulignés, même s'il ne les a pas formulés exactement comme je vais le faire. Le premier, essentiel, tient à ce qu'en rompant avec la position téléologique qui suppose que l'histoire a un sens, il s'est donné la possibilité de s'interroger à nouveaux frais sur l'importance décisive que revêt pour le sociologue l'attention au *sens* que les individus et les groupes sociaux entendent donner à leur histoire *et* à l'Histoire. Ainsi, comme l'a écrit Charles Wright-Mills, l'individu et la société ne se comprennent qu'ensemble. Les sociétés peuvent donc être appréhendées, Franck Sanselme y insiste heureusement, comme des systèmes symboliques, ou des communautés de sens, dans lesquelles le langage, cette « Grande Parole », les représentations et les valeurs, jouent un rôle décisif. Le deuxième axe de la problématique renvoie au choix qu'il a effectué de ne pas traiter les faits sociaux comme des choses, mais plutôt comme des œuvres. Ce qui lui a permis d'accorder toute l'importance qu'il méritait au travail que font les collectifs sur eux-mêmes, et de redonner ainsi à la construction des identités collectives, ici celle des MFREO, toute leur épaisseur historique ou temporelle. Il a alors pu mettre en perspective les différentes doctrines (catholicisme social, personnalisme d'Emmanuel Mounier, doctrine humaniste, ruralisme, École nouvelle, etc), à partir de l'interprétation desquelles la culture (au sens anthropologique du terme) des MFREO s'est progressivement constituée et l'alternance, pivot de leur pédagogie, a acquis son importance fondamentale. C'est donc à partir de ces « expériences sédimentées », de leur réinterprétation et de leur légitimation symbolique, que les Maisons Familiales ont élaboré dans le temps long de l'Histoire un « Soi » institutionnel.

En s'appuyant sur ces deux axes problématiques, Franck Sanselme a construit un dispositif hypothétique rigoureux en restituant à la dynamique et à la dialectique toute leur importance théorique et pratique. Dans cette perspective, sa démarche qui emprunte à l'interactionnisme symbolique et à l'herméneutique, a le grand mérite de déboucher sur une construction sociale (Berger et Luckmann) de l'institution « Maisons Familiales Rurales » en procédant au traitement symbolique des univers sociaux objectifs auxquels elle a et est encore confrontée dans son travail de légitimation. Ces univers ne sont donc pas appréhendés seulement comme des « environnements », comme de pures extériorités, mais comme des altérités avec lesquelles les « MFR » entretiennent des relations dialectiques et dynamiques dans l'élaboration de leur propre identité. Ces relations, comme il l'a bien montré, ne sont donc pas le produit d'une simple dépendance mécanique et fonctionnelle mais participent de véritables opérations symboliques (représentations, nominations, classements) d'institution d'un monde et du monde, d'autrui et de soi.

Le jeu d'hypothèses est clairement articulé aux univers objectifs que sont pour les « MFR » l'élève, les visions du monde de l'institution scolaire (ses courants et ses systèmes d'idées), leurs homologues fonctionnels (les différentes familles d'établissements avec lesquelles elles coexistent sur un mode concurrentiel) et, enfin, le « marché » où se règle la rencontre entre une offre et une demande d'éducation. La méthode d'appréhension du terrain a fait l'objet d'une construction rigoureuse, alliant l'exploitation d'une grande quantité de textes produits par l'institution (règlements, documents pédagogiques, organes de presse propres, documents plus administratifs, enquêtes, documents publicitaires, etc) à l'observation non participante et à la réalisation d'entretiens semi-directifs. Ces entretiens ont été échelonnés des établissements de base jusqu'à l'Union nationale, sans négliger les fédérations départementales et régionales. C'est à partir de l'analyse et de l'interprétation de l'ensemble de ce matériau que Franck Sanselme est parvenu à démontrer « *qu'à travers et au-delà de la simple appellation Maisons Familiales Rurales d'Éducation et d'orientation, l'institution scolaire a su mettre en place un véritable système conceptuel* ».

Cet ouvrage contribuera selon moi à apporter un éclairage essentiel à tous ceux qui, aujourd'hui, œuvrent justement à créer les conditions d'une souhaitable, voire nécessaire communication, au sens habermassien du terme, relative aussi bien aux missions de l'enseignement qu'à la responsabilité des acteurs dans un monde devenu incertain. En montrant que les institutions ne sont pas réductibles aux composantes d'une bureaucratie omnipotente et étouffante, que la domination à aussi à voir avec la servitude volontaire (La Boétie), Franck Sanselme nous a fort utilement rappelé que les sociétés sont, si l'on veut bien y regarder de près, irriguées par la confrontation imaginative de multiples aspirations.

INTRODUCTION

Pour le profane, l'appellation « Maison Familiale Rurale » ne dit généralement pas grand-chose, du moins immédiatement. Certains se risquent ensuite à en donner une définition qui est toujours quelque peu éloignée de la réalité : l'institution serait tantôt une maison de retraite ou une pension de famille à la campagne, tantôt un gîte rural ! Il suffit maintenant de rattacher lesdites « Maisons » à leur fonction d'enseignement agricole pour que le flou commence à se dissiper. Bien que l'idée selon laquelle l'agriculture puisse faire l'objet d'un enseignement ne va pas forcément de soi pour un certain sens commun, les Maisons familiales gagnent déjà ici en visibilité sociale et en compréhension. Remarquons qu'elles le doivent surtout à une définition administrative qui leur est apparemment étrangère puisque l'appellation « MFR », qui se veut spécifique, se suffirait à elle-même étant donné qu'elle s'affiche habituellement sans le complément d'« enseignement agricole ». Néanmoins, c'est bien à cette définition administrative qu'il nous faut d'abord sacrifier afin de situer notre objet.

Les Maisons familiales rurales sont un enseignement agricole privé mais non confessionnel, bien qu'elles fussent créées, en 1935, à l'initiative d'un prêtre (l'abbé Granereau) qui assura la direction du premier établissement. C'est en effet en tant qu'association de type loi 1901 que chaque Maison familiale se voit administrée par un conseil qui est généralement composé de parents d'élèves issus majoritairement du secteur professionnel auquel se rattachent les formations dispensées par l'établissement ; le mouvement associatif, fort actuellement de quelque 450 Maisons, est par ailleurs fédéré aux échelons départemental, régional et national. Bien que privée, l'institution participe depuis 1984 au « service public d'éducation et de formation » mis en place par l'État pour les enseignements professionnels agricoles.

Plus spécifiquement, c'est sous le régime d'un « contrat » passé avec le ministère de l'Agriculture que les Maisons familiales scolarisent environ 26 % du public de l'enseignement agricole français et 43,5 % du public de l'enseignement agricole privé[1]. Parmi les 50 267 personnes scolarisées par les Maisons familiales pour l'année 1995[2], les enfants d'exploitants agricoles constituent 17,7 % de ce public, soit la deuxième catégorie statistique qui se place derrière les 26,8 % d'enfants de « salariés industriels » :

Profession du père	Élèves en 4e	Élèves en CAP	Élèves en 1re -BEPA[3]	Total
Salarié industriel	26,3 %	28,1 %	24,5 %	26,8 %
Exploitant agricole-horticole – viticole	15,6 %	16,9 %	23,5 %	17,7 %
Salarié commerce – artisanat	12,7 %	9,2 %	7,4 %	10,1 %
Emploi administratif	7,8 %	9 %	7,6 %	8,3 %
Artisan	8,5 %	8,1 %	7,4 %	8,1 %
Commerçant	4,5 %	4,8 %	4,4 %	4,6 %
Emploi services aux personnes	3,7 %	3,9 %	4,3 %	3,9 %
Emploi secteur éducatif	0,9 %	1,4 %	2 %	1,3 %
Autre	10,7 %	11,3 %	12,5 %	11,3 %

(Source : Union nationale des Maisons familiales rurales, enquête 1995.)

Plus récentes et obéissant à un découpage catégoriel un peu différent, les statistiques du ministère de l'Agriculture situent, quant à elles, les 15,5 % d'enfants d'exploitant agricole en troisième position. Ils sont devancés par les 19,9 % d'ouvrier non agricole et, beaucoup plus loin devant, par les 26,2 % d'employé qui arrivent en tête :

---

1. Dont le reste, c'est-à-dire 56 974 élèves, revient à l'enseignement agricole catholique (source : ministère de l'Agriculture – *DGER* pour l'année 1998-1999).
2. Source : Union nationale des Maisons familiales rurales. Les dernières statistiques disponibles de l'Union nationale font état de 59 609 personnes formées (soit, approximativement, 54 000 jeunes en formation initiale auxquels s'ajoutent les 6 000 adultes en perfectionnement/reconversion) en Maison familiale pour l'année 1998-1999.
3. Brevet d'études professionnelles agricoles.

Catégorie socio-professionnelle	CAPA[4]-BEPA	Baccalauréats -BTA[5]	BTSA[6]	Total
Employé	80,8 %	17 %	2,2 %	26,2 %
Ouvrier non agricole	83,6 %	15 %	1,4 %	19,9 %
Agriculteur exploitant	71 %	23,3 %	5,7 %	15,5 %
Artisan, commerçant	77,2 %	19 %	3,8 %	8,4 %
Inactif	88,5 %	10,5 %	1 %	8,1 %
Profession intermédiaire	72,6 %	23 %	4,4 %	7,2 %
Cadre, profession intellectuelle	67,6 %	23,9 %	8,5 %	5,3 %
Salarié agricole	84,6 %	14,1 %	1,3 %	2,6 %
Retraité	71,2 %	22,3 %	6,5 %	2 %
Inconnu ou autre	88,4 %	9,2 %	2,4 %	4,7 %

(Source : ministère de l'Agriculture – *DGER* pour l'année 1998-1999.)

Ce public est scolarisé principalement dans des formations initiales de cycles court et long, soit, respectivement, à l'intérieur de 4e-3e technologiques/CAP/BEP et de BTA/BAC professionnels. Les formations, dispensées selon une pédagogie dite de l'« alternance » qui conjugue 15 jours d'école avec 15 jours de stage professionnel, ne sont plus, comme par le passé, exclusivement agricoles. L'agriculture et le para-agricole entrent désormais pour moitié seulement dans la composition du paysage des formations proposées en Maison familiale :

Secteurs de formations	Nombre d'établissements affiliés
Production agricole	187
Services sanitaires et sociaux	173
Commerce	81
Production horticole et arboriculture	56
Aménagement de l'espace	48
Tourisme-accueil-hôtellerie-restauration-métiers de la bouche	41
Machinisme agricole	33
Secrétariat-gestion-comptabilité-informatique	28
Élevages spécialisés	27
Viticulture-œnologie	20
Forêt	19
Hippisme	17
Mécanique-électronique industrie	16
Agro-alimentaire	16
Bâtiment-bois-électricité-génie climatique	15

(Source : *Le Lien des MFR*, n° 266, mars 1994, p. 14-17.)

4. Certificat d'aptitude professionnelle agricole.
5. Brevet de technicien agricole.
6. Brevet de technicien supérieur agricole.

La donne n'est d'ailleurs pas foncièrement différente pour un département agricole tel que l'Ille-et-Vilaine :

Secteurs de formations	Nombre d'établissements affiliés
Agriculture – élevage et environnement	5
Services aux personnes – secteur social et para-médical	4
Commerce, distribution, vente	3
Agro-alimentaire transformation – laboratoire contrôle qualité	2
Horticulture – paysage – entretien de l'espace rural – forêt	2
Activités hippiques et élevage équin	2
Mécanique, conduite et maintenance des machines et des matériels	1
Restauration – hôtellerie	1
Maintenance de bâtiments de collectivités – propreté urbaine et gestion des déchets	1

(Source : Fédération départementale des Maisons familiales rurales d'Ille-et-Vilaine pour l'année 1999.)

Pour terminer, mentionnons que ces différentes filières de formation, tout comme les diplômes auxquels elles préparent, doivent s'aligner sur des normes nationales définies par le ministère de l'Agriculture.

Certes rapidement établie, cette fiche signalétique satisfait néanmoins à une première définition administrative, technique et professionnelle – en termes de formations liées à une sphère économique particulière – des Maisons familiales. De ces points de vue, l'essentiel serait dit. Sociologiquement parlant, tout reste encore à dire tant ces définitions officielles, et surtout externes, éludent la question de l'existence même des Maisons familiales et, au-delà, de l'enseignement agricole comme des catégories historiquement et socialement construites. La leçon des interactionnistes vaudrait ici d'être retenue : « [...] s'intéresser à la manière dont se constituent les catégories de la vie sociale, et, en particulier, ne jamais tenir leurs limites pour naturelles (et connues d'avance), ni leur contenu pour homogène » (Chapoulie, 1985, p. 16). Si quelqu'un comme Claude Grignon a eu très tôt le mérite de « mettre en question une définition administrative trop étroite » (1975, p. 75) et par là trop « homogène » de l'enseignement agricole, nombre de sociologues et d'historiens, comme nous le verrons, prennent encore pour argent comptant ou, du moins, tiennent pour naturelle et mécanique une relation qui ne l'est pas exclusivement : celle de l'agriculture et de l'enseignement agricole. Une telle perspective peut, par exemple, s'exprimer en ces termes autant incitatifs que directifs pour la recherche : « [...] appréhender les transformations du système d'enseignement agricole comme conséquence ou reflet de l'évolution de l'agriculture. On pourra ainsi dire, à la suite d'autres, que "l'agriculture a l'enseignement agricole qu'elle mérite". » (Roy, 1992, p. 3.) À l'inverse, mais ce n'est là qu'une approche par la négative du même problème, la dissolution nouvellement constatée des liens mécaniques agriculture/enseignement agricole impose chez d'autres le cadre de leur recherche. L'analyste tentera alors de « répondre au caractère problématique de la base sociale du recrutement de l'enseignement agricole » (Cardi, 1986, p. 2) et sera amené à articuler en priorité son objet – les représentations que se font de leur scolarité les élèves de l'enseignement agricole – à certaines discordances : celle notamment relevée entre un enseignement professionnel spécifique et son public qui l'est de moins en moins en termes d'origine agricole. Au total, que nous ayons affaire aux versions « positives » ou « négatives » du lien mécanique agriculture/enseignement agricole, il est toujours implicitement postulé qu'en dehors de son épithète « agricole[7] », ledit enseignement n'a rien à révéler, demeure un non-objet sociologique. Nous pensons qu'il n'en est rien.

Notre objet d'étude, les Maisons familiales rurales, peut s'appréhender comme une institution scolaire parmi d'autres, voire comme une institution tout court. Une institution qui travaille à la construction de son identité et à la légitimation de son ordre interne en intégrant, et ceci de manière réfléchie, des contraintes ou des univers sociaux objectifs qui ne sont pas exclusivement agricoles. Il s'agira alors pour nous de saisir les différents mécanismes et principes de légitimation qui participent à cette construction identitaire. Pour ce faire, nous nous demanderons, et ce sera là notre question centrale, comment une institution réussit à élaborer son identité, à la fois à destination interne et externe, dans un rapport dialectique et empreint de tensions multiples avec ses différentes altérités ?

En réponse à cette interrogation, nous soutiendrons une première hypothèse : à travers l'appellation « Maison Familiale Rurale d'Éducation et d'Orientation », l'institution scolaire aurait su mettre en place un véritable système conceptuel. Par la propriété inhérente à tout concept qui est celle d'une objectivation discriminante ou sélective de la réalité sensible, les éléments de ce système seraient à même d'intégrer symboliquement – dans un rapport de sens – et sociologiquement – dans un rapport de hiérarchisation sociale – l'altérité « éducative » des Maisons familiales, c'est-à-dire les élèves et leurs parents, à une division institutionnelle légitimée des rôles et pouvoirs éducatifs (Deuxième partie).

---

7. Que remplacent, ailleurs, les termes « paysans », « paysannerie », « ruraux » qui entrent généralement dans les titres des ouvrages sociologiques consacrés à la question de l'enseignement agricole.

Notre seconde hypothèse, elle, posera que ces mêmes concepts tiennent leur pouvoir de légitimation d'une force qui les grandit, les transcende : leur substrat idéologique ou « les catégories doctrinales de l'entendement institutionnel » (Troisième partie). Cette force s'incarnerait dans le pouvoir de légitimation d'idéologies, donc, qui, comme *a priori* ou principes indiscutés, sont autant d'altérités qui fondent de manière ultime l'action éducative des Maisons familiales. Des principes indiscutés que nous supposerons multiples au regard de l'étendue conceptuelle de l'appellation « MFREO ». Des principes qui, pensons-nous, révéleraient un syncrétisme, un « bricolage idéologique » (Bourricaud, 1980) dans lequel le choix et l'assemblage des différents éléments par les Maisons familiales ne seraient pas fortuits. Ils posséderaient un dénominateur ou un fond symbolique commun qui devrait être à même pour les Maisons familiales de légitimer à un degré supérieur leur ordre éducatif sur une « anthropologie » – un discours sur la nature de leur altérité « éducative » – et une « sociologie » – une représentation du lien social qui unit et organise les rapports de l'institution à cette même altérité – institutionnelles. Enfin, nous ne saurions être tout à fait complets dans notre hypothèse sans y adjoindre une lecture historique de ce processus de légitimation de l'ordre institutionnel par des idéologies. L'histoire, sur le long terme, des doctrines faites institution aurait aussi travaillé ici à « la sédimentation » (Berger et Luckmann, 1989, p. 95-101), et donc à la transcendance, des *a priori* idéologiques fondateurs des représentations éducatives des Maisons familiales.

Prolongeant notre analyse historique de l'institutionnalisation idéologique du collectif Maison familiale, nous tenterons ensuite de montrer que celui-ci aurait originellement souscrit à différentes idéologies, ceci non seulement pour leur fond théorique intrinsèque, mais aussi pour leur forme contestataire d'un ordre scolaire préétabli car déjà âprement partagé entre les établissements publics et catholiques. Ce déplacement du fond vers la forme invite alors une seconde lecture du pouvoir de légitimation des idéologies. Cette lecture prend place dans une histoire structurale du champ de l'enseignement agricole. Elle se veut « immanentiste » en incluant une expérience proprement sociale, c'est-à-dire ici relationnelle et concurrentielle, dans l'intérêt que portent les Maisons familiales à certaines idéologies. Nous pensons, et c'est là notre troisième hypothèse, que ces dernières participent effectivement à cette médiation symbolique entre l'institution scolaire et l'univers concurrentiel qui réunit des établissements fonctionnellement homologues. Elles offriraient aux Maisons familiales la possibilité de donner un sens, même contestataire, à la place qu'elles occupent dans le monde de l'enseignement agricole. Bref, au-delà d'une simple recherche de la différence, ces idéologies orienteraient les

Maisons familiales vers une activité qui leur est essentielle : celle de la critique sociale[8] développée à l'encontre de leurs homologues fonctionnels, cette sorte d'altérité « négative » dont la liquidation symbolique[9] est au principe même d'une « légitimation [par la] négative » (Berger et Luckmann, *op. cit.*, p. 157-158) d'un ordre institutionnel (Quatrième partie).

C'est enfin, selon une quatrième et dernière hypothèse, ce même ordre institutionnel, cette même réalité subjective primaire ou originelle, qu'auraient à restaurer les Maisons familiales face aux exigences « sociétaires » du marché scolaire qui les en détournent. Il y aurait là pour l'institution à effectuer un véritable travail de compensation. Un travail qui saurait (re) traduire les définitions normatives de l'enseignement imposées par l'environnement « législatif », l'État, en des termes et des représentations qui reconnaissent et surtout habilitent la composante « communautaire » et traditionnelle de l'identité des Maisons familiales. De ce point de vue, seulement, l'État acquerrait son statut d'altérité « législative ». Un travail de compensation qui, par ailleurs, face au pragmatisme de la demande scolaire, s'accomplirait à travers l'acculturation d'un environnement « économique » (les familles devenues alors altérité « éducative ») aux valeurs éducatives fondatrices des Maisons familiales et pourrait ainsi, dans une conversation plus intime, réactiver et réifier un « Soi » institutionnel (Cinquième partie).

Telle qu'élaborée symboliquement dans la confrontation renouvelée avec différentes altérités ou différents ordres de contraintes intégrées (Première partie), notre question centrale de la fabrication de l'identité institutionnelle se veut explicitement transversale. Sa portée théorique est générale tant elle dépasse le seul cas des Maisons familiales rurales. Elle pourrait, nous semble-t-il, intégrer tout questionnement qui cherche à explorer les mécanismes de construction identitaire d'un groupe social institutionnalisé. Notre attention portée ici sur le « comment des choses », sur ces mécanismes d'une construction identitaire, tient (pourquoi s'en défendre ?) à notre conception, quelque peu imagée, de la sociologie : une discipline d'« horloger » qui démonte les rouages d'une mécanique sociale, les met à plat et tente d'en comprendre les imbrications qui permettent le fonctionnement d'un tout. Néanmoins, cette mécanique ne doit pas être une abstraction et certaines pendules doivent être remises à l'heure. En choisissant les

---

8. Sociale parce que point distanciée ou hors du monde, mais bien prise dans des luttes, ici symboliques, de domination sociale (Walzer, 1990, p. 47-82).

9. Qui est aussi conceptuelle. En effet, la critique développée par les Maisons familiales se fonde, d'une part, sur la valorisation-réactivation de leurs propres concepts (« MFREO ») ainsi doublement validés et, d'autre part, sur la citation discréditante des concepts concurrents.

Maisons familiales rurales comme objet d'étude, nous ne perdons pas de vue le problème plus concret du rapport d'un enseignement *a priori* spécifique à une sphère d'activité qui l'est tout autant : l'agriculture. Notre entreprise, et elle est audacieuse, visera aussi, en filigrane et à travers le cas des Maisons familiales rurales, à déconstruire l'objet « enseignement agricole » (Première partie). Il est grand temps de libérer cet enseignement de son carcan « agricole » dans lequel l'enferment nombre de discours « naturalistes » à son propos. On ne peut raisonnablement participer à cet étiquetage collectif et arbitraire qui confisque la parole aux principaux acteurs de l'enseignement agricole, qui omet de considérer toutes ces médiations symboliques qu'instaure l'institution avec les univers objectifs qui en sont dialectiquement constitutifs. Ces univers objectifs sont alors autant d'Autruis qui comptent – négativement ou positivement – pour l'institution ; c'est-à-dire ces altérités à l'épreuve desquelles elle construit son identité collective et légitime son ordre social interne. Ce n'est seulement qu'à travers ce rapport dialectique et réfléchi entre une intériorité institutionnelle et un ensemble de contraintes objectives qu'il est possible d'examiner ce qui vaut identitairement pour un collectif. Au risque de paraître un peu provocateur, soyons attentifs au fait que nous avons affaire ici à une institution qui ne s'est peut-être jamais pensée comme étant un enseignement agricole mais bien plutôt comme des « Maisons Familiales Rurales d'Éducation et d'Orientation » pratiquant l'« alternance ».

PREMIÈRE PARTIE

Enseignement agricole et agriculture :
un couple trop exclusif

Chapitre I

CONTRE UNE DÉFINITION « NATURALISTE »
ET MÉCANIQUE DE L'ENSEIGNEMENT AGRICOLE

Le couple agriculture/enseignement agricole n'a rien de naturel ou d'éternel. Historiquement, il est de création récente. C'est en effet la loi du 2 août 1960, « relative à l'enseignement et à la formation professionnelle agricoles », qui institutionnalise véritablement un champ scolaire spécifique. Elle lui assigne clairement des missions, une organisation interne et un public, bien que ce dernier soit, il est vrai, numériquement peu conséquent : seulement 4 % de la population agricole compose essentiellement, à l'époque, le public de cet enseignement. Suivant les idéaux scientistes et modernistes des législateurs[1], cette loi instaure une rupture avec un mode séculaire d'apprentissage familial, « sur le tas », du métier d'agriculteur. Jusqu'à cette date, l'agriculture s'était passée d'un apprentissage scolaire. Elle s'en passe encore en partie[2]. L'enseignement agricole, loin d'être une donnée

---

1. Des idéaux qui ne s'accordent pas toujours avec les réalités empiriques qui, en agriculture, participent à un ensemble de savoirs ne pouvant se réduire à la seule application des recettes scientifiques et techniques transmises par l'école (Bonniel, 1983, p. 23-30). Plus encore, il semblerait que certaines pratiques en agriculture échappent totalement aux « connaissances élaborées par la technostructure » (Dascon, 1985, p. 27-28).
2. En effet, on estimait qu'en 1985 seul un tiers des exploitants bénéficiait d'une formation agricole initiale et que 60 % des chefs d'exploitation français de moins de 35 ans s'étaient dispensés d'une formation continue (Kayser, 1990, p. 134-137). Notons cependant une inversion de la tendance : en 1988, 34,5 % des chefs d'exploitation de moins de 35 ans n'avaient aucune formation agricole (source : ministère de l'Agriculture et du développement rural). L'enquête de l'INSEE sur l'emploi en 1997 indique, elle, moins finement, que 41,18 % des agriculteurs exploitants ne disposent d'aucun diplôme ou d'un CEP (Certificat d'études primaires) ou BEPC (Brevet d'études du premier cycle) seul.

naturelle, est donc d'un premier abord cette construction historique et juridique. C'est la succession de deux lois (1960 et 1984[3]) qui lui attribue officiellement une visibilité sociale et une existence légitime. Toutefois, s'il est nécessaire de souligner ces aspects artificiels d'une forme scolaire qui est historiquement située et juridiquement définie, le rapport d'une activité de production, l'agriculture, avec un système spécifique d'enseignement n'a, apparemment, rien de « choquant ». Il est compréhensible qu'une agriculture moderniste, très technique et productiviste, nécessite pour son développement le relais d'un enseignement qui est chargé de diffuser des savoirs de pointe. Une « Brève histoire de l'enseignement agricole » (Boulet et Mabit, 1991, p. 9-35) nous rappelle cette constante inscrite dans les lois successives qui régirent la formation agricole scolaire : affirmer par l'école des ambitions techniques et industrielles hors de la portée de l'entrepreneur ordinaire et de son empirisme routinier, ceci afin que se réalisent puis se poursuivent la modernisation et le développement de l'agriculture. Il est, par exemple, de ce point de vue très significatif que « la politique agricole des structures », ensemble de mesures étatiques qui entament un processus d'accélération de la modernisation de l'activité agricole (Groussard, 1987, p. 5-10), précède de peu, en 1959, l'institutionnalisation de l'enseignement agricole en 1960. À côté de cet élan moderniste (Moulin, 1988, p. 217), l'agriculture intègre aussi cette tendance générale à la spécialisation des univers sociaux de production. Sphère productive hautement différenciée, l'agriculture[4] est affaire de spécialistes tout comme son enseignement qui autonomise des temps, des lieux et des agents sociaux chargés de transmettre et de contrôler (certifier par

---

3. Nous n'incluons pas ici le décret du 3 octobre 1848 qui place l'enseignement professionnel de l'agriculture sous la tutelle du ministère de l'Agriculture et du Commerce. Quelques chiffres suffisent en effet à situer ce décret non pas dans l'histoire proprement dite de l'enseignement agricole mais bien plus dans sa préhistoire. Ainsi, vingt ans après la parution du décret, l'enseignement agricole n'intéresse que moins de 400 jeunes pour une population active agricole d'environ 7 millions de personnes. Qualitativement parlant, il se répartit en trois niveaux d'enseignement qui correspondent à trois types d'établissements : l'Institut National Agronomique (école des ingénieurs), les écoles régionales (école théorique et pratique des futurs chefs d'exploitation) et les fermes-écoles (école pratique des futurs fermiers, régisseurs, etc.). Ces dernières, les plus nombreuses (47 fermes-écoles contre 4 écoles régionales), ne s'adressaient finalement, nous dit Yves Rinaudo, qu'« aux seuls enfants des catégories les plus défavorisés », usaient « d'une main d'œuvre "gratuite" au seul profit du directeur propriétaire » et dispensaient un enseignement dont la qualité « ne pouvait être qu'une heureuse mais rare éventualité » (1986, p. 38-39).
4. Terme qui ne peut en fait « fonctionner » au singulier. Les typologies des exploitations et des agriculteurs français, classifications plus ou moins concordantes selon les spécialistes, invitent à bien différencier des catégories d'exploitants et d'exploitations selon des facteurs tant économiques, techniques, juridiques, politiques et démographiques que culturels (Kayser, *op. cit.*, p. 104-105 ; INRA/INSEE, 1998, p. 174-175).

le diplôme) une somme de savoirs formalisés et appliqués à l'exercice de la profession agricole. Ce lien quasi mécanique, agriculture/enseignement agricole, est d'ailleurs bien repéré par bon nombre de spécialistes de l'enseignement agricole. Ces derniers placent au cœur de leur problématique les déterminismes technologiques et économiques qui seraient les plus à même d'expliquer les « spécificités » dudit enseignement : « Repérer et analyser les modifications techniques, économiques et sociales qui affectent le monde agricole est d'autant plus indispensable que le système éducatif n'est pas clos, mais qu'il participe à la reproduction des rapports sociaux de production. Ignorer la nature de ceux-ci et leurs transformations – et en particulier les caractéristiques des rapports internes à la paysannerie et entre celle-ci et les autres classes et couches sociales – ne permettrait pas de comprendre les spécificités de l'enseignement agricole français. » (Boulet, 1983, p. 187.) Selon une appréciation identique, nous trouvons cette variation « féminine » de l'enseignement agricole qui s'appuie sur le fait que « la division sociale du travail constituant le principe d'explication majeur de tout ce qui se passe dans l'école, on comprend que la quasi-absence de formation agricole pour les filles ne soit pas une simple bizarrerie mais au contraire la meilleure façon pour l'enseignement agricole de remplir sa fonction de reproduction des structures de production à la campagne [...] » (Caniou, 1983, p. 52). Une fonction de reproduction qui n'interdit pas toujours le changement et qui, ailleurs, situe cette fois l'école en général, mais aussi l'enseignement agricole, dans un questionnement central en termes de « dépaysannisation et [de] permanence des structures sociales » (Brangeon et Jégouzo, 1976, p. 203-272); plus précisément, il est dit que « le diplôme acquis commande en partie la répartition des enfants de paysans entre l'agriculture et les autres secteurs économiques » et que « la sélection scolaire assure la compatibilité entre la permanence des structures sociales et le changement dans les structures économiques et contribue à ordonner l'expulsion. Telles sont les fonctions sociales spécifiques que l'école exerce en zone rurale par l'intermédiaire de l'exode; leur analyse conduit à éclairer plusieurs aspects des relations entre système scolaire et système socio-économique » (*ibid.*, p. 205). Enfin, les Maisons familiales elles-mêmes n'échappent guère à cette Vulgate sociologique. Dans une étude déjà ancienne, François Cardi conclut à leur propos que « la fonction globale des Maisons familiales nous apparaît donc comme une fonction de maintien-dissolution de l'"'en-soi" agricole, la fonction de maintien apparaissant comme plus déterminante que la fonction de dissolution » (1978, p. 244). Six ans plus tôt, un autre spécialiste de cet enseignement posait déjà qu'« on ne peut en effet étudier la mise en place et le développement d'une institution comme les Maisons familiales sans faire référence à l'histoire d'un secteur de l'économie : l'agriculture et sans tenir compte des relations qu'entretient cette catégorie sociale : les agriculteurs, à la fois avec l'École et l'Économie » (Bonniel, 1972, p. 1) ; c'est ainsi que la réussite scolaire en Maison familiale, réussite mesurée principalement à l'aune de taux moins élevés (que dans l'enseignement professionnel industriel) en matière de retard scolaire et d'abandon des élèves en cours d'étude, s'explique par la fonction sociale qui est assignée à l'institution au sein de la sphère économique : assurer, par la formation des enfants de la moyenne paysannerie, « élite de réprouvés », la reproduction d'une force de travail qualifiée en agriculture qui, plus globalement, alimente les « classes intermédiaires » de la société (ibid.).

Ces lectures « socio-économistes » de l'enseignement agricole, interprétations particulièrement portées sur l'analyse fonctionnaliste du social et qui, plus spécialement, empruntent au modèle de la reproduction (Bourdieu et Passeron, 1970) l'essentiel de leur armature théorique, s'accompagnent parfois d'une variante « pédagogiste ». Sous un titre d'ouvrage (Chaix, 1993) très révélateur de l'inégale importance que son auteur accorde respectivement à une pédagogie (l'alternance) et à son lieu d'application (l'enseignement agricole), nous trouvons cette interrogation sur les rapports entretenus entre deux systèmes ou « champs pédagogiques » (ibid., p. 10-12 et 21-22) : l'un est scolaire (celui de l'école) et rencontre l'autre, économique (celui de l'entreprise), dans des dispositifs de formation initiale comprenant des stages en entreprise ; il s'agit alors, selon la thématique « socio-économiste » récurrente mais débarrassée, il est vrai, du modèle de la reproduction, « d'étudier des dispositifs du même type dans l'enseignement technique agricole et, plus particulièrement, la filière du BTA (Brevet de Technicien Agricole) parce qu'elle inclut des stages en exploitation agricole ou dans les entreprises des secteurs connexes à l'agriculture. Pourquoi ce choix ? Tout d'abord, l'observation des rapports entre système scolaire et secteur économique et social est facilité par l'extension limitée de cet enseignement et sa relative autonomie » (ibid., p. 14).

À ces déterminations technologiques et économiques qui conjuguent étroitement enseignement agricole et agriculture, s'ajoutent le plus souvent celles, morales, politiques (Ponton, 1985, p. 103-107) et idéologiques. La thèse de François Cardi en est l'exemple paradigmatique. Ouvrant sur un objet bien plus idéologiquement que sociologiquement construit, elle enferme – ne serait-ce pas là la véritable clef des champs ? – « l'appareil scolaire agricole » (op. cit., p. 5), concept ô combien connoté (Bourdieu, 1992, p. 78-79), dans la très réductrice et caricaturale problématique de « la reproduction des classes sociales et des rapports de production » (ibid., p. 3). L'enseignement agricole n'y est convoqué qu'au titre de composante rurale « des projets que la classe dominante formait pour maintenir la paysannerie sous sa coupe » (*op. cit.*, p. 45). Plus subtile dans ses développements et son argumentation mais participant, finalement, d'une même lecture idéologique, la thèse de Claude Grignon nous invite expressément à « considérer l'enseignement agricole comme un moyen d'agir sur la paysannerie, sur l'agriculture et sur la "société rurale", par l'intermédiaire d'agents et d'institutions appartenant, à des degrés divers, au système d'enseignement ; plus précisément, on a défini provisoirement l'enseignement agricole comme un des instruments dont dispose la classe dominante pour assurer, conformément à ses intérêts, la transformation (et/ou la conservation) de l'agriculture, de la paysannerie et des catégories sociales et des activités économiques qui sont en relation directe avec elles » (*art. cit.*, p. 78). Historiquement, il est vrai que depuis la Troisième République les agrariens de droite comme de gauche se sont appliqués à (re) conquérir idéologiquement les campagnes afin d'assurer leur assise politique (Boulet, 1986, p. 88-89), ceci notamment *via* l'enseignement agricole qui réunissait les deux parties antagonistes autour de ce véritable « consensus dans le rejet de l'autre » (Nadaud, 1986, p. 79). Pour mener à bien cette conquête politique et idéologique des campagnes, il a fallu, dès le départ, s'attacher la paysannerie en créant les structures très formelles ou institutionnalisées de son encadrement syndical, économique et technique. C'est ce que firent, les premiers, les agrariens de droite de « la rue d'Athènes » en mettant en place, dès 1867, la première grande centrale professionnelle agricole ; en 1880, les radicaux républicains du « boulevard Saint-Germain » répliquèrent avec un certain retard en créant, sous l'égide de Gambetta, la Société Nationale d'Encouragement de l'Agriculture puis, le 14 novembre 1881, le ministère de l'Agriculture (Houée, 1972a, p. 92-108 ; Berger, 1975, p. 59-82). À partir des initiatives séparées et concurrentes de la droite conservatrice catholique et de la gauche républicaine, fleurirent donc dès 1867 syndicats, coopératives, crédit et mutualité agricoles. Autant d'organismes dont la présence expliquait cette impression, encore ressentie aujourd'hui, d'un monde agricole pouvant s'assimiler à une société dans la Société. La Cinquième République vit, quant à elle, s'instaurer la cogestion État/OPA[5]. À cette lecture « légitimiste », qui fait de la culture paysanne une culture d'acceptation (une sub-culture) d'une domination sociale dont l'enseignement agricole serait « un des instruments », répond aussi parfois le versant réactif, contestataire (d'une contre-culture) d'une même analyse « idéologique » qui interprète les formations symboliques d'un groupe social dominé par référence aux fonctions qu'elles assument dans les rapports de domination (Grignon et Passeron, 1989). C'est

---

5. Organisations Professionnelles Agricoles qui sont surtout représentées par la puissante FNSEA (Fédération nationale des syndicats d'exploitants agricoles) très ancrée à droite.

ainsi que les Maisons familiales rurales, dans leur triple rapport contestataire aux champs politique, religieux et pédagogique, auraient contribué dans leur action de « transformation de la paysannerie » à la création d'une « classe-sujet » (Bonniel, 1982). Nous ne pouvons véritablement souscrire à cette thèse. Outre sa réfutation directe par les propres données qu'elle convoque[6], le versant contestataire de l'analyse « idéologique » qu'elle mobilise ici – en exposant la stratégie de subversion sociale mise en place par les Maisons familiales – travaille encore explicitement sur « le modèle de la reproduction sociale[7] » des rapports de domination. Les Maisons familiales, dans leur « double fonction de force de contestation des politiques établies et de force de proposition pour un modèle alternatif de développement de l'agriculture et du monde rural » (*ibid.*, p. 130), développent finalement une sorte de « résistance culturelle[8] » et sont, fatalement, appréhendées par le sociologue comme une instance dominée – domination associée à celle du modèle agricole minoritaire qu'elles soutiennent[9] – au sein du

---

6. En effet, comment les Maisons familiales peuvent-elles stratégiquement travailler à « *la transformation de la paysannerie* » quand on nous montre, par ailleurs, le faible soutien qu'elles obtiennent des OPA et, principalement, du syndicat agricole dominant (*ibid.*, p. 120-124). Ces mêmes OPA, notamment très critiques quant à l'efficacité de la formation professionnelle dispensée par les Maisons familiales (*ibid.*), représentent par leur participation active à la cogestion agricole État/FNSEA la force politique paysanne par excellence, levier incontournable sans lequel il est difficile, pour ne pas dire impossible à l'époque, de toucher et de mobiliser véritablement la profession. La thèse d'une « *transformation de la paysannerie* » par les Maisons familiales est difficilement crédible quand son auteur conclut sur le fait qu'« il semble bien que la stratégie actuelle des Maisons familiales consiste à signer, en quelque sorte, un pacte de non agression avec l'État, le temps nécessaire pour elles à se constituer, ou plutôt à s'affirmer, en force d'autonomie politique de la paysannerie, les OPA ayant, à leurs yeux, failli à cette tâche par leur trop grande compromission avec l'État » (*ibid.*, p. 139).

7. Voir Jean-Claude Passeron (1991, p. 102-109) pour les précautions d'emploi et les limites d'un tel modèle.

8. Un concept « qui met d'office l'analyse idéologique au cœur de toute analyse culturelle [et qui] propose les facilités *omnibus* d'une clé universelle qui n'ouvre ici proprement aucune des deux boîtes à signifiés. Par ses aspects réactionnels, la révolte symbolique que met en branle toute mise en contact de dominés avec un dispositif culturel dominant ou avec des membres et agents des classes dominantes renvoie toujours, d'une manière ou d'une autre, à la connaissance et, pour une part, à la reconnaissance, fût-elle belliqueuse, de la domination symbolique. Il est vain de scruter ces situations d'interaction ou d'affrontement en espérant y trouver, fût-ce à leur niveau le plus virulent de dévaluation des valeurs dominantes, un processus d'évaluation qui ne passerait pas, à un moment ou à un autre, par la dénégation » (Grignon et Passeron, *ibid.*, p. 80).

9. Un modèle « néo-artisanal » empreint d'une idéologie « néo-corporatiste » et qui, soucieux de restaurer une agriculture à base familiale et de travail sachant promouvoir des formes coopératives ou solidaires, s'oppose diamétralement au modèle dominant industriel, productiviste et libéral fonctionnant à base de capital technique, foncier et économique (Bonniel, *op. cit.*, p. 110-114 et 124-131).

champ de l'enseignement agricole. Ainsi pensées, les Maisons familiales se proposent d'ériger en « classe-sujet » une paysannerie qui n'est en fait guère autonome dans ses productions culturelles.

Contre « la technologie ou les tentations d'un déterminisme technologique » (Crozier et Friedberg, 1977, p. 135-141) doublé, d'une part, d'une analyse idéologico-politique de l'ordre social et soutenant, d'autre part, l'affirmation – parfois péremptoire mais toujours réductrice – selon laquelle « la division sociale du travail constitue le principe d'explication majeur de tout ce qui se passe dans l'école » (Caniou, *art. cit.*), il est impératif de réhabiliter l'acteur ou le collectif d'acteurs face aux structures. Loin de prétendre qu'il n'y aurait aucune détermination des rapports sociaux de production ou de la division du travail qui réglerait l'activité agricole[10] et structurerait son enseignement, nous pensons cependant que l'idée d'une telle domination occulte des rapports éminemment médiatisés entre un système productif et les institutions scolaires qu'il est censé subordonner. La médiation est le fait de ces institutions. Elle est ici stratégique et symbolique. L'organisation de l'agriculture et de son enseignement est peut-être avant tout une affaire d'orientation et de politique étatiques. Soit. Les législations successives autorisent certes à penser un « enseignement agricole au service de l'État » et de sa politique agricole globale qui règle techniquement, économiquement et sociologiquement, dans « un contrat de société » (Hervieu, 1993, p. 167-172), la question de l'agriculture française. Néanmoins, et cela vaut surtout pour les établissements privés, il y a moins une domination verticale et unilatérale de normes étatiques très formelles – et, par là, lointaines – sur des enseignements agricoles, que des rapports négociés de « reconnaissance », d'« agrément » puis de « contrat[11] » entre l'État et les institutions scolaires. Gageons que celles-ci savent y faire valoir leurs intérêts, notamment financiers. Soutenons qu'elles ne se résument pas simplement à « des instruments dont dispose la classe dominante pour assurer, conformément à ses intérêts, la transformation de l'agriculture » (Grignon, *art. cit.*). Et soyons attentifs à certaines déclarations qui, pour les Maisons familiales, expriment leur relation à la tutelle étatique :

---

10. Même si certains ont bien repéré le déplacement d'une agriculture *stricto sensu* vers un messianisme du « tertiaire rural », du « développement rural », de l'« aménagement du territoire » et de la gestion écologique (-iste) de l'environnement (peut-on alors encore parler d'agriculture ?), l'enseignement agricole, appelé à devenir « savoir vert » aux côtés d'agriculteurs devenus gestionnaires de l'espace rural (Boulet et Mabit, *op. cit.*, p. 147-155), s'émancipe-t-il pour autant d'une même analyse mécaniste ?

11. Selon les termes-phares des lois successives (1960, 1978 et 1984) sur l'enseignement agricole qui, plus spécifiquement, s'occupent de la question des établissements privés.

« Nous avons accepté la mission de service public, non pas pour remplir les cases prévues par l'Administration, mais pour apporter une
réponse organisée aux besoins d'une population rurale. » (Président de
l'Union nationale des Maisons familiales rurales, *Le Lien des
Responsables*, n° 110, juillet 1987, p. 63.)

Plus encore, le terme même de « reconnaissance » doit nous amener à prendre en considération la dimension sémantique et symbolique
d'une loi et, par là, nous préparer à l'idée que, plus globalement, « la
division du travail potentiellement inscrite dans l'univers objectivé de
la technique ne se réalise dans l'ordre proprement social qu'à travers la
médiation de systèmes symboliques » (Boltanski, 1982, p. 50).
Répétons-le, il ne s'agit pas de nier ici le poids des contraintes structurelles qui pèsent sur une institution telle que l'enseignement agricole.
Il est par contre essentiel de critiquer chez certains auteurs ce passage
subreptice du déterminant au déterminisme. Il convient surtout d'affirmer que la structure n'a pas véritablement d'existence ou, du moins,
de pérennité en dehors des représentations – positives ou négatives –
des acteurs qui l'investissent, lui donnent sens, l'objectivent
(Sallaberry, 1999, p. 18-19). L'enseignement agricole ne doit pas être
cette boîte noire qui sert à reproduire les rapports sociaux de production et de domination. Ce n'est là qu'une vision éminemment réductrice des choses qu'alimente une sociologie « structuro-fonctionna-
liste[12] », voire marxisante ou « néo-marxiste » selon la critique féroce
mais juste qu'adresse Raymond Boudon (1986, p. 309) aux tenants
français d'un « fonctionnalisme sommaire » en sociologie. Une sociologie qui aplatit le monde sur le seul plan des rapports de domination
sociale et qui, selon la critique de Boudon et Bourricaud (1990, p. 198-
199), fait des concepts de « reproduction » (de l'ordre social) et de
« domination » *l'alpha* et *l'oméga* de toute analyse du fonctionnement
des institutions. L'enseignement agricole *stricto sensu*, pris comme une
instance « dominée[13] » et, au mieux, comme une « chose » (Durkheim,
1987, p. 15-31) – un fait social que l'on peut faire parler mais qui, de
lui-même, ne parle pas, ne symbolise pas – ou une organisation
dépourvue de tout enracinement et « capacité » symboliques[14], ne peut

---

12. Et qui au mieux, selon la critique faite du fonctionnalisme par Castoriadis, voit « la
forme au service du fond » (1999, p. 175-176).
13. « L'École, nous dit Jacques Bonniel, est dotée d'une multifonctionnalité : fonction de
production-reproduction de connaissances, reproduction des classes sociales et
reproduction de la force de travail qualifiée… […]. Car l'École loin d'atténuer, voire
de supprimer, ces inégalités sociales et scolaires ne fait que les renforcer. […]. C'est
dans ce cadre théorique que doit se situer l'analyse de l'enseignement professionnel
agricole car ce dernier qui recrute ses éléments dans les classes dominées […] s'est
constitué sur le même modèle que l'enseignement professionnel industriel et occupe
également le pôle dominé de cette structure scolaire. » (Bonniel, 1972, p. 5.)
14. La critique vaut aussi pour une sociologie des organisations qui, si elle a le mérite

rendre compte d'institutions ou de collectifs humains qui se sont dotés de systèmes de représentations et de valeurs... et donc de la parole. Des représentations et des paroles collectives qui, dans une « société juste » (Walzer, 1997, p. 433-434), se déploient moins face à des contraintes structurelles que dans un rapport dialectique, notamment de « compréhension partagée des significations des biens sociaux » (*ibid.*), avec ces dernières. Il n'y a pas de contraintes structurelles en soi, qu'elles soient techniques, politiques ou juridiques. Il y a ce qui fait sens, ce qui vaut pour le groupe comme contraintes à un moment donné. Des contraintes dont la force ou l'appréciation est tributaire de l'inscription du groupe dans une histoire sociale, c'est-à-dire à la fois dans du « déjà institué » – de la pensée héritée – et de l'instituant – du pensable et de la nouveauté. L'hypothèse de l'« ambivalence [15] » n'est recevable pour l'analyse qu'à condition d'instaurer une pensée relationnelle et une articulation dialectique dans le rapport acteurs/structures. Ceci permet de rejeter toute conception naturaliste d'une domination sociale en soi, ainsi que toute lecture substantialiste du groupe fermé sur une cohérence interne. Autrement dit, les collectifs humains qui composent telle ou telle institution d'enseignement agricole sont capables de productions symboliques, culturelles et identitaires, dans et par leurs relations sociale et historique au monde agricole. Des relations qui ne sont pas une simple dépendance mécanique et fonctionnelle mais de véritables opérations symboliques – représentations, nominations, classements – d'institution du monde, d'autrui et de soi : « Toute société existe en instituant le monde comme son monde, ou son monde comme le monde, et en s'instituant comme partie de ce monde. » (Castoriadis, *op. cit.*, p. 279.) Ignorer ceci rendrait alors difficilement compréhensible la tripartition d'un champ scolaire en :
– un enseignement agricole public ;
– un enseignement agricole catholique ;
– « Maisons familiales rurales d'éducation et d'orientation » (MFREO).

L'appellation générique « enseignement agricole », étiquette sommaire et globalisante, qui soutient naturellement l'image commune d'un enseignement fidèle aux orientations de l'agriculture, ne peut alors que poser problème. Elle occulte en fait les relations entre les trois institutions scolaires ainsi que les rapports que chacune entretient avec des « environnements » non agricoles. Des rapports de fait, de coexistence au sein du champ scolaire, mais qui sont aussi et surtout médiatisés par des systèmes de représentations propres à chaque insti-

---

de restaurer l'acteur dans sa relative liberté face au système, réduit sa « capacité (à la médiation) symbolique » à la portion congrue.

15. Qui joint à la lecture « légitimiste » des productions symboliques d'un groupe social celle, « relativiste », qui interprète les éléments d'une culture par référence à la cohérence interne et autonome du système (Grignon et Passeron, *op. cit.*, p. 65-113).

tution, réglant au travers d'appellations spécifiques – dont celle de « MFREO [16] » qui nous intéressera essentiellement ici – leur propre construction identitaire en dehors, quasiment, de la question agricole. Exception faite, peut-être, d'une ancienne bipartition politique (agrariens de) gauche/droite qui serait susceptible d'expliquer celle des enseignements agricoles public/privé, l'on conçoit difficilement qu'il puisse y avoir une pratique ou un enseignement d'une agriculture laïque et d'une agriculture catholique à côté de celle apprise dans les Maisons familiales rurales !

16. Le choix d'appellations distinctes, surtout pour les Maisons familiales, serait révélateur d'un choix identitaire stratégique qui, lui, doit quelque chose à la co-présence d'institutions concurrentes au sein du champ de l'enseignement agricole.

Chapitre II

POUR UNE APPROCHE DIALECTIQUE DE L'ORDRE ET DE L'IDENTITÉ D'UN ENSEIGNEMENT AGRICOLE

En tant qu'institution scolaire, les Maisons familiales rurales sont liées à certains univers objectifs de la réalité sociale. Plus qu'une liaison, ces univers participent en fait à la constitution même du collectif Maison familiale ; ils entrent dans la prise en charge réflexive de ce collectif par lui-même. Ils sont alors moins à envisager comme des environnements immédiats qui graviteraient autour de l'institution et interféreraient avec son fonctionnement, que comme des composantes significatives, symboliquement et dialectiquement constitutives de l'identité institutionnelle des Maisons familiales rurales. S'il y a bien dans le concept d'« environnement » – et plus généralement dans la théorie des systèmes qui l'inclut – cette idée d'interrelations entre des (sous-) ensembles sociaux qui, justement, « échangent » avec leurs environnements (Crozier et Friedberg, *op. cit.*, p. 163), parler d'« environnement » implique cependant une autre idée : celle d'une extériorité ou, du moins, d'une frontière entre des ensembles. Il y a là, nous semble-t-il, une conception qui ne s'accorde que très imparfaitement avec celle que l'on peut se faire de la « société » dont l'appréhension, comme le soutient Norbert Elias, doit répudier toute conception « externaliste » ou « environnementaliste » tout en rejetant son opposé « individualiste », ceci au profit de l'idée, beaucoup plus dialectique, de « la société des individus » (1991). C'est encore cette notion d'« environnement » que convoque, pour sa part, la psychologie sociale et son ancrage behavioriste, ceci afin de proposer une théorie de l'identité sociale réunissant l'individu et la société (Baugnet, 1998, p. 66-69). Nous préférerons donc le concept d'« altérité » (Leterre, 1996, p. 77-78 ; Ricœur, 1990, p. 13-14) à celui d'« environnement » afin de penser ces « ordres sociaux » qui sont symboliquement et dialectiquement constitutifs de l'identité collective des Maisons familiales, qui soutiennent toujours chez les acteurs institutionnels une identification à un « Nous ». C'est dire ici que l'« objet école » doit être appréhendé relationnellement et dialectiquement, qu'il n'est point un monde hors du monde. Il s'agit d'être attentif à ces altérités qui façonnent une institution scolaire telle que les Maisons familiales, entrent dans ses mécanismes de constitution identitaire. Et ces altérités ne peuvent se réduire à ces « choses » dont parle Durkheim (*op. cit.*, p. 15-31) dans sa charte méthodologique et épistémologique. Le croire serait occulter par un déterminisme simple et mécanique le caractère fondamentalement médiatisé – dans un rapport de sens – des contraintes « extérieures ». Là comme ailleurs, toute contrainte, même dans son acception la plus totalitaire (Goffman, 1968, p. 245-262), n'existe véritablement comme telle, ne prend sa signification ou ne fait sens pour les Maisons familiales qu'à travers son traitement symbolique par l'institution. Un traitement qui, finalement, participe au procès d'institutionnalisation – d'ordonnancement toujours réflexif – d'un collectif, travaille à la création d'une institution ou d'un « groupement social légitimé » (Douglas, 1989, p. 42) dans ce versant subjectif, pour nous essentiel, de la constitution du social. Un traitement qui est transformation d'« extériorités » en intériorités instituées [1] ou altérités intériorisées – et donc non étrangères au « Soi » réflexif de l'identité, fut-il collectif – qui sont devenues symboliquement et dialectiquement constitutives d'une identité institutionnelle.

Parmi ces altérités, il y a tout d'abord, nécessairement ou logiquement, l'objet sans lequel ne peut s'exercer l'acte, le traitement éducatif : l'élève. Sorte de matière première, il conditionne de ce point de vue l'existence même de l'école. Toutefois, ce rapport logique, et quelque peu inerte ici, de l'institution scolaire avec une première altérité ne rend que très imparfaitement compte du véritable enjeu qui lie les deux univers. Sans quitter ce registre d'une altérité que l'on peut qualifier d'« éducative », l'on se doit impérativement de l'augmenter d'une seconde présence, celle des familles, afin de comprendre l'idée même d'« objet éducatif ». Celle-ci commande d'évoquer, au-delà d'un simple rapport « logique » école/élève, l'état objectif d'un ordre social particulier et moderne dans le processus d'éducation de l'enfant. Un ordre où l'école, cette « invention moderne » (De Queiroz, 1995, p. 5-6), marque « une déprise de la famille sur l'enfant » (*ibid.*, p. 63) et rompt ainsi avec l'ordre ancien de la possession familiale. En effet, qu'est-ce que l'éducation, sinon un processus social actif, une socialisation ? Plus encore, l'éducation, par rapport à la socialisation *stricto sensu* qui com-

---

1. Et, comme nous le montrerons, instituante d'une histoire, d'une « sociologie », d'une « anthropologie » et d'une « cosmologie » propres aux Maisons familiales.

prend une large part d'imprégnation – quelque chose qui passe sans être explicité, qui va de soi, qui est de l'ordre d'une « logique pratique » (Bourdieu, 1980, p. 154) – est, elle, une socialisation consciente et qui explicite ses moyens d'action. Historiquement, elle suppose aussi l'invention de l'enfance comme objet d'attention, notamment éducative (De Queiroz, *op. cit.*, p. 63 ; Prost, 1997, p. 20-25). Une socialisation devient donc éducation quand ce processus fait l'objet, dans le groupe social, d'une élaboration réfléchie où l'on se pose la question « que faire pour éduquer un enfant ? » et où l'on instaure des normes en termes de définition d'une excellence. Tel est le cas d'une éducation moderne de type scolaire qui a su rompre progressivement avec l'apprentissage comme mode dominant d'initiation sociale directe, d'éducation très pratique de l'enfant à la vie d'adulte qui avait autrefois cours dans la société médiévale (Ariès, 1960). Ce processus social qui est donc actif, réfléchi et instrumenté, reste aussi et surtout spécialisé. Il est l'objet d'une temporalité spécifique, d'une spécialisation des lieux [2] et des agents sociaux chargés de transmettre le savoir selon des outils pédagogiques appropriés. C'est-à-dire qu'il intègre et consacre dans le schéma d'une division sociale des rôles éducatifs l'autorité (le pouvoir) de l'école face aux familles. Selon « une théorie de la violence symbolique » (Bourdieu et Passeron, *op. cit.*, p. 13-84) qui se joint à la thèse de l'école reproductrice-dissimulatrice des hiérarchies sociales, cette autorité bénéficierait de la suspension du doute quant à sa légitimité. Elle pourrait compter en cela sur l'aveuglement et la complicité des familles qu'elle soustrait de l'acte proprement éducatif. Là où le sociologue voit un acte politique d'imposition d'un certain « arbitraire culturel » (*ibid.*, p. 39), ces dernières ne percevraient que l'évidence (la « naturalité ») ou l'objectivité d'un ordre séparé, essentiellement technique, des compétences pédagogiques et cognitives indispensables à l'accomplissement d'une éducation scolaire. Si notre propos n'est pas ici de débattre fondamentalement de la thèse de *la reproduction* – l'école est-elle ou non cet instrument de reproduction des inégalités sociales ? –, l'économie de toute justification dont elle semble gratifier l'ordre scolaire (l'autorité éducative) face aux familles « complices [3] » mérite cependant une discussion au regard de notre propre objet d'étude. En effet, les Maisons familiales se doivent de concilier deux exigences paradoxales. La première, commune à toute institution scolaire, est celle du bénéfice d'une reconnaissance directe

---

2. Un héritage direct du XVIe siècle où, selon Ariès, parallèlement à l'émergence d'une conception particulariste de l'enfance, s'instaure dans les écoles « un processus de différenciation de la masse scolaire » en classes (*ibid.*, p. 201).

3. Car c'est bien de cela dont il s'agit lorsque l'on nous dit que la [théorie de la] violence symbolique est cette « forme de violence qui s'exerce sur un agent social avec sa complicité » (Bourdieu, 1992, p. 142).

par les familles de compétences technique et pédagogique. Ici certifiée par le ministère de l'Agriculture, là validée par une demande et un recrutement scolaires effectifs, cette compétence reconnue autorise les Maisons familiales à dispenser une formation spécialisée, hors de la portée d'une instance d'éducation ordinaire telle que la famille. Ceci est au fondement même de l'existence d'une institution, du crédit ou du sens que lui accordent les acteurs sociaux, et légitime ainsi le monopole d'une autorité éducative soustraite aux familles. Cependant, les Maisons familiales ont un fonctionnement administratif particulier. Bénéficiant du régime juridique d'une association loi 1901, chaque Maison familiale se voit directement administrée par un conseil élu de parents d'élèves qui contrôle les orientations budgétaires, pédagogiques et politiques de chaque établissement. En même temps, toujours selon ce mode de gestion associatif, les Maisons familiales sont affiliées à l'Union nationale des associations familiales (UNAF) qui les intègre en tant que mouvement familial de type « éducatif et professionnel ». L'institution scolaire se doit donc d'être fidèle à la « philosophie » très familialiste de l'UNAF :

> « Philosophie, doctrine et politique du mouvement (des MFR).
> La doctrine du mouvement repose sur les principes suivants :
> – respect des droits de la responsabilité des familles en ce qui concerne l'éducation et la formation professionnelle générale, morale et sociale de leurs enfants.
> – responsabilité de l'association de parents créée pour gérer la Maison familiale. » (« Le mouvement familial en France », *Réalités familiales – Revue de l'Union nationale des associations familiales*, n° 29, décembre 1993, p. 25.)

Matériellement et idéologiquement, les Maisons familiales ne peuvent donc soutenir, du moins directement, ce principe d'une autorité et d'un pouvoir éducatifs qui sépare ordinairement l'école de sa clientèle. Souscrivant à la thèse d'un ordre institutionnel dont seul le traitement réflexif par ses membres lui confère sa « qualité logique » (Berger et Luckmann, *op. cit.*, p. 92), nous pensons que les Maisons familiales, prises dans deux rapports complexes, sinon paradoxaux, avec leur « objet éducatif » (l'élève et, par extension, sa famille), sont soumises à une première contrainte de légitimation de leur action éducative qui, malgré sa coloration familialiste, sous-entend une certaine division des rôles et des autorités. Répondant à un impératif d'intelligibilité de l'ordre institutionnel, cette légitimation – qui explique pourquoi les choses sont ainsi – vise *a priori* à intégrer et à satisfaire, au moins cognitivement, les familles qui en sont matériellement et juridiquement constitutives. Mais, dans un même mouvement, elle doit alimenter le discours instituant de ceux qui ont le pouvoir de faire le groupe à l'intérieur comme à l'extérieur, qui produisent et distribuent indissociablement de l'ordre et de la connaissance à son sujet : les porte-parole (Bourdieu, 1982, p. 101) permanents de l'institution que sont les directeurs et présidents (nationaux, régionaux, départementaux et locaux) des Maisons familiales. C'est bien selon un double impératif, celui de la satisfaction cognitive d'une altérité « éducative » et celui de la production même de la forme institutionnelle à destination du personnel des Maisons familiales, qu'il faut entendre ici cette contrainte de légitimation d'un ordre institutionnel. Néanmoins, le premier impératif restera chez nous très spéculatif. Le contentement effectif des familles ne sera pas vérifié empiriquement. Si les familles sont présentes dans la construction identitaire des Maisons familiales, et nous estimons qu'elles le sont, c'est surtout à travers leur convocation symbolique dans le discours des responsables de l'institution ; elles représentent cette altérité « éducative » avec laquelle le maintien ou la « logique » de l'identité institutionnelle doit symboliquement et dialectiquement compter. Autrement dit, la tension relative entre un familialisme éducatif et une autorité scolaire plus traditionnelle doit être prise en charge symboliquement par les Maisons familiales lorsqu'elles distribuent à leur personnel la signification de leurs rôles et fonctions éducatifs au sein de l'institution. Ce travail de « socialisation secondaire » (Berger et Luckmann, *op. cit.*, p. 189-200), travail qui participe alors pleinement au processus d'institutionnalisation d'un collectif ici professionnel, relie donc les Maisons familiales à une première altérité dite « éducative » qui n'est pas spécifiquement agricole.

Outre celle « éducative », l'école doit compter avec une seconde altérité. Certes plus diffuse ou moins identifiable empiriquement que la précédente, elle est cependant cet « ingrédient de la vie sociale » (Boudon, *op. cit.*, p. 22) qui ne participe alors pas moins à la construction de l'institution scolaire et de son identité. En effet, l'école n'est pas un monde hors du monde. Elle est même, selon Durkheim, fondamentalement « déterminée par l'état de la société » (1969, p. 16) et ses valeurs morales. C'est en fait tout un ensemble d'aspirations morales et politiques (Prost, *op. cit.*) qu'incarne l'école en tant que tenant d'idéologies variables[4]. Des idéologies qui s'objectivent particulièrement bien dans le « discours pédagogique » (Reboul, 1984, p. 9) et dans les contenus des programmes scolaires ou « *curricula* », pour reprendre un terme qui transporte l'étude des contenus scolaires au cœur d'une sociologie cognitive et du pouvoir (De Queiroz, *op. cit.*, p. 37-42 ; Forquin, 1984, p. 211-232). L'institution scolaire est donc liée à un second univers objectif qu'incarnent ces courants ou systèmes

---

4. L'idéologie des Lumières et sa passion égalitariste auraient, par exemple, jusqu'en mai 1968, légitimé la mystique de « l'égalité des chances » dans le système scolaire français (Derouet, 1992, p. 29-44).

d'idées. Prises pour ce qu'elles sont, c'est-à-dire des explications sur le sens[5] du monde, ces altérités ou ces idéologies faites institution sont véritablement les « ingrédients » dans lesquels puisent les Maisons familiales afin de légitimer leur ordre interne. C'est du moins ce que laisse entrevoir, selon notre seconde hypothèse, l'appellation « MFREO ». Son étendue sémantique annonce un beau syncrétisme qui semble interdire toute réduction des « catégories doctrinales de l'entendement institutionnel » à la seule idéologie agrarienne ou corporatiste agricole.

Troisième univers objectif que rencontre l'école : celui de ses homologues fonctionnels que sont les différentes « familles » d'établissements – présentes principalement autour de la tripartition public/catholique/Maisons familiales pour l'enseignement agricole – qui coexistent à l'intérieur de l'espace scolaire. Une coexistence qui prend la forme d'une concurrence quand cet espace, loin de se réduire à une simple proximité géographique d'établissements, est organisé par un marché de l'offre et de la demande scolaires. Le recrutement de la population scolarisable devient ici un enjeu de luttes entre les différentes institutions spécialisées proposant des formations agricoles, ainsi qu'entre des établissements agricoles et non agricoles qui offrent tous à leur public indéterminé des enseignements généraux identiques : les Maisons familiales ouvrent, par exemple, des « 4e et 3e technologiques [qui] permettent d'acquérir une bonne formation générale en utilisant la motivation de l'enseignement des bases technologiques. Elles s'adressent à des jeunes qui cherchent une poursuite d'études. » (Extrait d'un document publicitaire d'une Maison familiale.) Cette double concurrence qui se cristallise autour d'un public relativement indéterminé, une « population marginale scolarisable » (Briand et Chapoulie, 1993, p. 17), s'objective notamment dans quelques indices matériels qui fixent une différenciation revendiquée entre des familles d'enseignement. Notons ainsi pour la formation agricole initiale l'affiliation des établissements à trois appellations génériques distinctes : « Enseignement public », « Enseignement catholique » et « Maisons Familiales Rurales d'Éducation et d'Orientation ». Des dénominations différentes qui, pour chacun des enseignements privés, s'augmentent de sigles respectifs tout aussi spécifiques et qui sont autant de supports publicitaires à destination de la clientèle scolaire. Remarquons encore que les textes de loi sont à même de réifier la distinction entre établissements, d'objectiver, sur le papier et dans les

---

5. Ceci selon la double acception du terme : celle, cognitive, qui renvoie à de la production d'intelligibilité (de sens) ou à de la fabrication de connaissances ; celle, politique et militante, qui prescrit ou oriente d'une manière absolutiste le sens (la direction) de l'action.

faits, la compétition qui oppose des concurrents dans une course aux mêmes intérêts : c'est ainsi que la loi du 31 décembre 1984 attribue pour chaque famille de l'enseignement agricole trois représentations séparées au Conseil national de l'enseignement agricole (CNEA) et au Comité régional de l'enseignement agricole (CREA) qui sont chargés d'établir les schémas prévisionnels des formations. Ici encore, dans le rapport concurrentiel aux autres enseignements ramenés globalement à une altérité « négative », la construction identitaire des Maisons familiales s'émancipe de la question agricole *stricto sensu*.

Il est enfin un quatrième univers objectif de la réalité sociale à laquelle participe l'institution scolaire : le marché, à l'instant évoqué, où se joue et se règle la rencontre entre une offre et une demande d'éducation. Il convient toutefois de distinguer ici deux pôles ou deux sous-ordres d'un tel univers. Le premier s'incarne dans l'État *via* le ministère de l'Agriculture et son instance administrative, la Direction régionale de l'agriculture et de la forêt (DRAF) pour l'enseignement agricole. L'État représente cet ordre « législatif » qui réglemente et régule le marché scolaire. Objectivé par des lois et décrets ou encore matérialisé par les instances administratives chargées de leur application contrôlée, cet univers impose ses normes en matière d'enseignements dispensés (contenu des programmes, ouverture des filières), de diplômes délivrés et de niveau de recrutement du corps enseignant. Représente-t-il cependant pour l'identité des Maisons familiales une altérité au sens plein du terme ? Le statut à attribuer à l'État relève en fait d'un problème plus complexe. Ce statut serait en définitive ambivalent. D'un côté, ce régulateur « législatif » du marché scolaire est cette institution auprès de laquelle les Maisons familiales doivent véritablement démarcher lorsqu'elles sollicitent – et « vendent » – une demande d'ouverture de nouvelles formations. Il y a là, dans cette obligation de rencontre et d'acceptation, dans cet effort d'accession au pouvoir décisionnaire, l'idée d'un État qui est relativement « extérieur » ou, du moins, qui n'est pas automatiquement acquis, loin s'en faut, aux projets des Maisons familiales. De ce point de vue, l'État est assimilable à un environnement « législatif », instance extérieure qui conditionne la capacité de l'institution scolaire à se développer, à atteindre ses objectifs. D'un autre côté, et comme nous le montrerons, s'est instaurée entre les Maisons familiales et l'État une véritable dynamique croisée de valeurs à travers, notamment, la notion juridique de « service public ». Celle-ci, promulguée par la loi de décembre 1984 sur l'enseignement agricole, semble participer effectivement et dialectiquement à la constitution du « Nous » identitaire des Maisons familiales. De ce point de vue, l'État perd son statut d'extériorité. Il peut être alors assimilé à une altérité « législative ». Le second pôle du marché scolaire est, lui, économique. Si l'État demeure le principal bailleur de fonds des enseignements agricoles, leur viabilité matérielle reste cependant assujettie à leur taux de recrutement scolaire. Une subvention de fonctionnement à l'élève est ainsi versée aux établissements par l'État. Indirectement, et en plus des frais d'inscription qui ont cours dans les écoles privées, le nombre d'élèves recrutés contribue donc à alimenter d'autant les finances des établissements. La demande scolaire représente finalement la matière première économique des établissements. Elle conditionne de ce point de vue l'existence même de l'école qui ne saurait ainsi compter sans cet environnement « économique » qu'incarnent les familles considérées, cette fois-ci, comme une clientèle scolaire. Il convient de bien faire ici la distinction entre les statuts d'altérité « éducative » et d'environnement « économique » qu'occupent successivement dans nos propos les familles. Bien qu'elles admettent toutes deux un traitement symbolique, les problématiques sont pour l'institution scolaire différentes et décalées dans le temps. L'une, touchant l'autorité éducative, nécessite l'intégration symbolique et légitimée des familles qui sont déjà matériellement (ou physiquement) présentes au sein de l'institution; cette dernière dispose par ailleurs d'un schéma conceptuel de légitimation bien établi dans l'histoire institutionnelle et fortement soutenu par un corps de doctrines. L'autre, première dans le temps et devant régler la question plus matérielle, et surtout plus urgente, de la viabilité financière des établissements, induit une stratégie marchande (de marketing), dynamique et inventive, face à un public potentiel, non encore acquis, et qui est donc pour l'instant extérieur à l'institution.

Tel qu'il vient d'être défini, l'univers du marché scolaire est sans nul doute celui qui installe les Maisons familiales dans le plus fort degré de dépendance fonctionnelle. Ses deux pôles, « économique » et « législatif », qui sont en partie assimilables à un « environnement pertinent » pour reprendre le concept de Crozier et Friedberg (*op. cit.*, p. 164), conditionnent directement la viabilité des établissements soumis à des sanctions financière et administrative, juridique. Une telle contrainte, nous l'avons dit, s'augmente pour les Maisons familiales d'une obligation : celle d'atteindre ces environnements ou de communiquer avec eux afin d'y promouvoir une offre scolaire. Cette rencontre communicationnelle, certes à distance [6], ne sera matériellement fructueuse pour l'institution scolaire que si celle-ci effectue d'abord des typifications justes de ses environnements, c'est-à-dire qui répondent, par une anticipation correcte, aux différentes attentes des deux pôles du marché scolaire. Il s'agit ensuite d'« idéaliser » (Goffman, 1973,

---

6. C'est-à-dire par des écrits interposés qui prennent ici la forme de dossiers de demande d'habilitation déposés auprès du ministère et de documents publicitaires envoyés à la clientèle scolaire potentielle.

p. 41) en retour la présentation d'un « Soi » institutionnel selon les exigences normatives des environnements. Une telle activité d'« *expression* explicite » (*op. cit.*, p. 12), qui prend place dans une « communication au sens traditionnel et étroit du terme » (*ibid.*), met en jeu toute une rhétorique institutionnelle. De la même manière, lorsque, à propos du rapport de l'institution à son altérité « éducative », nous parlons d'un « discours instituant » destiné à reproduire et à justifier l'ordre éducatif auprès du personnel des Maisons familiales, l'on aura maintenant compris que c'est au langage que nous attribuons cette double capacité. Ce serait toujours à travers l'utilisation d'une rhétorique institutionnelle que les Maisons familiales feraient participer les familles mais aussi, et surtout, leur personnel « au stock social de connaissances [qui] permet ainsi la "localisation" des individus dans la société, et leur "traitement" approprié » (Berger et Luckmann, *op. cit.*, p. 61). Discours à l'intention des environnements et discours destiné au personnel de l'institution : cette rhétorique institutionnelle est-elle pour autant un (bon) concept sociologique ?

Chapitre III

DE LA RHÉTORIQUE INSTITUTIONNELLE

Traiter de la question de l'identité collective d'une institution et, indissociablement, de la construction réfléchie de son ordre interne, c'est créditer le langage d'une fonction fondatrice[1] et, par la suite, de perpétuation d'une même communauté de sens, d'un même univers symbolique que partage un groupe humain. Cette performance du langage, entendu ici comme une « Grande Parole[2] » (Freitag, 1992, p. 6), rappelle avec Durkheim (1994, p. 139-424[3]) l'essence symbolique de la société : pour qu'il y ait société, il faut que le groupe s'exprime, communique, c'est-à-dire qu'il dispose de signes ou de symboles capables d'objectiver ou de théoriser ses sentiments collectifs. Cela vaut pour les « Maisons Familiales Rurales d'Éducation et d'Orientation » qui

---

1. Il est bien sûr possible, ici comme ailleurs, d'objecter en toute bonne logique qu'au commencement de l'institution étaient, non pas le verbe, mais d'abord des hommes, puis ensuite, éventuellement, un nom ou une appellation dont ces hommes furent les artisans. C'est bien ainsi que « notre » institution devint en 1937 « Maison Familiale » (soit deux ans après la création du premier établissement), puis, en 1945, s'augmenta du terme « Rurale » pour enfin, en 1968, acquérir sa dénomination complète de « Maison Familiale Rurale d'Éducation et d'Orientation ». Néanmoins, il reste que les promoteurs de cette appellation ont toujours rencontré devant eux un langage déjà constitué, qui plus est idéologiquement institué. Chaque terme de l'appellation « MFREO » fut avant tout la marque sémantique d'idéologies qui ont préexisté à l'avènement des Maisons familiales et dont l'institution s'est successivement emparée pour les faire siennes.
2. Une « Grande Parole » qui, au-delà du « simple tissu des paroles dites et échangées de manière empirique et contingente dans le cours de la vie sociale, [...] s'adresse à tous pour les inclure dans une même communauté de sens, dans un même horizon de partage et d'échange symbolique ».
3. « Ainsi, nous dit Durkheim, la vie sociale, sous tous ses aspects et à tous les moments de son histoire, n'est possible que grâce à un vaste symbolisme » (*ibid.*, p. 331).

pratiquent l'« alternance », ceci selon l'« emblème[4] » ou l'appellation complète et particulièrement signifiante que s'est donnée l'institution. Cette performance du langage rejoint ce que Jean-Claude Passeron désigne sous le terme de « culture déclarative[5] » (*op. cit.*, p. 325-327). Elle est avant tout celle d'une rhétorique institutionnelle.

Art de la persuasion selon l'acception la plus globale mais peut-être aussi la plus forte, la rhétorique comme *praxis* admet donc une dimension éminemment sociale et culturelle (Molinié, 1992, p. 5). Sociale, dans la mesure où la rhétorique s'adresse à autrui (Ducrot, 1980 ; Reboul, 1998, p. 7). Le discours des Maisons familiales doit nécessairement, politiquement, se déployer en direction de multiples univers objectifs qu'il s'agit de s'« approprier » et de traiter ainsi symboliquement en des termes convenus. Le monde de la rhétorique est bien « celui de la vie, du mouvement, du déplacement, des communications et des rapports sociaux » (Molinié, *ibid.*). Sociale encore, étant donné que l'institution qui se construit en se parlant à elle-même, qui justifie auprès de ses membres (permanents et temporaires) son ordre interne, ne saurait dans sa logique argumentative se passer d'une légitimité sociale ou collective. Il y a ainsi dans la rhétorique cette contrainte d'engagement d'un collectif[6]. Une contrainte qui permet de justifier socialement la définition et l'imposition d'une vérité lorsque l'on parle « au nom de... » conventions sociales et du bien commun. La force de la rhétorique réside ici dans le fait qu'elle parvient à faire (pré) valoir dans sa logique argumentative l'appartenance à une

---

4. « l'emblème [qui] n'est pas seulement un procédé commode qui rend plus clair le sentiment que la société a d'elle-même : il sert à faire ce sentiment ; il en est lui-même un élément constitutif » (Durkheim, *op. cit.*, p. 329).

5. Cette culture, qui « s'offre alors à l'observation dans le langage souvent prolixe de l'auto-définition, surtout lorsqu'elle en arrive à se faire théorie (mythe, idéologie, religion, philosophie) pour dire et argumenter tout ce que les pratiquants d'une culture lui font signifier en la revendiquant comme la marque de leur identité, par opposition à d'autres, [...] est la formulation autocentrée de la culture qu'une culture livre d'elle-même dans sa définition parlée ou écrite des rapports entre les valeurs, l'homme et le monde. [...]. Cette théorie indigène est en même temps une théorie directement intéressée à valoriser ce dont elle parle : dans la valeur de sa théorie de la culture, un groupe joue toujours sa propre valeur culturelle » (*ibid.*, p. 325-326).

6. Ceci est aussi valable pour une rhétorique négative, c'est-à-dire pour un travail de critique sociale (voir Quatrième partie), de dénonciation d'autrui où, selon l'approche garfinkelienne des mécanismes du « discrédit », « faire une bonne dénonciation » suppose entre autres que :
   – le dénonciateur doit souligner et rendre très sensibles les valeurs suprapersonnelles de la tribu, au nom desquelles se tiendra par ailleurs son discours de dénonciation ;
   – le dénonciateur doit s'arranger pour être investi du droit de parler au nom de ces valeurs ultimes. [...]. Il doit [...] se servir du tort qu'il a subi en tant que membre de la communauté pour justifier d'être autorisé à parler au nom de ces valeurs ultimes » (Garfinkel, 1956).

« société » sur l'infinité et la divergence des points de vue et intérêts individuels. Convaincre Autrui, c'est l'intégrer ; c'est argumenter à partir de son univers de représentations *doxiques* et collectives (Reboul, *op. cit.*, p. 66). Une dimension culturelle aussi, puisque la « société » à l'instant évoquée s'est historiquement constituée autour de valeurs qui, sans cesse réactivées dans les discours épidictiques[7] de l'institution, ont acquis le statut de lieux communs, de « stéréotypes logico-discursifs » (Molinié, *op. cit.*, p. 191) ou de *topoi* qui forment les concepts fondamentaux de la rhétorique.

Sociale et culturelle, donc, la rhétorique, dont l'exercice se pose ainsi comme étant contraignant[8], participe bel et bien du *nomos*[9]. Elle est donc un bon objet sociologique. Elle justifie notre saisie des mécanismes de création et de légitimation d'un ordre institutionnel à travers un « univers de discours[10] » tel que celui qui est produit par les Maisons familiales rurales. Mais la mobilisation de stéréotypes ou de lieux communs, même en tant que garants d'une légitimité sociale ou collective et porteurs d'une dimension axiologique, suffit-elle à faire le groupe ? N'importe qui peut-il légitimement parler du groupe au groupe et à l'extérieur ? N'y a-t-il pas avant tout cette condition, cette « efficacité magique de ces actes d'institution [qui] est inséparable de l'existence d'une institution définissant les conditions (en matière d'agent, de lieu ou de moment, etc.) qui doivent être remplies pour que la magie des mots puisse opérer » (Bourdieu, 1982, p. 69) ? Nomination instituée des réalités sociales, la rhétorique institutionnelle des Maisons familiales rurales procéderait d'une logique discursive qui est celle de la parole collective autorisée. Immédiatement apparaît l'évidence socio-logique selon laquelle il ne suffit pas, afin de persuader, de mobiliser dans le discours la force rhétorique qui se

---

7. Central dans la rhétorique, le genre épidictique, comme le rappelle Chaïm Perelman, porte « sur des choses certaines, incontestables, […] non sur le vrai, mais sur des jugements de valeur auxquels on adhère avec une intensité variable ». Sa finalité est « de confirmer cette adhésion, de recréer une communion sur la valeur admise » (1989, p. 75).

8. Ou soumis à certaines règles, à certains impératifs (cf. *supra*). Perelman, qui fut pourtant un éminent spécialiste de la rhétorique, manque ici l'essentiel en situant principalement le problème sur un plan linguistique. Il qualifie alors l'argumentation rhétorique de non contraignante, comme étant celle du libre choix à la différence de son pendant, la logique formelle, qui, elle, enferme toute démonstration dans l'univocité des termes et la fixité contraignante (non ouverte) des règles de déduction (*ibid.*, p. 87, 89, 91, 386-387, 437, 448-449).

9. Même lorsque les institutions, et la rhétorique qu'elles soutiennent, puisent dans des analogies naturelles le principe de leur classification du monde et justifient, par là, leur propre fondement, la *physis* n'est que naturalisation et dissimulation de conventions sociales (Douglas, *op. cit.*, p. 41-60).

10. Voir Anselm Strauss (1992, p. 272) à propos des « univers de discours » comme dimension fondamentale des « mondes sociaux ».

fonde sur l'appartenance à une « société ». Certes, l'être social collectif qui s'y trouve engagé doit s'y reconnaître. Mais mieux encore, il doit pouvoir y trouver les conditions mêmes de sa constitution d'être social. Autrement dit, la « magie des mots » ne fonctionne comme telle que parce qu'elle est à la fois parole instituée (autorisée) et parole instituante, notamment par le jeu de la délégation ou du pouvoir délégué du porte-parole[11].

---

11. Ce « porte-parole, dit encore Bourdieu, doté du plein pouvoir de parler et d'agir au nom du groupe, et d'abord sur le groupe par la magie du mot d'ordre, est le substitut du groupe qui existe seulement par cette procuration. Groupe fait homme, il personnifie une personne fictive, qu'il arrache à l'état de simple agrégat d'individus séparés, lui permettant d'agir et de parler, à travers lui, comme un seul homme. En contrepartie, il reçoit le droit de parler et d'agir au nom du groupe, de se prendre pour le groupe qu'il incarne, de s'identifier à la fonction à laquelle il se donne corps et âme, donnant ainsi un corps biologique à un corps constitué » (*op. cit.*, p.101).

Peter Berger et Thomas Luckmann ont, à la suite de Schütz, développé une théorie de la société comme ordre institutionnalisé qui est investi et fondé par les « typifications » des acteurs sociaux. L'objectivité construite du monde social à partir de la capacité interprétative des acteurs invite ici à une lecture phénoménologique de la « logique des institutions » : celle-ci « ne réside pas dans les institutions ni dans leur fonctionnalité externe, mais dans la façon dont celles-ci sont traitées réflexivement. Pour le dire autrement, la conscience réflexive superpose à l'ordre institutionnel sa qualité logique » (Berger et Luckmann, *op. cit.*, p. 91-92). Véritable propriété structurale du social, ce traitement réflexif d'une réalité objective par les acteurs rompt en fait avec l'idée d'un ordre institutionnel dont la cohésion devrait à un impératif extérieur et, surtout, mécanique de fonctionnalité. C'est bien plus l'investissement de sens ou le travail symbolique des acteurs, c'est-à-dire leurs expériences de la structure partagées et objectivées à travers le langage, qui est au fondement d'un ordre institutionnel compris ou d'une connaissance de l'institution. Les univers institutionnels ne doivent ainsi leur cohésion ou leur intégration qu'à la légitimité que leur confèrent les acteurs. Une légitimité qui fait l'objet d'un processus actif, d'une légitimation, quand les institutions tendent à se spécialiser dans une division sociale du travail et ont à intégrer leurs membres au sein de rôles différenciés (*ibid.*, p. 101-111). Une légitimation ou une objectivation de l'ordre institutionnel qui est alors successivement cognitive et normative (*ibid.*, p. 130), et où les fonctions d'explication et de prescription des conduites peuvent être objectivées par les acteurs eux-mêmes sous une forme théorique.

Une lecture qui se veut interne et compréhensive, c'est-à-dire à l'écoute des représentations institutionnelles telles que les acteurs les construisent, se doit donc pour l'analyste d'être réceptive à l'idée qu'une forme authentique de connaissance théorique ou conceptuelle[1] n'est l'apanage ni de la science, ni d'une seule culture. Le démenti par l'anthropologie « d'une prétendue inaptitude des "primitifs" à la pen-

---

1. Nous regroupons ici les deux termes sous cette médiation abstraite par laquelle opère une commune intentionnalité cognitive lorsqu'elle vise l'explication ou l'intelligibilité du réel selon des objectivations linguistiques de l'expérience.

sée abstraite » (Lévi-Strauss, 1962, p. 11) devrait suffire à tempérer l'ethnocentrisme ou l'« intellectualocentrisme » d'une pensée occidentale, qui plus est scientiste. On peut même postuler, comme le fait Durkheim, que « la pensée conceptuelle est contemporaine de l'humanité » (1994, p. 626). Même si une sociologie de la connaissance, qui « doit s'intéresser à tout ce qui est considéré comme "connaissance" dans une société » (Berger et Luckmann, *op. cit.*, p. 25), met en garde le chercheur contre ces « formulations théoriques de la réalité, qu'elles soient scientifiques ou philosophiques ou même mythologiques, [qui] n'épuisent pas ce qui est "réel" aux yeux des membres d'une société » (*ibid.*, p. 26), il est cependant certains univers sociaux dont les caractéristiques portent leurs participants vers une « construction » théorique ou conceptuelle « de la réalité ».

L'univers social en question est celui des Maisons familiales rurales. Est-il pour autant seulement scolaire, ceci selon une acception très restreinte et technique du terme ? Si la question vaut d'être posée, c'est surtout afin d'éviter certaines confusions et réductions lorsque nous souhaitons rapporter la caractéristique d'une institution éducative à sa propension à traiter conceptuellement la réalité.

Parmi ces confusions, celle qui est peut-être la plus grossière consisterait à assimiler l'école au monde de la science, principalement par la nature des savoirs qui y sont diffusés. Instance de transmission des connaissances scientifiques, l'école serait *de facto* un monde de pensée théorique. Outre la réduction majeure d'une pensée théorique à une pensée scientifique [2], il est quelque peu naïf de s'imaginer que les connaissances transmises par l'école sont comme le reflet rationnellement organisé de l'état des connaissances scientifiques à un moment donné. Il semblerait que ces dernières s'effacent largement des programmes scolaires qui demeurent bien plus assujettis à des « motivations morales, politiques ou économiques » (De Queiroz, *op. cit.*, p. 38). Par ailleurs, la nécessité pédagogique d'une « transposition didactique » (*ibid.*, p. 40) des connaissances scientifiques sous la forme d'une simplification, réduit d'autant leur présence au sein des contenus scolaires.

Cette première confusion d'un univers scolaire acquis à la pensée théorique parce que distillant des connaissances scientifiques, risque de se dédoubler selon une vision de l'école peut-être moins fallacieuse mais néanmoins réductrice de sa réalité. L'assimilation école/pensée scientifique (et, par là, théorique) fonctionnerait cette fois-ci dans le traitement de l'objet pédagogique, l'élève. Ce point de vue peut directement découler du précédent. Concernant l'école, on sait bien tout ce

---

2. Selon le critère de l'intentionnalité cognitive précédemment évoquée, le mythe, par exemple, participe tout autant d'une pensée théorique.

que les pédagogies qui y sont pratiquées doivent à une nébuleuse de théories scientifiques (psychologie, psychanalyse, sociologie, anthropologie, etc.) qui, d'ailleurs, significativement, se rattachent parfois à cette discipline fédératrice que sont les « Sciences de l'Éducation ». Un tribut qui est autant scientifique qu'idéologique[3] et qui, plus globalement, s'inscrit dans le caractère éminemment réfléchi et réflexif, c'est-à-dire théorique, du procès d'éducation. Toutefois, en reliant ce processus social actif et spécialisé, mais surtout réfléchi et instrumenté, à la propension d'une appréhension théorique de la réalité par l'institution scolaire, ne continue-t-on pas à ne saisir de cette dernière qu'une fonctionnalité largement externe ? La « réalité » ici considérée, c'est-à-dire le traitement pédagogique de l'élève ou de l'« apprenant » (pour sacrifier au concept à la mode), n'est-elle pas encore en partie hors de l'institution ? Envisagés dans un rapport instrumental qui, selon Durkheim, répond en final à un « état de la société » (1969, p. 16), l'école et son objet, l'élève, ne peuvent suffire à rendre compte de la réalité de l'institution qui doit être saisie sous l'angle de sa compréhension directe par les acteurs qui la composent. Rien n'est dit en effet sur la manière dont les acteurs institutionnels investissent symboliquement et réflexivement leur univers et construisent de la sorte son ordre. Prétendre que l'école participe « aux besoins de la société » et en analyser le processus de socialisation ne nous renseigne pas directement, ou pas assez, sur les principes, cognitif et normatif, qui légitiment la cohésion de l'institution, lui confèrent son sens ou sa logique pour ses acteurs. Sans nier l'évidence que l'acte pédagogique et la relation à ceux qui le reçoivent permettent à l'enseignant d'évoluer dans un monde sensé[4], nous pensons qu'au-delà du traitement strictement pédagogique de son objet (qui donne en partie à l'institution scolaire sa logique) se situe un enjeu plus global. Il est à localiser dans le traitement symbolique et social d'une altérité « éducative » – élèves et parents auxquels s'adresse directement l'entreprise éducative des Maisons familiales – qui est dialectiquement constitutive d'un ordre institutionnel compris et, par là, tel est l'enjeu, légitimé.

En effet, une fois réalisée sur le plan matériel (marchand) la rencontre d'une offre et d'une demande scolaires, il n'en reste pas moins pour l'institution à développer cette capacité à intégrer non plus matériellement mais symboliquement et sociologiquement son public.

---

3. Ceci est particulièrement visible à l'intérieur du courant pédagogique dit de l'« École nouvelle ». Ce courant alternatif, sinon contestataire, de l'orthodoxie scolastique de l'enseignement dit « traditionnel », fonctionne d'ailleurs en Maison familiale comme une véritable contre-idéologie scolaire (cf. quatrième partie).

4. Qui ne l'est plus quand l'école, devenue « Un rapport de force » où s'installe au quotidien « La violence de l'institution scolaire », fait aussi de ses enseignants des « exclus de l'intérieur » (Bourdieu, 1993, p. 597-603, 679-682 et 683-698).

Prises entre leur morale familialiste, visant à restaurer l'autorité et le pouvoir éducatifs de sa clientèle, et un monopole éducatif de fait, celui de la compétence technique et pédagogique spécialisée se situant hors de la portée d'une instance d'éducation ordinaire telle que la famille, les Maisons familiales se doivent de légitimer une certaine division des rôles et pouvoirs éducatifs. Néanmoins, cette légitimation n'est pas seulement destinée à un public. Elle participe autant, sinon plus, à la socialisation permanente des propres dirigeants de l'institution. Elle alimente le discours autorisé et surtout instituant de ces (re) producteurs de la forme institutionnelle. L'intégration d'une altérité « éducative » est donc bien plus globalement ici un problème de cohésion identitaire pour l'institution. Le « Soi » institutionnel a partie liée avec un Autrui qui en est dialectiquement constitutif : quand les Maisons familiales parlent à leurs élèves et à leur famille, elles parlent aussi d'elles-mêmes à elles-mêmes. Un Autrui dont l'intégration identitaire relève donc d'un traitement théorique de la part des Maisons familiales qui s'objectivent ainsi conceptuellement. « Maisons Familiales Rurales d'Éducation et d'Orientation » pratiquant l'« alternance » : autant de termes qui, bien au-delà d'une stricte fonctionnalité d'apprentissage professionnel, laissent entrevoir l'existence d'un véritable système conceptuel. Un système qui se penserait avant tout comme une unité de sens, une totalité symbolique. Un système dont les éléments conceptuels seraient à même d'opérer sur des réalités empiriques (l'élève, la famille) autant de totalisations nécessaires à l'intégration de ces altérités au sein d'une identité institutionnelle cohésive. Poser cette hypothèse, c'est en fait pencher avec Ernst Cassirer moins pour la propriété naïvement descriptive que sélective du concept : « Reconnaître un "objet" ne signifie rien de plus que soumettre la multiplicité intuitive à une règle la déterminant sous le rapport de son ordre. La conscience d'une telle règle et de l'unité qu'elle institue, voilà ce qu'est le concept, et rien de plus » (1972, p. 349). Cette mise en ordre de la réalité intuitive ou sensible par le concept, sa discrimination, doit cependant, pour notre étude, nous ramener à des considérations essentiellement sociologiques. Elles seront présentes dans l'examen détaillé des « productions effectives » (*ibid.*, p. 319) des concepts, dans leur fonction de distribution particulière de la connaissance et du pouvoir au sein de l'univers éducatif ici exploré.

Notre méthode consistera d'abord en une approche descriptive du concept d'« alternance[5] » et de ceux qui l'augmentent dans l'appella-

---

5. Terme dont l'acception ne peut se réduire aux seules dimensions temporelles et techniques d'une pratique pédagogique qui, pour l'élève en Maison familiale, alterne 15 jours de stages en milieu professionnel et 15 jours de cours dans l'institution. En fait, comme nous le verrons, l'« alternance » admet certes pour les Maisons familiales

tion « MFREO ». L'exposé exhaustif de cette théorie éducative attirera l'attention sur son fondement empirique multidimensionnel. Derrière l'unicité du concept, nous découvrirons une multiplicité de pratiques et d'acteurs intéressés qui justifie aussi un travail de totalisation, de mise en ordre et de mise en sens par l'institution.

De plus, les développements ultérieurs de notre recherche requièrent, dès le départ, une vision synoptique de l'« alternance » ; il s'agit, pour la suite de notre propos, d'éviter à chaque fois les pesanteurs d'un retour descriptif sur telle ou telle composante de cette pratique éducative, notamment quand nous ramènerons chaque contenu éducatif à son substrat idéologique. Il est important de rappeler que l'analyse travaillera bien évidemment sur une restitution de discours tenus par l'institution sur sa pratique éducative. L'« alternance » et ses multiples éléments constitutifs seront appréhendés ici dans ses représentations discursives qui, comme nous l'avons déjà précisé, déclinent aussi les termes de l'appellation « MFREO ». Fondamentalement, c'est postuler dans ce « compte-rendu de comptes-rendus[6] » que le discours des acteurs doit être pris au sérieux, ceci dans le sens où il est explicitement porteur de la compréhension et des modalités subjectives de construction de leur ordre institutionnel. Enfin, nous tenterons de dégager les mécanismes et principes qui président à la totalisation de l'identité institutionnelle des Maisons familiales, ceci toujours sur la base de leur traitement conceptuel d'une altérité « éducative ».

---

ces deux réalités (la formation à l'extérieur et à l'intérieur de l'institution), mais celles-ci englobent une somme de savoir-faire et de savoir être éducatifs qui sont spécifiques et constitutifs d'une pratique éducative beaucoup plus totale. Ces savoirs éducatifs se donneront autant à voir, sinon plus, à travers l'appellation complète « Maison Familiale Rurale d'Éducation et d'Orientation », appellation qui augmente et éclaire avantageusement celle d'« alternance ».

6. Il n'y a point ici de quelconque référence à l'ethnométhodologie qui, elle, croit pouvoir se passer d'un travail d'interprétation et en rester à de la simple description.

Chapitre IV

FORMATION TECHNIQUE ET TECHNIQUE DE FORMATION EN MAISON FAMILIALE

L'adjectif « technique » s'attachera principalement ici à désigner un ensemble de savoir-faire relatifs à l'exercice (professoral) pédagogique de l'« alternance ». Il embrasse une somme de schèmes éducatifs qui sont constitutifs d'une technique de formation à orientation pratique et professionnelle. Au-delà de cette visée pratique et professionnelle, la « formation technique en Maison familiale » sera donc surtout vue comme une technique – ou, plus exactement, un discours sur une technique – de formation, comme une action pédagogique (l'« alternance ») *sui generis* : c'est-à-dire une action pédagogique appréhendée sous l'angle de la didactique ou de la méthode théorisée d'enseignement et que nous séparerons, dans un premier temps, de son contenu moral.

Savoir pratique/savoir scolaire

Si une primauté est souvent accordée à la pratique en Maison familiale, ceci au regard de l'importance attribuée à une connaissance scolaire plus « théorique », c'est avant tout pour mettre en exergue le geste manuel :

> « L'alternance, c'est la façon dont on opère. Il y a tout ce savoir-faire, la pratique professionnelle, le geste professionnel que les élèves acquièrent comme ça, au fil du temps. » (Directeur de Maison familiale rurale.)

Il y a là une médiation essentielle – dont on ne saurait raisonnablement se passer – dans l'apprentissage de tout savoir-faire professionnel :

« J'ai attaqué, mais gentiment, l'enseignement catholique que pourtant je connais bien. Dans leur logo de l'enseignement catholique en Bretagne, ils ont mis l'œil, ils ont mis l'oreille. Mais il manque quelque chose d'essentiel : la main, l'intelligence de la main. » (Directeur de la Fédération régionale des Maisons familiales rurales de Bretagne.)

« L'alternance, moi je la vis concrètement dans le bureau d'études [de conceptions paysagères] que je dirige. Donc on a des stagiaires de BTS qui viennent soit de la Maison familiale soit de lycées privés ou publics. Donc j'ai un peu la palette globale. Et il s'avère que ceux issus des Maisons familiales, stagiaires qui ont démarré du CAP et qui ont suivi la voie traditionnelle CAP-BEP pour arriver au BTA, eh bien ils ont une démarche de conception [paysagère] très intéressante parce qu'elle est à la fois technique et visuelle. C'est-à-dire qu'ils ont la capacité de transposer l'échelle du plan, l'échelle dans l'espace. C'est, disons, la démarche la plus importante et la plus difficile à acquérir. C'est de pouvoir dire : je trace un carré, admettons, sur le terrain, enfin, sur mon plan, et je suis capable de transposer ce carré à l'échelle sur le terrain et de voir ce que ça peut donner en ambiance [paysagère].
– Et cette capacité serait spécifique aux élèves de Maisons familiales ?
– Totalement !
– Expliquez-moi en quoi…
– C'est-à-dire que cet enseignement leur donne la capacité de travailler sur le terrain, c'est-à-dire de pouvoir lire un plan, de pouvoir l'appliquer et l'implanter sur le terrain. C'est la démarche surtout pratique. Par contre, les candidats des lycées, les mettre à une table à dessin et les faire travailler sur un plan, il leur manque… cette façon de voir et de transposer sur le terrain. Et il leur manque pratiquement tout en fin de compte ! » (Président de Maison familiale rurale.)

La valorisation du corps, des sens – le toucher ou « *l'intelligence de la main* » associée à une « *démarche visuelle* » – et du travail manuel en Maison familiale, rejoint celle de l'acquisition – sur le mode non réflexif du « *ça s'acquiert comme ça, au fil du temps* » – par l'« alternance » d'un sens (de la) pratique, constitutif ici de toute professionnalisation. Ce qui permettrait d'allier le geste manuel à l'acquisition chez l'élève d'un sens pratique serait l'expérience de terrain. Une expérience pratique qui est irremplaçable parce qu'elle est en « *vraie grandeur* », c'est-à-dire sur le terrain ou le site professionnel :

« Dans le cadre de l'apprentissage et de l'alternance en Maison familiale, on est convaincu que le milieu professionnel, l'expérience en vraie grandeur, apprend des choses qu'on ne peut pas apprendre à l'école. » (Directeur de l'Union nationale des Maisons familiales rurales.)

L'« alternance », ainsi étroitement associée à l'expérience professionnelle de terrain, vaut aussi, dans son application et en tant que « pratique éducative totale », pour la formation du corps enseignant. Avant d'être qualifié pédagogiquement à la fin de deux années de formation, le « moniteur [1] » – stagiaire en Maison familiale intègre durant son cursus une « équipe pédagogique » au sein d'un établissement. Il est de ce fait formé en cours d'emploi et assure les diverses activités d'un titulaire, dont la conduite de formations en « alternance » :

> « Nous on se forme au pied du mur, en se frottant aux réalités. C'est fidèle aux Maisons familiales tout ça. On retrouve ce principe-là dans notre système d'alternance : former des jeunes en situation. » (Ancien enseignant, directeur de Maison familiale rurale.)

Finalement, la deuxième pièce du triptyque geste manuel – expérience pratique – sens pratique ramène toujours à la légitimité d'un « *vécu* » professionnel, parfois familial :

> « L'alternance c'est une éducation active puisqu'elle part toujours du vécu du jeune. Ce n'est pas une abstraction. Par exemple, un jeune qui a du mal à faire ses maths parce que ça va être abstrait, ça va être pris dans un livre, eh bien un moniteur va lui dire : "tu vas mesurer la surface de ton étable, de ton hangar ou de ton champ" ; il peut être carré, il peut être rectangulaire, il peut y avoir différentes formes… Alors là, le jeune il va chercher et puis il va résoudre son problème parce qu'il a l'image de son champ dans sa tête et ça l'intéresse. On l'a motivé. » (Président de Maison familiale rurale.)

Le primat reconnu à la formation pratique dispensée par les Maisons familiales valorise la connaissance empirique et, surtout, le savoir concret. L'« alternance », « *ce n'est pas une abstraction* », comme le souligne encore cette variation en anecdotes exemplaires autour du même thème :

> « Moi j'ai un fils qui a fait sa formation à la Maison familiale. Eh bien il est chauffeur de bus à Rennes. D'abord il a suivi une formation générale, et comme il n'était pas très déterminé pour sa profession… Et puis il n'aimait pas l'école traditionnelle, il n'était pas "matheux". L'école ne lui plaisait pas parce qu'il avait toujours de mauvaises notes. Bon, on l'a mis à la Maison familiale et il s'y est très bien plu parce qu'on parlait de choses beaucoup plus concrètes.
> J'ai eu aussi une expérience autrefois. Les parents avaient deux filles, elles sont [à présent] toutes les deux infirmières. Il y en a une qui a pris la voie classique, les écoles traditionnelles. Et l'autre, elle n'avait pas, sans doute, le même QI, la même rapidité, elle était moins abstraite. Alors elle est allée en Maison familiale. Elle a été infirmière également, deux ans après, mais c'est le résultat qui compte. » (Président de Maison familiale rurale.)

Cependant, et afin de ne pas déformer la visée et le mécanisme éducatifs des Maisons familiales, il serait quelque peu réducteur d'autonomiser ici le savoir pratique, si grande soit sa place dans le déroule-

---

1 Terme qui désigne l'enseignant en Maison familiale.

ment de l'« alternance ». On a vu ainsi, précédemment, que l'importance attribuée aux sens dans l'apprentissage professionnel associe en Maison familiale le toucher et la vue. Une association qui, selon Pierre Bourdieu, serait celle du « sens de proximité », sens « sensible » de l'immédiateté, avec le « sens de distance », sens « abstrait » de l'objectivation éloignée et de la vision scolastique du monde (1997, p. 34). On entrevoit déjà ici le rapport complémentaire que peuvent entretenir les savoirs pratique et scolaire au sein du dispositif de l'« alternance ». Là comme ailleurs, l'organisation du régime sensoriel, la valorisation des sens qu'il met en jeu, n'est jamais simple ou définitivement tranchée (Corbin, 1991, p. 240). Un pont est toujours possible entre pratique et théorie qui forment finalement un couple indissociable :

> « On ne peut pas parler d'alternance sans se référer au principe : la phase d'observation, la phase de mise en commun, de réflexion entre les uns et les autres, d'apport mutuel, puis ensuite [la phase] d'acquisition complémentaire, l'apport des moniteurs, l'apport même des intervenants extérieurs, et puis ensuite la mise en œuvre dans la pratique. Mais cette alternance, justement, n'est valable que pour les Maisons familiales. L'alternance n'est valable que dans la mesure où il y a vraiment un lien étroit entre ces différentes phases. Et ce n'est pas une simple juxtaposition d'alternances, de séquences sans qu'il y ait des rapports entre les unes et les autres. » (Précédent directeur de la Fédération départementale des Maisons familiales rurales d'Ille-et-Vilaine.)

> « L'alternance est le fait du passage du jeune de 15 jours scolaires, 15 jours de théorie, à 15 jours de pratique. Moi, la chose fondamentale qui apparaît dans l'alternance, c'est le fait que sur le terrain, donc en pratique, le jeune est vraiment dans le système… de travail. Donc il peut voir, il peut se poser des interrogations, choses qu'il va revoir après dans le système théorie. C'est-à-dire le passage des deux choses et [l'élève] il se pose des questions. Ou alors, à l'inverse, quand il est en cours, il va apprendre, par exemple, des schémas traditionnels de semis de gazon, en théorie il va apprendre un tas de choses (des filets, des contre-filets), des termes qui peuvent paraître assez barbares si on n'est pas en système d'alternance. Il va remettre en application, poser aux professionnels ou aux personnes encadrant, sur le terrain et en pratique, où est l'utilité d'un filet, où est l'utilité d'un contre-filet, pourquoi rouler et ainsi de suite… Donc à chaque fois il a et une réponse pratique à sa théorie et une réponse théorique à sa pratique. Ça circule dans les deux sens. C'est un processus. Et l'alternance, pour moi, est ce facteur qui fait, eh bien ! qui fait des jeunes à la fois proches du terrain et à la fois capables de se poser beaucoup de questions. Et c'est un des grands rôles de l'alternance. » (Président de Maison familiale rurale.)

Ainsi, si la pratique en milieu professionnel permet un éclairage par le concret de la théorie abordée en classe, elle doit donc aussi, fondamentalement, « *faciliter* », « *motiver* », « *déclencher* » l'intérêt de la connaissance chez l'élève; bref, elle doit le rendre « *auteur* » ou « *acteur* » (et non agent) de sa propre formation et de celle du groupe :

> « […] un alternant, même jeune, est un acteur social, […] un alternant ne peut être remis à l'école dans son acceptation habituelle, c'est-à-dire ramené à l'état d'élève, mais situé comme un acteur d'une formation permanente. » (Responsable-formateur au Centre national de formation pédagogique des Maisons familiales rurales, ministère de l'Agriculture, 1985a, p. 325.)

> « Quand les jeunes reviennent après 15 jours dans une entreprise, dans un lieu de stage, ils reviennent avec toute une expérience, avec l'envie d'en parler aux autres déjà. Ils viennent avec une expérience et ils peuvent venir, si les choses sont bien conduites, avec de nouvelles questions et de nouvelles motivations. » (Directeur de l'Union nationale des Maisons familiales rurales.)

> « […] le savoir est d'abord celui des personnes qui vivent les situations. Ce n'est pas un savoir formel extérieur à elles-mêmes. C'est un savoir qui contribue à influencer leur personnalité et à assurer leur identité. Dans une pédagogie de l'alternance ce savoir est le premier qu'il importe de prendre en compte. L'ignorer reviendrait à centrer toute la formation sur des objectifs scolaires. Ce serait perdre de vue que le jeune est l'auteur de sa formation et oublier le rôle des adultes avec lesquels il travaille et dialogue. » (Responsable-formateur au Centre national de la formation pédagogique des Maisons familiales rurales, ministère de l'Agriculture, 1985b, p. 86.)

L'« alternance » est bien un « *processus* ». Elle ne vaut et ne fonctionne qu'à travers l'association et l'interaction des éléments du couple connaissance pratique/connaissance théorique[2]. D'une manière schématique, et selon l'acception institutionnelle, l'« alternance » serait modélisée (et simplifiée) en séquences suivantes :

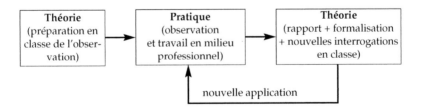

---

2. Nous entendons par là la place accordée en Maison familiale à un enseignement théorique *sui generis*. La théorie sera ici à rattacher à une action pédagogique scolaire, c'est-à-dire à un processus réflexif d'objectivation, de formalisation de la transmission de connaissances à l'élève. Suivant cette acception que nous avons déjà soulignée plus haut, la théorie se distingue de toute technologie professionnelle, agricole ou autres, car le niveau de réalité étudié se rapporte pour nous plus globalement à une méthode d'enseignement.

La diachronie du modèle est en fait pensée ici sous un double rapport. Tout d'abord, elle semble suspendre l'interaction ou la fécondité mutuelle qui s'instaure habituellement entre les deux natures de connaissances en jeu dans le système de l'« alternance ». Lors de l'immersion de l'élève dans le milieu professionnel, lieu d'acquisition de la connaissance pratique, on évoque alors volontiers une « *tension* », une « *déstabilisation* », une « *rupture* » consommée avec l'enseignement théorique dispensé en classe :

> « Pour nous, l'alternance c'est d'abord une situation d'équilibre entre deux temps et deux lieux différents qui sont nécessairement un petit peu en... tension l'un avec l'autre. L'un qui est l'exercice d'une activité sociale et professionnelle. Et puis l'autre qui est l'activité classique qu'on a dans un centre de formation. Ce qui est fructueux en alternance, c'est justement cette tension, cette déstabilisation de chaque va-et-vient. C'est cette tension qui est intéressante parce qu'ils viennent avec une expérience. » (Directeur de l'Union nationale des Maisons familiales rurales.)

> « L'alternance c'est une succession de rythmes et d'activités. Pour nous c'est 15 jours en établissement, 15 jours en stage. Donc 15 jours où on va vivre en groupe, on va vivre en internat pour la plupart, où on va étudier car il y a quand même tout un programme qui est assez scolaire et qu'il faut bien faire passer. Et il y a rupture. On va partir en stage. C'est une rupture. On va se retrouver dans le monde du travail avec des activités très différentes, avec un lieu de vie différent, avec des relations différentes. L'alternance, c'est aussi cette rupture d'activités.
> – Une rupture importante car nécessaire ?
> – Oui.
> – Pourquoi ?
> Ben on a des jeunes qui manquent de repères sur le plan professionnel. Et c'est important les ruptures. Trop ici, ils reprennent leurs manières d'être scolaires. Quelquefois, on se dit au bout de 15 jours qu'il est grand temps que ça se termine et qu'on les renvoie dans la nature ! » (Directeur de Maison familiale rurale.)

Cette « *rupture* » désignée réaffirme certes la valorisation de tout apprentissage pratique pris comme média du savoir professionnel[3]. Cependant, par la séparation même, au moins symbolique, qu'elle introduit dans le couple pratique/théorie, la « *rupture* » induit et clarifie l'existence d'un continuum dans l'apprentissage. Plus encore que ce va-et-vient entre deux pôles de formation, la « *rupture* » ménage ici, et surtout légitime, la place à part entière d'un enseignement théorique

---

3. Par ailleurs, et comme nous le verrons plus loin, ignorer tout ce qui lie ce discours en termes de « rupture » à la critique récurrente émise par les Maisons familiales à l'égard de l'enseignement scolastique de leurs concurrents, c'est s'interdire de comprendre qu'en fait de « rupture », il y a aussi, symboliquement, un travail de dénigrement de « tout un programme qui est assez scolaire et qu'il faut bien faire passer ».

complémentaire, antérieur et ultérieur à l'expérimentation pratique. Cette « *rupture* » crédite l'« alternance » d'une valeur théorique (pédagogique) intrinsèque qui est qualifiée de « *didactique* » :

> « [...] on peut considérer que l'alternance incite à mettre en relation deux types de savoir, l'un provenant du milieu de vie qui peut être qualifié de savoir empirique, tandis que celui véhiculé par l'école peut être considéré comme plus didactique. Ce qui importe, c'est que des interactions continuelles s'établissent entre ces deux types de savoir, de telle manière que le savoir empirique du jeune gagne en lucidité et que le savoir didactique ne reste pas un savoir formel juxtaposé au premier. » (Responsable-formateur au Centre national de formation pédagogique des Maisons familiales rurales, ministère de l'Agriculture, 1985a, p. 46.)

L'essentiel est donc bien de voir que derrière la présence du « *savoir didactique* » se joue aussi en Maison familiale une légitimation pédagogique (et scientifique) de l'« alternance ». Ainsi, l'accès plus ou moins inductif à la connaissance technique relie les savoirs « *empirique* » et « *didactique* » par la présence d'objets. Par objets, nous entendons désigner ici un ensemble d'outils pédagogiques qui représentent et fixent matériellement – sous la forme de documents écrits – les techniques d'apprentissage des savoir-faire en « alternance », qui les formalisent :

> « L'alternance c'est un domaine pédagogique. Pour nous c'est le caractère pédagogique qui prime. Alors là il y a des outils. Il y a des outils spécifiques : les plans d'études[4], les fiches pédagogiques[5], les fiches d'exercices... Bon, il y a là un arsenal, tout un matériel qui existe, qui permet donc de travailler à fond ce caractère de l'alternance. » (Directeur de la Fédération départementale des Maisons familiales rurales d'Ille-et-Vilaine.)

> « Dans un premier temps en alternance, le jeune découvre le métier... de façon brute, primaire, boulot. Et petit à petit il se rend compte que ce travail nécessite une certaine technicité pour bien le faire, pour évoluer dans ce métier. Et petit à petit, il réalise que pour l'acquérir il faut faire des efforts en cours parce qu'on étudie les sciences biologiques, les sciences agronomiques, la biologie végétale, et pourquoi pas le français ? Parce que l'expression ça compte aussi. L'anglais et puis l'histoire-géo... Et lorsque le jeune a senti le besoin de formation, eh bien, c'est gagné ! Donc, pratique et raisonnement intellectuel, c'est imbriqué. C'est pourquoi on les fait quand même raisonner par des études qu'on appelle des plans d'études car il faut donner aussi un petit peu de hauteur au stage. Les jeunes partent et ils ont une petite étude à faire. Donc

---

4. C'est un questionnaire qui permet de récolter des informations pendant le stage. Élèves et moniteurs conçoivent ensemble ce plan d'études.
5. Ces fiches sont remises à chacun des élèves. Elles permettent de trouver une progression et une méthode de travail dans tous les secteurs.

une étude qui est préalablement réfléchie ici, avec le moniteur à l'école. Au retour, ces études sont corrigées, sur le plan de la forme surtout. Pour le fond, il y a donc une mise en commun[6] qui est réalisée pour dégager les lignes essentielles. » (Directeur de Maison familiale rurale.)

La présence d'objets contribue donc en Maison familiale à la cristallisation, à la réification et à la stabilisation d'une orthodoxie pédagogique qui, par l'« alternance », relie théorie et pratique. Néanmoins, ces objets ne sont pas toujours exempts du danger d'une utilisation routinière :

« – Chaque stage est-il accompagné d'un plan d'étude ?
– Pas chaque quinzaine. Il y a des quinzaines où ils n'ont pas d'étude parce que tout simplement on n'a pas de thème. Ce n'est pas la peine de faire un thème pour faire un thème, si vous voulez.
– Ce n'est donc pas automatique ?
– Non, non, ce n'est pas systématique. Je crois que c'est mauvais de faire des choses comme ça, systématiques. Ça devient banal, c'est la routine, c'est : "ah ! encore une étude à faire !" Non je crois qu'il faut en faire moins mais les faire à bon escient, bien y réfléchir, comme ça, ça donne de biens meilleurs résultats. On a connu, nous, autrefois, une période où nos élèves venaient une semaine à l'école, partaient 15 jours en stage, et où, systématiquement, ils avaient une étude à faire. Bon, la première année on arrive toujours à trouver. Mais la deuxième année, on avait épuisé à peu près tous les plans d'étude intéressants. On arrivait à trouver des plans d'études complètement creux, inintéressants et qui dégoûtaient les jeunes. Ce n'est pas le but de la manœuvre. » (Directeur de Maison familiale rurale.)

La ligne pédagogique ne peut alors être sauvegardée qu'au prix de quelques réaménagements, ceci au risque de voir la phase théorique de l'« alternance » se « *banaliser* » et, peut-être par là, entrer dans le modèle scolastique traditionnel de la « *simple juxtaposition d'alternances* » dénoncée plus haut. Toujours est-il que, produits par des experts[7], ces objets situent quand même l'action éducative technique des Maisons familiales sur un plan scolaire parce qu'ils objectivent (et légitiment) une démarche pédagogique formalisée, réflexive et spécialisée.

---

6. Phase pédagogique qui permet que chaque élève, de retour à la Maison familiale, s'exprime sur son vécu de stage. Elle ouvre sur une comparaison des pratiques et sert de base à l'approfondissement des connaissances.

7. La formation et le perfectionnement des enseignants, la recherche fondamentale et la production de documents pédagogiques sont assurés par le Centre national pédagogique de Chaingy. Ce centre est géré par l'Association pour la formation et la recherche en alternance (ANFRA) qui est composé prioritairement de membres désignés par l'Union nationale des Maisons familiales rurales.

On retrouve ainsi toute l'ambivalence et l'ambiguïté du rapport des Maisons familiales à la forme scolaire, même si cette dernière s'habille ici de « *didactique* ». L'« alternance » se devrait-elle de légitimer un modèle scolaire d'éducation, un cadre plus « théorique », bref, un principe d'autorité pédagogique minorant en partie les connaissances issues des savoirs professionnels indigènes, ceci pour leur appropriation plus scolaire et savante ? Comme l'a souligné Claude Grignon à propos de l'enseignement secondaire technique, « ce qui distingue essentiellement l'apprentissage en école de l'apprentissage traditionnel, donné sous sa forme la plus élémentaire par la famille et par le milieu d'origine, et sous sa forme la plus spécifique par le maître artisan, c'est que l'école ne considère jamais que la pratique professionnelle puisse être à elle-même sa propre fin : on apprend aux apprentis scolarisés que chacune de leurs pratiques, chacun de leurs gestes, chacun de leurs réflexes, peuvent faire l'objet d'un discours ; on s'efforce de leur apprendre à produire eux-mêmes un discours sur leur pratique, ou, à tout le moins, de leur inculquer l'idée que leur pratique n'a de sens que dans la mesure où il est possible de produire à son sujet un discours qui le fonde » (1971, p. 261). En anticipant un peu sur la suite, nous pouvons pousser ce raisonnement jusqu'à dire que, outre la crédibilité que confère la formalisation scolaire des techniques d'apprentissage à la pédagogie de l'« alternance », la production en Maison familiale d'un « discours sur la pratique » permet d'incorporer et d'assigner toute une dimension axiologique qui est contenue dans les fondements de l'« alternance ».

Au total, la formation technique en Maison familiale semble le plus souvent privilégier l'acquisition d'un sens de la pratique par l'expérience (engageant le corps et le geste manuel), le vécu de l'élève sur le site professionnel. Il s'agit de valoriser un savoir empirique et concret. Plus encore, l'alternance se définit comme une pédagogie capable de rendre l'élève acteur de sa formation. Elle devient éducation. Mais en tant qu'action pédagogique, c'est-à-dire relevant d'une méthode éducative formalisée et réfléchie, elle ne saurait se départir d'une certaine dose de théorie. La théorie en Maison familiale remplirait cette double fonction : celle, d'une part, de ne pas limiter la connaissance pratique à sa propre fin en l'inscrivant, par la « *didactique* », dans un double mouvement de compréhension et d'interrogations nouvelles ; sorte de propédeutique à l'action scolaire proprement dite, l'apprentissage de savoirs sur le terrain serait un support à dépasser, dans lequel il ne faut pas « *s'enfermer* » :

> « Parmi les questions qui se trouvent posées par l'alternance, on est amené à faire figurer celle relative au statut du savoir. […]. On peut alors se demander quels processus le savoir est susceptible de déclencher et d'alimenter dans le contexte d'une pédagogie de l'alternance.

[…]. Chaque jeune travaille, en principe, deux semaines sur trois dans le monde des adultes, puis vient une semaine à la maison familiale[8]. Il est amené à s'engager durant le séjour dans un travail quotidien, professionnel. Il lui est demandé d'analyser progressivement la situation qu'il vit et, plus généralement, son milieu à l'aide des adultes avec lesquels il travaille. L'analyse de cette situation est le pivot fondamental de la formation. C'est elle qui évite au jeune de s'enfermer dans le vécu d'une situation. » (Responsable-formateur au Centre national de formation pédagogique des Maisons familiales rurales, ministère de l'Agriculture, *op. cit.,* p. 44.)

La réalité éducative doit, en Maison familiale, aller au-delà du simple observable. Elle induit chez le stagiaire un certain rapport critique à lui-même. Passant du seul « *vécu* » empirique des stages en « alternance » à une capacité d'« *analyse* » et de « *conceptualisation* » qui le « *situe dans un contexte plus vaste* », il est alors capable d'objectiver sa formation :

« […] la formation doit être élucidatrice du vécu du stagiaire en formation et […] les principaux objectifs consistent à proposer un contenu proche du vécu car ce vécu est susceptible d'être vecteur du déclenchement de l'interrogation et de l'analyse. […] le savoir véhiculé au niveau de la Maison familiale […] aide à l'analyse des situations vécues, il facilite l'interrogation et la réflexion du jeune par rapport à son engagement. Il lui permet de situer celui-ci dans un contexte plus vaste. Il contribue à conceptualiser l'action passée et sert aussi de tremplin et de suggestion pour l'action future. » (Responsable-formateur au Centre national de formation pédagogique des Maisons familiales rurales, ministère de l'Agriculture, 1985b, p. 80 et 86.)

Mais ce travail d'objectivation, dans son apprentissage, reste avant tout une affaire de spécialistes qui savent « *recadrer* » les choses :

« Il y a une façon d'enseigner qui est particulière aux Maisons familiales, qui est, quand on commence un cours, ce que nous on appelle en Maison familiale "l'appel au familier". C'est-à-dire que les jeunes, ils savent plein de choses. Ils savent pratiquement souvent 50 % du cours qui va être donné. Donc le premier cours, c'est leur faire ressortir ce qu'ils connaissent. On note tout ça au tableau. Et après, on s'aperçoit que pour certains cours, même en biologie compte tenu de ce qu'ils ont acquis avant, ils savent beaucoup de choses. Il suffit de faire appel à des faits concrets. Mais ce qu'il y a, c'est que ça n'est pas cadré, ça vient en vrac. Donc "l'appel au familier" c'est la pédagogie en Maison familiale qui permet de recadrer ce que les jeunes savent déjà plus ou moins. » (Directeur de Maison familiale rurale.)

---

8. La formule actuelle alterne, rappelons-le, les séquences de 15 jours en Maison familiale/15 jours en milieu professionnel.

D'un autre côté, mais ce ne sont peut-être là que deux vues d'une même réalité, la formation technique en Maison familiale se doit de répondre aux exigences normatives du champ de l'enseignement qui autorise, sous certaines conditions, l'accès de l'institution à des bénéfices tant matériels (financiers) que symboliques (reconnaissance officielle). Aussi bien auprès des publics scolaires potentiels que du ministère de l'Agriculture, l'introduction dans leur enseignement d'une certaine part de théorie confère aux Maisons familiales une crédibilité et un droit d'entrée sur le marché scolaire. Longtemps taxées d'« *enseignement au rabais* » – selon les témoignages des dirigeants de Maisons familiales – par leurs concurrents, les Maisons familiales rurales doivent alors composer avec un savoir théorique. Celui-ci est source de légitimité pour l'institution en matière de pédagogie. Il répond aussi à une contrainte normative qui, comme nous le verrons plus loin, émane de l'autorité régulatrice du champ : l'État.

Un ajustement aux réalités professionnelles

Le vécu pratique et professionnel en stages d'« alternance » rend donc l'élève de Maison familiale acteur de sa formation, une formation concrète acquise avec l'expérience du terrain. Au-delà de ce bénéfice individuel, presque existentiel lorsque l'« alternance » est envisagée comme « *un savoir qui contribue à influencer leur personnalité et à assurer leur identité* », le concret serait ce qui permet aux jeunes des Maisons familiales de prendre la pleine mesure des réalités professionnelles. L'« alternance » et, plus particulièrement, la pratique qu'elle valorise, engage, nous l'avons vu, le geste manuel. Toutefois, l'acception de l'activité pratique ou manuelle peut-elle être réduite à la seule fonction instrumentale d'un apprentissage des gestes professionnels ? L'outil corporel n'est-il pas aussi l'opérateur d'une intériorisation de normes beaucoup plus sociales, qui structurent et hiérarchisent les rapports humains et, plus encore, professionnels ? Le corps, loin de se réduire à une vie organique, est aussi, ceci est connu depuis longtemps, objet de socialisation, lieu d'intériorisation (largement inconsciente) de normes sociales et culturelles. L'ordre social fait corps révèle, au-delà de toute fonction d'adaptation primaire de l'individu à sa société, un processus de hiérarchisation sociale et professionnelle. Un processus auquel participe l'école, instance de prime socialisation, en tant qu'espace éducatif à visée normative, qui plus est lorsqu'elle prépare plus spécifiquement à des fonctions professionnelles techniques qui mettent en jeu le corps directement. On sait bien, depuis notamment le travail de Claude Grignon sur l'enseignement secondaire technique en atelier (*op. cit.*), tout ce que le maintien de la hiérarchie sociale des savoirs et des tâches doit, entre autres, à un travail de dressage du corps. Il n'en va pas autrement pour l'enseignement agricole (Grignon, *art. cit.*, p. 75-97) en ce qui concerne, plus globalement, la division sociale du travail et le rôle d'inculcation qu'y joue l'école. Certains dirigeants en Maison familiale semblent ainsi avoir bien intégré la mesure d'une division sociale, hiérarchique, entre travail manuel et travail intellectuel. L'« alternance », et l'apprentissage des pratiques qu'elle soutient, permettrait à l'élève de tirer très tôt un bénéfice d'un apprentissage cette fois-ci plus « social » :

> « Toute Maison familiale qui se respecte pratique l'alternance. Et alors, je crois que c'est une bonne raison... de dire et de penser qu'avec cet atout, ce savoir-faire dans l'alternance, eh bien c'est un gage de pérennité parce qu'on a besoin de formations conduites par l'alternance. Qu'on arrête de former des gens entre quatre murs ! Bon ça dépend pourquoi, mais je crois que pour les destiner ensuite à des activités plutôt pratiques et manuelles, eh bien rien ne vaut de les immerger très tôt dans le milieu professionnel. » (Directeur de Maison familiale rurale.)

> « Chez nous, le stage est important. Tout ne s'apprend pas en cours, c'est évident. Et la plupart du temps, le jeune quand il arrive chez le patron, dans l'entreprise, il n'y connaît rien ou pas grand-chose. Et certains, le travail manuel, ils ne voient pas toujours trop le... Disons qu'ils ne connaissent pas non plus l'ambiance, ce qui les attend, les exigences du patron, tout ça. Et ça aussi ça s'apprend sur le terrain. C'est important pour plus tard. Il faut aussi savoir accepter ce qu'on vous dit de faire, même si c'est parfois pénible, un peu dur physiquement. » (Directeur de Maison familiale rurale.)

Le travail manuel consiste donc aussi, très concrètement, en un apprentissage « *pour plus tard* » des hiérarchies sociales.

Dans cette même déclinaison vertueuse de l'« alternance », s'ajoute au bénéfice de l'incorporation (au sens plein du terme) d'une réalité professionnelle hiérarchisante la possibilité, pour le jeune, d'intégrer sa pratique de terrain à une vraie temporalité professionnelle. C'est-à-dire que le temps passé par l'élève sur le site professionnel est d'abord un temps prolongé. De ce point de vue, il est un temps de socialisation professionnelle en « *vraie grandeur* » que l'on aime à opposer au « *parachutage* » et autres « *papillonnages* » ramenés à la satisfaction d'obligations purement scolaires dont s'acquitteraient les écoles concurrentes. L'apprentissage est ainsi accompli dans un espace et un temps structurés, ceux de l'entreprise. L'espace professionnel vécu, avec ses « *frontières* », devient le lieu privilégié de l'objectivation des hiérarchies qu'il établit entre les pratiques et entre les personnes :

> « Il y a véritablement avec l'alternance une éducation professionnelle (d'ailleurs c'est le même terme). C'est-à-dire que c'est les frontières dans une entreprise ou dans une petite entreprise artisanale. C'est l'apprentissage déjà de la vie, du travail collectif en groupe, en équipe, et le respect de la hiérarchie. C'est peut-être triste à dire mais elle est là et il

faut s'y plier, on ne peut pas faire autrement. C'est le respect, donc, de la hiérarchie qui est le patron, qui est son chef d'équipe ou autre. » (Président de Maison familiale rurale.)

Ici comme ailleurs, les disciplines sociales prennent la forme de disciplines temporelles (Sanselme, 2000c) ; cela pourrait bien être l'un des fondements d'un ordre social et professionnel qui s'impose aux stagiaires :

> « Quand on reçoit les jeunes, on leur précise bien que s'ils choisissent [comme formation] le paysage, ils vont avoir à faire une activité de chantier avec la nécessité d'arriver bien à l'heure parce qu'il y a le camion qui part avec l'équipe et puis au retour on n'est pas forcément à l'heure par contre. » (Directeur de Maison familiale rurale.)

> « Moi je crois que quelqu'un qui est plongé dans la vie active tardivement subit un handicap. Je prends l'expression des paysans qui disaient "il ne faut pas atteler le poulain trop tard" : eh bien ça a toute sa signification ! Je crois qu'on a la même chose parce qu'un jeune qui a été habitué à l'oisiveté, quand il arrive à 18, 19, 20 ans, on ne lui a pas inculqué le sens de l'effort, le sens du travail. Parce qu'en stage, en alternance, il acquiert cette notion-là de travail mais à travers l'horaire aussi, à travers l'obéissance, le respect du chef. C'est la réalité, hein. À moins d'être patron… mais le patron, il obéit à d'autres contraintes. Il y a toujours un chef au-dessus. » (Directeur de Maison familiale rurale.)

Toutefois, le temps professionnellement normé de la pratique ainsi que les « *contraintes* » hiérarchiques qui se rattachent au statut de travailleur manuel, ne doivent pas effacer un fait : le stagiaire issu de Maison familiale, loin d'être un élément exogène qu'une logique d'obligation scolaire imposerait à l'entreprise, est pensé comme un membre à part entière du collectif de travail. La rencontre avec les réalités professionnelles, si « *pénibles* » soient-elles parfois, s'avère encore et toujours rentable pour l'élève :

> « Nos jeunes, ce sont des gars qui ne sont pas des stagiaires. C'est plus que des stagiaires, ils sont des éléments de l'entreprise, ils vivent l'entreprise. Le stagiaire, vous savez ce que c'est, c'est quelqu'un qui est parachuté à un moment donné, qui se greffe ou qui ne se greffe pas et puis qui repart trois semaines après. Chez nous, le jeune est immergé dans une entreprise où il découvre là tout ce que comporte une entreprise : le personnel, l'activité propre, le fonctionnement, les contraintes, les bons côtés comme les côtés les plus désagréables. Pour nous, l'intérêt majeur de l'alternance, c'est donc le jeune qui se trouve plongé en vraie situation, en situation professionnelle qu'il a quand même choisie. S'il est venu s'inscrire chez nous, c'est qu'il portait un certain intérêt à la profession horticole et puis au paysage. Il va donc, petit à petit, trouver ses marques, prendre une certaine dimension dans l'entreprise. Parce que bon, petit à petit, l'entreprise va compter sur lui, il va devenir un élément de l'entreprise. » (Directeur de Maison familiale rurale.)

Un membre à part entière, digne de confiance et de se voir confier des « *responsabilités* » :

> « Un peu comme dans l'apprentissage, on est en alternance dans une situation de vraie responsabilité qu'on essaie de développer en Maison familiale. C'est indéniable que la situation, le statut peut jouer sur la mise en responsabilité. Bon, on peut avoir le statut de salarié et balayer un garage à longueur de temps… Mais ça peut jouer, ça valorise des jeunes, ça c'est indéniable. C'est intéressant qu'ils soient valorisés. » (Directeur de l'Union nationale des Maisons familiales rurales.)

Expliquant sa « rencontre » avec l'institution, ce responsable de Maison familiale note de la même manière que :

> « La toute première fois que j'ai connu les Maisons familiales c'est en tant qu'entrepreneur, dans le recrutement de mes employés de l'entreprise. Dans leur cursus scolaire, dans les CV (puisque nous embauchons à partir du BEP) sont apparus beaucoup de fois des candidats des Maisons familiales. Donc ça m'a interrogé puisque c'était des personnes très intéressantes, qui collaient bien au terrain, qui correspondaient bien aux fonctions qu'on pouvait leur donner. C'était des gens responsables. Donc là ça m'a interrogé sur la méthodologie des Maisons familiales et sur leur façon d'enseigner. » (Président de Maison familiale rurale.)

Cependant, l'insertion en « *vraie grandeur* » de l'élève par l'« alternance » au sein d'un milieu professionnel ne se suffit pas à elle-même. Elle s'inscrit dans une continuation dont l'aboutissement, rompant par là avec un strict utilitarisme scolaire, reste l'insertion professionnelle « *en connaissance de cause* » :

> « L'alternance a ceci d'essentiel, c'est qu'elle prépare bien les jeunes pour rentrer sur le marché du travail. Il faut savoir que pendant deux ans, trois ans, quatre ans (ça dépend de la durée de la formation), ces jeunes vont donc vivre l'entreprise. Alors vous savez, quand la moitié du temps vous êtes en entreprise, eh bien vous vous moulez, vous vous façonnez à l'entreprise, vous devenez au bout de cette durée-là opérationnel. En général, ce sont des jeunes qui n'appréhendent pas du tout leur entrée dans le monde du travail puisqu'ils y sont déjà. Et deuxièmement, ils sont prisés par les employeurs. Et puis quand on réfléchit sur de nouvelles formations à mettre en place, on fait des enquêtes auprès de nos maîtres de stage qui sont des professionnels. Quand on va voir un maître de stage, il est important de prendre la température, savoir comment il trouve la situation de la profession en ce moment. Est-ce qu'il décèle des tendances ? Est-ce qu'il sent un frémissement quelque part ? Nous, ça nous renseigne énormément, ça nous permet d'orienter nos formations. » (Directeur de Maison familiale rurale.)

> « Il y a peu d'organismes de formation comme nous qui soient aussi près des professionnels. On a des rapports étroits ici entre les enseignants et les professionnels vu qu'il y a toujours le principe de l'alter-

nance. Chaque élève a quand même une orientation beaucoup plus simple après avec le milieu et la vie active puisqu'il a déjà pratiqué. Et si c'est un bon élément, bien souvent, il réintègre l'entreprise. Une de nos forces c'est d'être toujours très très près du terrain et très près des professionnels. Demain, si tel secteur ne recrute plus, eh bien il faudra arrêter ce secteur. Disons qu'on ne trompe pas les gens qu'on forme. Si on les forme, c'est parce que premièrement ils s'aperçoivent qu'il y a un besoin dans la formation, et puis deuxièmement, parce qu'on sait qu'il y a un débouché dans la formation. Notre objectif premier est quand même de former des jeunes qui sur le marché de l'emploi trouveront du travail et sauront travailler. J'arrêterais la présidence le jour où on formera des jeunes totalement à l'écart des professionnels, ne correspondant pas au milieu. Il faut toujours respecter la demande du milieu professionnel, l'évolution du monde professionnel. Il faut essayer, justement par le biais de notre pédagogie, de toujours progresser avec elle. On s'oriente d'ailleurs actuellement plus vers des niveaux CAPA-BEPA, on va forcer plus CAPA-BEPA. Ça correspond plus à la demande actuelle des entreprises de paysage. » (Président de Maison familiale rurale.)

Plus encore, ce fort ajustement de l'offre à la demande professionnelle de formation, cette lecture et ce décryptage pointus de l'environnement professionnel produisent leurs effets retours, positifs, sur l'enseignement lui-même. Sorte de « fait éducatif total », l'« alternance » nourrit encore ici le modèle séquentiel pratique/théorie :

> « On réunit assez souvent nos maîtres de stage. On essaie de savoir leurs exigences, leurs critiques vis-à-vis de leurs stagiaires, vis-à-vis de ce qu'on peut leur enseigner ici, les lacunes et autres. Tout ça c'est important, c'est tout ce qui fait évoluer notre formation, notre enseignement interne. » (Président de Maison familiale rurale.)

> « Une majorité de formateurs de terrain considère positivement le fait de collaborer au plan d'étude, et 87 % d'entre eux estiment que cela leur apporte une forme de remise en cause des connaissances, des sujets de réflexions nouveaux et favorise l'expression, la discussion entre jeunes et adultes. » (Directeur de Maison familiale rurale, ministère de l'Agriculture, 1985a, p. 26.)

> « En même temps que le jeune prend conscience de son engagement et de son milieu, les personnes avec lesquelles il dialogue et agit se trouvent interpellées. C'est pourquoi cette pédagogie de l'alternance ne concerne pas que les jeunes. Les adultes eux-mêmes se trouvent provoqués à la réflexion sur leur situation et à la coopération avec le "formé". Autrement dit, le processus de formation prend une dimension sociale. Il est susceptible de promouvoir l'ensemble des personnes qui se trouvent impliquées par l'aller et retour que fait le jeune entre son milieu de vie et la maison familiale. » (Responsable-formateur au Centre national de formation pédagogique des Maisons familiales rurales, ministère de l'Agriculture, *op. cit.*, p. 44.)

Une « *évolution* » avec, toujours au centre, l'élève acteur de la formation :

> « L'atout de l'alternance, c'est de garder le contact avec la réalité du terrain. Bon, la technique évolue. Les enseignants qui ont fait leurs études il y a 5 ans, 10 ans, 15 ans, 20 ans et plus, ont appris des choses mais vous savez, on est vite dépassé si on s'enfonce dans son bureau et dans sa salle de cours. On perd le fil, on n'est plus en phase, quoi. Alors avec l'alternance, on a des relations avec des professionnels d'une façon constante. Et puis nos élèves, nous, nous ramènent des choses, nous disent : "Attention ! Qu'est-ce que vous racontez ! Chez notre maître de stage ça se passe comme ça". Alors, que vous le vouliez ou non, vous êtes obligé d'actualiser vos connaissances de vous mettre au goût du jour. » (Directeur de Maison familiale rurale.)

En fin de compte, ce que visent à promouvoir les dirigeants de Maisons familiales c'est, au travers toujours de la formation technique dispensée, un modèle d'efficacité. Un modèle d'efficacité moderne en termes de rationalité économique. Un modèle qui ajuste une formation aux exigences du marché de l'emploi. La « *vraie grandeur* » ici, bien plus peut-être que celle associée à l'incorporation de savoir-faire et de dispositions proprement professionnels *in situ*, se mesure en résultats chiffrés :

> « Nos jeunes s'insèrent presque tous, à 90, 92 %. Dommage qu'il en reste 8 % de côté. J'espère qu'on tiendra 92 % toujours, c'est notre projet. » (Directeur de la Fédération régionale des Maisons familiales rurales de Bretagne.)

> « On a réalisé pendant deux mois une enquête sur les anciens élèves : sur une promotion, on a zéro jeune au chômage et dans l'autre promotion, je crois que c'est un jeune. » (Directeur de Maison familiale rurale.)

> « Elles [les Maisons familiales] refusent de finaliser la formation sur l'adaptation à un poste de travail. Ceci ne signifie pas qu'elles ne se soucient pas de l'accès à l'emploi. Au contraire, leurs résultats en la matière sont éloquents : les Maisons familiales ne fabriquent pas de chômeurs. » (Directeur de l'Union nationale des Maisons familiales rurales, *Le lien des MFR*, n° 267, juin 1994, p. 3.)

Autant d'énoncés autour d'un argument, somme toute légitime, qui est mesuré à l'aune des attentes supposées des familles (potentiellement clientes de l'institution) et du ministère de l'Agriculture en termes de « rentabilité » des établissements. On comprend alors d'autant mieux que l'acquisition par l'élève d'une certaine « *culture de l'entreprise* » et du marché soit au cœur du projet pédagogique :

> « Le stage c'est pour les jeunes la connaissance des contraintes, mais aussi quelque part une culture d'entreprise. » (Directeur de la Fédération régionale des Maisons familiales rurales de Bretagne.)

« – En BTA, ils sont comme des salariés. Nos élèves en alternance font des chantiers, je dirais comme des salariés.
– Ils ne seraient presque plus des scolaires ?
– Ah oui, absolument ! Ils sentent parfaitement les affaires. Ils sont capables de traduire les choses. » (Directeur de Maison familiale rurale.)

Cependant, cette « acculturation planifiée » (comme disent les anthropologues) à l'entreprise et au marché de l'emploi ne peut, en Maison familiale, se faire sans tensions :

« Je crois qu'on arrivera peut-être à une perte d'identité si l'alternance est vulgarisée de plus en plus. On aura des pseudo alternances mais on pourrait arriver petit à petit à une perte d'identité dans le terme purement de notre formation. Mais ce que les autres n'arriveront pas à faire par rapport à la force des Maisons familiales, c'est d'allier le tissu professionnel (puisqu'il est quand même partie prenante dans nos associations) et le tissu familial. Ça c'est une de nos forces et je crois que les Maisons familiales ont tout intérêt à continuer dans le sens de promouvoir la famille et à être toujours très très près du terrain et très près des professionnels. » (Président de Maison familiale rurale.)

Comparant l'« alternance » à la formule voisine qu'est l'apprentissage, ce responsable de Maison familiale considère de la même manière que :

« Là où est la différence importante entre l'apprentissage et l'alternance, c'est que par nature l'association en Maison familiale est familiale. Et donc on ne souhaite pas que la famille se réduise à une partie de…, je dirai à uniquement de la mise en responsabilité dans l'entreprise. Et donc il y a une participation des familles qui dans l'apprentissage traditionnel ne va pas de soi du tout, du tout ! Il faut même se battre contre toutes les règles administratives pour bien faire comprendre que notre association n'est pas une association de maîtres de stage, une association professionnelle. C'est une association de familles. Donc ça va pas de soi dans l'apprentissage du tout. La famille est absente du dispositif d'apprentissage. » (Directeur de l'Union nationale des Maisons familiales rurales.)

En tant qu'institution « Familiale », les établissements sont obligés, au prix de la conservation de leur spécificité identitaire, d'avancer un compromis entre deux logiques. Comme on le verra plus loin, l'une, entrepreneuriale, serait plus pragmatique, tandis que l'autre, familialiste, serait peut-être plus symbolique.

L'ouverture des choix d'orientations professionnelles

La fonction de l'« alternance » en Maison familiale, fonction socialisante et adaptative au monde du travail, amènerait l'institution à une position de retrait, ou du moins de délégation, dans son action éducative. Outre qu'il demeure cet être autonome, acteur de sa propre formation, l'élève, par son acculturation à l'entreprise, serait par ailleurs rompu aux normes et exigences d'un univers extra scolaire. Cependant, en tant qu'action éducative formalisée, réflexive et spécialisée, la formation technique en Maison familiale ne relève pas moins d'un encadrement institutionnel. Ainsi, et particulièrement dans leurs tout premiers niveaux de formation, les Maisons familiales aiment à se représenter – au propre comme au figuré selon l'iconographie qui illustre certaines plaquettes publicitaires diffusées par l'institution pour le recrutement du public scolaire – en véritables « boussoles » d'orientation scolaire face à un public « désorienté ».

La loi d'orientation de l'éducation du 10 juillet 1989 a redéfini les cycles d'apprentissage : les classes présentes dans les établissements d'enseignement technique agricole correspondent au cycle d'orientation, au second cycle professionnel, au second cycle général et technologique et au premier cycle supérieur. Le cycle d'orientation comprend les classes de 4e et 3e préparatoires conduisant préférentiellement au second cycle professionnel, et les classes de 4e et 3e technologiques au second cycle général et technologique. Présentes au premier degré du cursus scolaire en Maisons familiales, ces classes de 4e et 3e technologiques permettent à l'institution de déployer pleinement son savoir-faire et sa politique en matière d'orientation professionnelle :

> « En classes technologiques, nous avons affaire à des jeunes sans véritable projet. Il était utile de mettre en place une réflexion avec eux sur l'orientation.
> En 4e, rien ne presse. Les jeunes ont deux ans pour choisir. Je leur demande avant tout d'être curieux. C'est une phase de découverte. Ils doivent effectuer trois stages par an. Chaque élève est dans un secteur professionnel différent et donne à toute la classe des informations sur son métier. Ensuite je les aide à classer les métiers et je les amène à comprendre leur choix.
> En fin de 3e, je demande aux jeunes de faire trois choix pour se donner des solutions de rechange. S'ils sont indécis, je leur conseille de ne pas se presser. Ils peuvent redoubler ou choisir une seconde s'ils le peuvent pour se donner le temps de réfléchir. La route n'est pas droite et il n'y a pas de voie royale. » (Monitrice de Maison familiale rurale, *Le lien des MFR*, n° 266, mars 1994, p. 12.)

> « Il y a un certain nombre de parents qui ont des jeunes de 14-15 ans et qui ne savent pas où les orienter, des jeunes qui sont en 5e, qui sont un petit peu, je dirais, en panne. Ils ne peuvent pas passer en 4e. Ils ne savent pas quelle orientation professionnelle prendre. Alors c'est très ennuyeux parce que dans ces cas-là, mettez-vous à la place des parents... Qui doit décider si les jeunes ne savent pas quoi faire ? Il faut bien que quelqu'un décide. Alors on a mis en place une filière technolo-

gique 4ᵉ-3ᵉ. Pendant ces deux années-là, les jeunes sont mis en situation professionnelle variée. Ça veut dire que pendant un trimestre ils vont faire leur stage en restauration, le trimestre suivant en mécanique, le troisième trimestre en horticulture. L'année d'après, bon, s'ils n'ont pas encore trouvé leur voie, on pourra peut-être essayer, pourquoi pas, l'agro-équipement ou l'agroalimentaire, de manière à ce qu'en fin de compte, en fin d'année de 3ᵉ technologique, ils puissent se déterminer en connaissance de cause. On est donc assez ouvert. Dans ces classes-là, les jeunes vont pouvoir définir leur orientation. On peut accueillir des jeunes qui vont être en totale recherche, des jeunes qui n'ont aucune idée du métier qu'ils veulent faire. Je crois qu'ils peuvent en deux ans, là… Ils vont être mis en situation dans différents lieux. Ils vont tâter, toucher un peu le métier, des métiers très différents par des stages. » (Directeur de Maison familiale rurale.)

Ouverture et expérience professionnelles variées semblent bien être les mots d'ordre de la politique des Maisons familiales en matière d'orientation scolaire. Cette politique de la souplesse et de l'indétermination ne peut en fait fonctionner que parce qu'elle s'adresse à un public scolaire qui est lui-même largement indéterminé où « *nous avons affaire à des jeunes sans véritable projet* », qui « *ne peuvent pas passer en 4ᵉ et ils ne savent pas quelle orientation professionnelle prendre* ». Et dès lors, on comprend mieux le souci de captation et de maintien dont peuvent faire preuve les Maisons familiales vis-à-vis d'une clientèle scolaire potentielle : « *s'ils sont indécis, je leur conseille de ne pas se presser. Ils peuvent redoubler ou choisir une seconde pour se donner le temps de réfléchir* ».

À cette première mainmise succède ensuite, à un niveau supérieur du cursus scolaire, un travail institutionnel d'encadrement. Même si celui-ci tend à s'oublier, puisqu'on parle volontiers en Maison familiale d'une orientation professionnelle de l'élève faite par l'intéressé « *en connaissance de cause* », il ne s'impose pas moins sur le mode d'une rationalisation du choix professionnel. Un certain désenchantement des passions ou des fausses certitudes et autres affects juvéniles peut alors se faire jour :

« Je crois qu'un jeune qui visiblement ne se plaît pas ici parce que peut-être l'horticulture n'est pas ce qu'il avait envisagé (il y a toujours une part de rêve dans les désirs des jeunes, on voit souvent les choses plus belles, la superbe pelouse avec le superbe arbuste en fleurs au soleil), eh bien, il faut être à son écoute. Là on a eu un cas tout récemment, un gars qui depuis septembre se trouve dans une entreprise de pépinière. Il s'est dit le premier mois : "il faut que je persévère, je vais peut-être faire des choses plus intéressantes par la suite que de manipuler des containers". Et en fait, il y va à reculons. Visiblement, il voyait l'horticulture autrement, et je crois qu'il faut, par rapport à ça, essayer autre chose. » (Directeur de Maison familiale rurale.)

« Certains jeunes ont une idée très affirmée de ce qu'ils veulent faire et souvent c'est une passion qui est à la base. Je prendrai l'exemple extrême parce qu'il est caricatural : les jeunes sont passionnés par les métiers du cheval, tellement passionnés qu'ils ne voient plus que le cheval et qu'ils croient qu'ils vont pouvoir en faire leur métier. Je dis "qu'ils croient" parce que les choses ne sont pas si simples. Puis on a d'autres jeunes qui viennent et qui ne sont pas satisfaits de ce qu'on leur propose, qui ont des **envies** [c'est l'enquêté qui souligne] de travailler dans tel ou tel secteur mais qui n'ont pas de projet établi. Dans les deux cas, quelle est la question qui est posée ? Dans le premier cas, c'est prendre appui sur cette motivation très forte, très intéressante. Mais prendre appui sur cette passion pour dépasser aussi cette motivation première. Parce que, entre l'envie que l'on a d'être auprès des chevaux, de travailler dans une crèche avec les enfants, et puis d'en faire une profession…, eh bien il y a toute une évolution. Donc à partir de cette passion, il faut voir une formation qui est déjà orientée dans ce secteur-là, mais ne pas limiter le projet au secteur professionnel, aussi pointu soit-il. Parce que, à l'occasion de l'alternance pendant deux ans, trois ans, quatre ans, ayant fait un BEPA-BTA, on s'aperçoit, finalement, que c'est une passion mais c'est pas forcément le choix professionnel qu'on veut faire. » (Directeur de l'Union nationale des Maisons familiales rurales.)

« Le jeune en 4e-3e vient pour essayer de trouver une filière qui l'intéresserait. La filière qui l'intéresse, nous on ne la connaît pas, même s'il le sait. Même si un jeune dit, je prends un exemple ici, "moi je veux être cuisinier". "Tu veux être cuisinier ? C'est très bien, OK". Donc il rentre en 4e. Il fait un stage, deux stages, le trimestre. Fin de trimestre : on fait le bilan avec le maître de stage qui nous dit "ah, votre jeune, je ne le vois pas travailler dans la restauration". Et le jeune dit "je veux être cuisinier" ! Bon, on change de maître de stage. Quinze jours après ou trois semaines, le deuxième maître de stage fait la même remarque. Donc il faut qu'on en discute encore : "on va en parler avec tes parents". "Votre enfant n'est pas forcément fait pour ça. Qu'est-ce que vous en pensez ? Bon, petit à petit on essaye de voir et N. pourrait peut-être faire un stage dans d'autres domaines. Qu'est-ce qui lui plairait encore ?" "Ah ben peut-être le commerce". "Bon, on va faire un truc en commerce, on va y passer six semaines. Bon, qu'est-ce qu'on pourrait encore lui découvrir ?" Je crois que c'est le but de ça. Il faut que le jeune se rende compte en fait que même s'il est content, le professionnel qui est en face de lui peut lui dire "peut-être que ce n'est pas ta voie". Et le jeune, là, après il se remet en cause. Donc on va essayer de voir autre chose. Ce jeune-là, en fait en début de 3e il ne savait plus du tout ce qu'il voulait faire. On lui avait semé le doute dans ses capacités. » (Directeur de Maison familiale rurale.)

L'orientation en Maison familiale se décline ainsi en expériences professionnelles multiples et variées. Leur légitimation par l'institution ramène finalement, et à travers les actions de canalisation des passions et de « *vérification des désirs* » des jeunes, à la construction chez l'élève d'un libre arbitre qui vise à le rendre acteur de sa formation :

> « Dans les Maisons familiales, on permet au jeune de tâter du métier, de tâter de la profession. Là il y a la possibilité de faire de l'expérience. Qui dit expérience dit essais/erreurs. On peut donc permettre au jeune de vérifier si son désir de tel ou tel métier est réel ou pas. » (Directeur de la Fédération départementale des Maisons familiales rurales d'Ille-et-Vilaine.)

> « L'alternance, c'est l'orientation en termes de choix. C'est le candidat qui s'oriente en tout état de cause, c'est-à-dire en sachant vers quoi il s'oriente. Donc s'il sait, c'est parce qu'il pratique justement l'alternance et qu'il est dans le milieu professionnel. Et quand il s'oriente, il s'éduque, il s'oriente de sa propre personne en connaissant le métier, en connaissant ce qu'il va faire tout au long de son *cursus* scolaire. Parce que bon, quand on s'engage dans une orientation, c'est pour toute sa vie. Donc il arrive un moment où l'on est en profonde question interne, où on se demande si on correspond bien à son but dans la vie. Et le phénomène de l'alternance ne fait que rendre des personnes quand même beaucoup plus stables dans la vie. Pour des personnes qui s'engagent dans l'alternance, dans un métier par le système de l'alternance, il n'y a rien de caché, tout est bien clair. Et mentalement ils sont très stables en général parce qu'ils cadrent bien avec leur métier. C'est pas une chose qu'ils font parce qu'ils ont été obligés ou ils ont cru à un moment donné pouvoir le faire. » (Président de Maison familiale rurale.)

Un suivi personnalisé

Le vécu en stages variés rend donc l'élève de Maison familiale « libre » et acteur de sa formation et de son orientation. Toutefois, rappelons que, en tant qu'action éducative formalisée, réflexive et spécialisée, la formation technique en Maison familiale ne relève pas moins d'une pédagogie. Bien que se voulant « pédo-centrée », elle reste, par essence, assujettie à un travail de médiation théorique dans l'incorporation des connaissances. Autrement dit, l'« alternance » a ses limites dans la délégation à l'élève de sa propre formation technique :

> « Au centre de notre pratique, il y a l'apprenant : adolescent ou jeune adulte qui se construit lui-même et construit son propre avenir.
> Nul ne se construit tout seul. Le "self-made man" pur n'existe pas. Être accompagné dans sa trajectoire, dans son itinéraire visant l'accès à l'autonomie, à l'insertion professionnelle, à la vie d'adulte et de citoyen constitue la première demande des jeunes.
> [...] Devoir d'accompagnement de la part des familles, des entreprises, des acteurs locaux… mais aussi de la part des formateurs. À l'interface entre ces trois réseaux se situe la difficile mission de "catalyseur", de

"facilitateur", de "coordonnateur" qui lui incombe nécessairement, ainsi qu'à l'institution de formation.

Faire bénéficier chaque jeune des richesses insoupçonnées qu'apportent les partenaires, apporter sa propre pierre à la construction de l'individu par l'apport de contenus et de méthodes, réguler le cas échéant. La prise en compte de ces nouvelles missions de l'enseignant et du formateur, gérées collectivement au sein d'équipes pédagogiques, conduit inévitablement à une évolution, déjà bien engagée, de cette profession, parfois décriée et pourtant irremplaçable. » (Directeur de la Fédération régionale des Maisons familiales rurales de Bretagne, *Ouest-France*, 18 juin 1995.)

Cet extrait d'entretien est à plus d'un titre riche de sens. Que nous dit-il? L'élève, bien qu'« *au centre* » de l'« alternance » et se « *construisant lui-même* », ne possède pas en fin de compte la capacité d'un « *selfmade man* ». Aveugle ou, du moins, encore peu au fait des « *richesses insoupçonnées qu'apportent les partenaires* », il s'agit ainsi, légitimement, de lui ouvrir les yeux « *par l'apport de contenus et de méthodes* », voire de « *réguler le cas échéant* ». Ceci d'autant plus que cet « *accompagnement* », dont on nous parle sans cesse, « *constitue la première demande des jeunes* » eux-mêmes. Toute l'ambivalence autour du statut de l'élève, à la fois acteur et agent (par nécessité), laisse à penser que l'« alternance » ne peut se départir d'une fonction d'encadrement du public qu'elle se propose de former techniquement et humainement puisque « *l'accès à la vie d'adulte et de citoyen constitue la première demande des jeunes* ». C'est précisément dans cette tâche institutionnelle d'encadrement – dont les modalités se révéleront assez souples – que s'évalue, entre autres, «*la difficile mission* « du formateur :

« Il est vrai qu'en Maison familiale, comme on est peu nombreux, on se rencontre plus facilement. On se parle plus facilement. Il y a toute la fonction de formateurs qui va dans ce sens-là. La fonction des formateurs, ce n'est pas uniquement d'enseigner, mais c'est aussi de suivre les jeunes. De les suivre en stage, de les suivre dans leur cursus de formation, de les suivre individuellement. Par exemple ici, nous avons des jeunes qui préparent un BTA "services aux personnes" et en ce qui concerne les stages, le rapport de stage qu'ils présentent à l'examen, eh bien il est suivi par un formateur. Et [les élèves] ils savent qu'ils ont quelqu'un à qui ils peuvent demander, venir prendre des rendez-vous à n'importe quel moment. Ils savent qu'il y a quelqu'un de disponible pour ça. Et la disponibilité du formateur c'est justement souvent pour répondre à leurs préoccupations, répondre plutôt qu'organiser. Ils viennent souvent nous voir par rapport à tel problème, par rapport à telle situation de stage. Ils veulent un petit conseil et c'est à ce niveau-là que ça se situe. » (Enseignant et directeur de Maison familiale rurale.)

Homme disponible, à l'écoute des jeunes, le formateur en Maison familiale est autre chose que le professeur distant, traditionnel, du cours magistral :

> « Pour bien appliquer la pédagogie des Maisons familiales, le petit groupe est une nécessité, c'est un peu assurer la formation personnalisée des élèves. Il faut des groupes (on le disait autrefois et on le dit encore) de 25 [élèves], un groupe de 25 c'est un maximum. Et puis on évitait d'avoir trop de groupes à la fois à la Maison familiale de façon à ce qu'il y ait vraiment une vie de groupe et un travail très personnalisé. Dans les Maisons familiales, il y a des enseignants pratiques qu'on a appelés dès l'origine "moniteurs" et non pas "professeurs". C'est quand même différent. Le moniteur conduit les jeunes pour les aider à rechercher, à faire des recherches, à acquérir par eux-mêmes des choses, alors que le professeur transmet sa science... » (Ancien enseignant et précédent directeur de la Fédération départementale des Maisons familiales rurales d'Ille-et-Vilaine.)

Ne serait-ce que parce qu'il officie au sein d'un « *petit groupe* » et, de ce fait, « *peut circuler dans la classe* », le « *moniteur* » abolit symboliquement dans sa tâche éducative toute idée de distance avec ses élèves. Le rapport de proximité spatiale qu'il instaure avec son public l'autorise alors à penser sa fonction d'encadrement sur un mode souple qui est celui de l'« *accompagnement* » :

> « – Le formateur n'est pas un enseignant de type traditionnel où on dispense un savoir. Le terme c'est "moniteur" et la notion de moniteur c'est celui qui accompagne un groupe dans la manière d'acquérir son propre savoir.
> – Comment, concrètement, se passe cet accompagnement ?
> – C'est très complexe. Ça rejoint un peu la fonction rogérienne. Lorsqu'il y a leçon, le moniteur fait son cours mais pas de façon magistrale. Le système d'une leçon serait chez nous en trois temps : l'appel au familier, la phase explicative et la phase résumé ou exercice. Au cours de la phase exercice, le moniteur peut circuler dans la classe et vérifier si le jeune a bien compris. La fonction d'accompagnement, c'est ça sur le plan didactique mais elle est beaucoup plus globale. Elle peut aussi être dans la correction du cahier d'exploitation. Elle peut être aussi lors de la visite de familles ou de maîtres de stage, on peut faire un bilan avec le jeune sur sa progression, définir une façon de travailler. L'accompagnement d'un élève ne se fait pas uniquement dans la salle de cours. C'est tout un ensemble d'attitudes, de comportements, de suivis. Si le moniteur est polyvalent, il a une qualité d'animation très forte à développer : c'est de structurer la démarche du jeune en l'aidant à découvrir sur le terrain un certain nombre d'observations, de questionnements. Ceci ne peut bien se faire qu'avec un petit groupe d'élèves, notion qu'on a de tout temps développée en Maison familiale et qui rend possible la prise en compte individuelle de chaque jeune, son suivi personnalisé. » (Enseignant et directeur de Maison Familiale Rurale.)

Plus « *accompagnateur* » de l'élève que « *professeur* » dans l'accès au savoir, le moniteur est l'« *animateur* » d'une formation. C'est dire qu'il doit faire preuve d'un dirigisme nécessaire mais cependant feutré, bien tempéré, face à un élève perçu comme recelant déjà intérieurement les potentialités (sauvages ?) de son propre développement. Ainsi pensé sur le mode de la souplesse, ce travail d'encadrement, qui cherche constamment à se faire oublier ou du moins à s'atténuer, n'est réalisable, aux dires des responsables de l'institution, que dans le cadre d'une relation de forte proximité spatiale enseignant/élève. À la lecture de l'« *article 1 – Définition de la fonction de moniteur* » de la Convention collective des Maisons familiales, on peut mesurer tout ce que cette proximité doit à ce qu'il convient d'appeler une situation de relation totale :

> « Le Moniteur inscrit son action dans une institution qui a des valeurs et des objectifs auxquels il s'engage à concourir positivement, tels qu'ils sont définis dans le préambule de la présente convention et dans les statuts de l'association.
>
> Il exerce au sein d'une équipe une fonction globale, qui ne se réduit pas à des tâches parcellaires ni à une fonction limitée d'enseignant.
>
> Il est animateur d'un groupe en formation, auprès duquel il assure un enseignement, mais aussi une action éducative générale, avec le souci de la connaissance de chaque personne formée et d'une aide personnalisée dans la perspective de la réussite de chacun.
>
> Fait ainsi partie de sa fonction l'élaboration et la conduite des cours, la réalisation et la correction des contrôles des connaissances, le suivi individuel des jeunes,...
>
> [...] La relation avec les partenaires de la formation (visite aux familles, maîtres de stage, employeurs...) constitue une dimension indispensable de la fonction.
>
> [...] Son action s'étend à l'animation du temps résidentiel des jeunes ou adultes internes (veillées, permanence, repas...) [...]. »

L'éducation en Maison familiale est donc avant tout, et d'après les agents qui en ont la charge, affaire d'« *accompagnement* » et de « *suivi personnalisé* » du jeune. Fidèle à une conception immanentiste de l'élève face au savoir, elle se donne toujours à voir en tant qu'encouragement et catalyseur légitimes, car répondant à une demande du jeune lui-même. Mais au-delà de cette nécessité faite vertu, la formation technique dispensée par l'institution est aussi affaire de pédagogie. C'est-à-dire que l'« alternance », en tant que modèle pédagogique à prétention scientifique, qui « *rejoint un peu la fonction rogérienne* », se justifie d'elle-même et, du même coup, s'autorise une action et un encadrement éducatifs. Par ailleurs, il n'est pas impossible que la résolution en Maison familiale d'un certain paradoxe éducatif inscrit autour des rôles respectifs de l'élève et du maître dans le rapport immanence/transcendance ou, si l'on préfère, acteur/agent, se reporte à un autre niveau de la réalité éducative. On a remarqué que l'institution, dans son discours, ne manque rarement une allusion dépréciative à l'égard de ses concurrents : « *la fonction de moniteur ce n'est pas uniquement d'enseigner* », « *dans les Maisons familiales, il y a des enseignants qu'on a appelés moniteurs et non pas professeurs* », « *le moniteur conduit les jeunes pour les aider à rechercher alors que le professeur transmet sa science* », « *le formateur n'est pas un enseignant de type traditionnel où on dispense un savoir* », etc. L'action pédagogique d'encadrement que sous-tend l'« alternance » trouverait en partie sa source de légitimation – et ne serait plus, dès lors, paradoxale – dans les défaillances prétendues des systèmes éducatifs traditionnels et adverses. Nous aurons l'occasion d'y revenir plus en détail dans la quatrième partie.

À une première lecture du discours de l'institution sur elle-même, il est possible de résumer ce qu'embrasse, pour l'instant, la philosophie éducative des Maisons familiales rurales : une pédagogie active et de l'immanence. Une pédagogie active parce que l'« alternance » valorise la pratique comme le principe fondamental d'incorporation de connaissances professionnelles empiriques et concrètes. Une pédagogie de l'immanence dans le sens où le vécu professionnel du jeune le rend acteur de sa propre formation. Ce vécu intérieur et singulier, qui postule la reconnaissance des intérêts intrinsèques parce que naturels de l'élève en matière d'action éducative, se révèle de la même manière en termes d'orientation. On ne peut plus souples car ouvertes, multiples et variées, les expériences professionnelles ont pour but en Maison familiale la (re) construction par l'élève d'un libre arbitre visant, toujours et encore, à le rendre acteur de son orientation scolaire et professionnelle.

Cependant, cette finalité éducative immanentiste ne peut totalement se départir en Maison familiale d'une intervention, d'un encadrement institutionnel. La question du rapport de l'élève au savoir, et bien au-delà, au monde social, admet alors un traitement tout dialectique de la part des Maisons familiales. En effet, notamment par ses fonctions de canalisation et de rationalisation des aspirations professionnelles des élèves, l'« alternance » s'impose certes comme un modèle éducatif, mais elle sait aussi légitimer sa présence (ou sa prégnance) comme étant la condition première et indispensable à l'avènement de la personne [9]. C'est encore selon cette même maïeutique institutionnelle – où seule l'intervention des pédagogues est à même pour les élèves de « *leur faire ressortir ce qu'ils connaissent* » – que l'élève accède au statut d'acteur de sa propre formation.

---

9. Ceci, comme nous le verrons, dans l'acception « personnaliste » (philosophique et doctrinale) du terme.

Enfin, apparaît déjà, dans cette évocation institutionnelle d'un savoir-faire technique, une dimension quelque peu morale qui relie ici l'application d'une action éducative à une certaine ontologie. Parler d'éducation c'est aussi parler de son objet (l'élève) et de ses agents (d'encadrement). C'est concevoir et définir l'Homme. Ce dernier pan axiologique de l'éducation en Maison familiale permet en fait d'apporter à l'institution l'ultime fondement de sa cohésion, de son identité. Il est ainsi certain que dans le discours très idéalisé que tiennent les Maisons familiales sur leur technique éducative et qui vise la présentation d'un monde institutionnel logique et cohérent, la construction intellectuelle qui se déploie autour de l'« alternance » ne peut omettre, pour se tenir, de faire référence à un ensemble de valeurs partagées. L'éducation en Maison familiale comprend aussi un ensemble de valeurs morales qui font que pour l'institution, la formation technique rejoint une formation morale de l'élève.

Chapitre V

DE LA MORALE EN MAISON FAMILIALE

S'attacher à rendre compte de ce que nous appelons une morale, en l'occurrence éducative, ramène en fin de compte à l'exposition d'un ensemble de règles d'action et de valeurs qui fonctionnent comme normes au sein d'une institution scolaire. C'est dire que l'école demeure encore ici cet appareil de socialisation ou, du moins, qu'elle revendique une telle ambition en transformant des valeurs morales en normes éducatives et des normes en rôles structurant les personnalités. Historiquement empreinte de « culture spirituelle » (Durkheim, 1969, p. 37 et 326) chrétienne afin d'œuvrer à la conversion des âmes païennes, l'école fut ainsi dans sa genèse fortement moralisatrice. Et il n'est pas sûr, par ailleurs, que le recul ou la disparition du dogmatisme religieux au sein d'institutions spécifiques d'enseignement qui long-temps le dispensèrent, signifie l'absence totale et définitive de toute référence aux valeurs chrétiennes dans l'entreprise éducative (Bonvin, 1982, p. 105).

Quoi qu'il en soit et sauf à ignorer qu'en fait d'« École » – dont il est quelque peu péremptoire d'affirmer qu'elle « n'est plus une institution » (Dubet, 1994, p. 170-172) – il y a bien plus des écoles, on ne peut raisonnablement faire comme si l'enseignement, religieux ou pas, assumait désormais volontiers la séparation de l'ordre des connaissances avec l'ordre des valeurs. La distinction entre scolarisation et éducation ne va pas forcément de soi. Plus encore, nous savons bien tout ce que la conception d'un enseignement non idéologique a d'utopique et d'illusoire. Maintenant, comment saisir alors, à travers le discours d'une institution sur elle-même, ce que nous nommons une morale ? Comment appréhender en Maison familiale, institution qui pourtant n'est pas sans afficher une certaine axiologie éducative, un quelconque système idéologique sans avoir recours à une « brutalité objectivante » face aux enquêtés qui ne sont jamais dupes des intentions du chercheur. Autrement dit, comment éviter le passage d'une morale à un moralisme dénié en Maison familiale car, nous dira-t-on plus loin, toujours suspect d'« *endoctrinement* » et comportant, par là, la menace d'un rapprochement avec l'enseignement agricole catholique concurrent ? Préconisons que puisqu'il est question de « Maison Familiale Rurale d'Éducation et d'Orientation » selon la dénomination « indigène » elle-même, nous devons, afin de saisir une « morale » institutionnelle, inviter l'institution à produire un discours sur elle-même, ceci à travers l'explication de son appellation vernaculaire.

L'« alternance » pratiquée en Maison familiale se voudrait donc aussi savoir-être éthique. Un savoir-être éthique qui transparaît dans l'ensemble de la formation morale des élèves, celle-ci étant prise comme une finalité éducative et renvoyant, plus largement, à une conception normative de l'homme à travers la prescription de conduites. Un savoir-être éthique qui se donnerait alors indissociablement à voir dans des techniques de formation et d'encadrement considérées comme autant de moyens éducatifs et qui sont toujours connotées moralement.

Une éducation de la personne globale

La considération de l'élève en Maison familiale ramène à une vision éminemment holiste de l'être et, du même coup, de la tâche éducative morale, spirituelle, que s'assigne l'institution lorsqu'elle quitte la sphère technique de l'apprentissage scolaire et professionnel :

> « La formation globale du jeune touche à tout ce qui n'est pas scolaire ou professionnel. C'est l'éveil sur des expériences vécues, c'est de l'humain. » (Enseignant en Maison familiale rurale, *Le Lien des MFR*, n° 276, septembre 1996, p. 16.)

En Maison familiale, l'élève est avant tout un adulte « *en devenir* ». Il s'agit de le former à une commune humanité, de l'humaniser bien au-delà d'une perspective réduite d'intégration à une division technique du travail. Mais est-il nécessaire de rappeler que nous avons affaire ici à un point de vue collectif qui n'en demeure pas moins particulier ? Autrement dit, la commune humanité à laquelle aspirent les Maisons familiales à travers leur action éducative est une évidence qui reste localement partagée. C'est un regard idéologique institutionnellement situé que nous allons restituer.

Ainsi, l'éducation morale en Maison familiale ne se laisse tout d'abord pas réduire à un seul secteur. Elle s'étend à ce tout qui est parfois difficilement commensurable :

> « L'éducation c'est savoir que la Maison familiale ne se préoccupe pas simplement de préparer les jeunes à un examen, de leur donner une

formation. Elle leur permet aussi petit à petit de développer leur personnalité et de devenir des adultes, de devenir responsables. » (Directeur de l'Union nationale des Maisons familiales rurales.)

« "Éducation", d'abord c'est plus large que le terme d'enseignement et même de formation. L'éducation c'est vraiment l'ensemble de tout ce que doit acquérir un jeune pour faire face à ses responsabilités dans la vie. L'éducation ça veut dire pas simplement les connaissances scientifiques et les connaissances professionnelles. Ça veut dire aussi la façon d'appréhender même l'aspect moral, l'aspect civique, tout ce qui fait la vie d'un homme et d'une femme en fonction de chacun, suivant ses options. » (Précédent directeur de la Fédration départementale des Maisons familiales rurales d'Ille-et-Vilaine.)

« Dans le mot "éducation", pour nous, il y a l'aspect citoyenneté, l'aspect développement des personnalités et prise en compte de chaque jeune. En fait, dans le mot "éducation" en Maison familiale, c'est l'éducation liée au savoir-être, donc comportement, prise de responsabilité à l'interne. Donc là, il y a un développement, une attention assez particulière qui est différente de l'éducation de l'éducateur des rues, de ce domaine-là qui serait plutôt du redressement, de la surveillance. Là je crois que le mot "éducation" au sens noble, hein, c'est le développement de chaque personnalité. C'est dans le domaine du savoir-être. » (Directeur de la Fédration départementale des Maisons familiales rurales d'Ille-et-Vilaine.)

« *Éducation dans la vie et de la vie d'un homme et d'une femme* » tout en respectant chaque « *personnalité* », telle serait la vaste conception de l'éducation en Maison familiale. Une conception d'une commune humanité qui se construit visiblement à deux niveaux : celui d'une généralité supérieure représentée par le « *citoyen* », l'« *adulte responsable* » ; celui des personnes particulières. Mais comme en Maison familiale la personne n'est jamais un individu, une pure individualité, car « *le développement de la personnalité* » s'incarne et se réalise dans l'engagement (telle « *la prise de responsabilités* ») et la communion avec autrui à travers « *la citoyenneté* », l'institution sait opérer ici la synthèse entre le général et le particulier.

La mystique de l'engagement et de la prise de responsabilités

Nous avons vu précédemment, sur le plan de l'éducation technique et professionnelle, ce que signifiaient l'engagement et la responsabilité de l'élève au sein d'une formation dont il serait éminemment l'acteur. Cette mystique ou croyance absolue qui se forme autour d'une idée – celle, en Maison familiale, d'une « pédagogie de l'action et de l'immanence » – vaut bien évidemment pour l'institution comme principe premier d'une éducation totale :

« L'éducation c'est la préparation des jeunes à l'engagement aussi bien sur le plan de la commune, sur le plan professionnel, sur le plan de la famille. C'est ce qu'on peut appeler une préparation à la vie, dans un sens constructif et positif. » (Précédent directeur de la Fédération départementale des Maisons familiales rurales d'Ille-et-Vilaine.)

Cette « *préparation à la vie* » par l'« *engagement* » trouve son cadre d'apprentissage social dans l'univers domestique de la Maison familiale. Monde des relations et des dépendances personnelles, l'internat permet alors l'application d'une éducation à la responsabilité et à l'engagement :

« Dans l'éducation il y a la relation jeunes-jeunes, la relation des jeunes entre eux. L'internat est là pour ça. Notre volonté de défense de l'internat c'est ça aussi. Il faut que ça réunisse les conditions qui font qu'au moins le jeune se prend en charge. C'est-à-dire qu'on n'est pas exclusivement consommateur de télé, de machin... » (Directeur de la Fédération régionale des Maisons familiales rurales de Bretagne.)

Plus concrètement, la prise en charge de l'élève par lui-même se réalise souvent dans l'accomplissement de tâches et de services ménagers liés à la vie en internat. Ainsi ces quelques exemples d'une éducation pratique et ménagère :

« L'internat peut être un exemple d'éducation. Les Maisons familiales ont développé cette pratique depuis longtemps. Choisir les Maisons familiales c'est accepter l'internat. Dans l'internat, il se développe un type de relation éducative. Si les élèves sont internes, ils participent aux tâches quotidiennes d'entretien de la Maison. Une classe est toujours divisée en quatre équipes. Il y a une équipe dite "salle à manger", une dite "entretien", une dite "balayage" et une dite "de vaisselle". Dans chaque équipe on a donné un responsable de sorte qu'il se crée une certaine autodiscipline. C'est la prise en charge des responsabilités. Mais chaque responsable d'équipe est en lien avec un formateur de sorte que s'il n'arrive pas à imposer son autorité, il peut demander le secours du formateur. Se faire respecter, c'est l'apprentissage de la vie sociale et de la prise de responsabilités. De tout temps les services ont fait partie de la vie en internat. Ça ne pose aucun problème. Il y a quelques petites frictions mais c'est une bagatelle, c'est un peu comme frère et sœur. Les élèves se prennent au jeu, ils font leur propre planning. Il y a un cadre qui est préétabli, un calendrier de responsabilités et chaque responsable ventile les membres de son équipe pour les tâches. On fait confiance[1] à 90 %, on n'intervient pas. Le travail est fait, c'est planifié, c'est très rare qu'on rappelle à l'ordre. Les responsables tournent tout le temps, là on

---

1. Un principe d'autogestion qui, sur une base chrétienne, fut inauguré par l'abbé fondateur des Maisons familiales rurales, ceci dès la mise en place de la première institution : « [...] j'ai pris comme principe général d'éducation : Confiance et non surveillance, en l'appuyant sur le commandement d'amour du Christ : "Aimez-vous les uns les autres, comme je vous ai aimés" » (Granereau, 1968, p. 49.)

est très vigilant. C'est à tour de rôle par principe de justice, d'équité. » (Directeur de Maison familiale rurale.)

« Autrefois les jeunes faisaient les pluches, ils aidaient la maîtresse de Maison[2]. Maintenant, les élèves participent moins aux activités domestiques parce qu'il y a des machines à éplucher. Mais enfin, ils font encore le service. Par exemple, ils servent les plats, ils débarrassent les tables, entretiennent le parc, nettoient leur chambre. On les responsabilise. On n'en fait pas des assistés! On veut qu'ils se prennent en main, en charge le plus tôt possible. » (Président de Maison familiale rurale.)

Il est bien sûr aisé de repérer ici toute la fonction moralisatrice qui est idéalement dévolue à l'internat, lieu historiquement privilégié[3] pour l'accomplissement d'une telle tâche éducative.

L'apprentissage de la vie sociale : altruisme et communauté de vie

La Maison familiale, en tant que « Maison » justement, est avant tout pensée par ses responsables comme un « *lieu de vie* » :

« La Maison, c'est quelque chose où l'on vit, une maison, quoi, principalement. La Maison où l'on vit. C'est le lieu où on vit et où on habite presque. Et comme vous êtes toujours en internat… » (Président de Maison familiale rurale.)

« La Maison, c'est un lieu où on vit et pas simplement où on passe comme une école. C'est toujours valable d'avoir un lieu où des groupes de jeunes peuvent pas simplement venir pour étudier mais aussi pour toute une animation, tout un type de vie ». (Précédent directeur de la Fédération départementale des Maisons familiales rurales d'Ille-et-Vilaine).

Distincte des établissements scolaires traditionnels où on « *ne fait que passer pour étudier* », la spatialité réduite de la Maison offre à ses « habitants » les conditions d'une singularisation et d'une chaleur des rapports sociaux :

« La Maison c'est un lieu de vie, un centre d'accueil. C'est l'ambiance, un lieu où on se sent bien, un lieu où on est à l'écoute, où on peut échanger très facilement. » (Directeur de Maison familiale rurale.)

« "Maison" pour moi, c'est la symbolique de petits groupes. Qui dit maison dit que c'est petit. Petit pas dans le sens péjoratif du terme!

---

2. Femme de service, cuisinière en Maison familiale.

3. Le *convict* de l'école chrétienne, puis les simples pensionnats que furent les collèges primitifs, attestent de la place importante que prirent historiquement l'internat et l'univers domestique dans la fonction éducative (moralisatrice) de l'institution scolaire. C'est surtout en fait aux XVIIIe et XIVe siècles que l'internat devint l'une des formes idéales de l'éducation répondant à cette nécessité morale d'un encadrement et d'une surveillance de l'enfance (Durkheim, op. cit., p. 36 et 138; Ariès, op. cit., p. 313 et 315).

C'est chaud une maison, c'est chaud. On sent une convivialité. » (Directeur de Maison familiale rurale.)

« "Maison", c'est peut-être ce qui donne le plus d'identité. "Maison" c'est le lieu où l'on vit. Et c'est le lieu où vivent les jeunes. C'est très important. Ils ne font pas que venir chercher une formation. Ils y vivent. Donc c'est un lieu de vie avec aussi une certaine convivialité : une vie d'internat, une vie avec des veillées, une vie avec des temps où il peut y avoir des animations, des activités diverses. » (Directeur de l'Union nationale des Maisons familiales rurales.)

« Je pense que le fait de la structure, de la taille de l'établissement, ça fait que les choses se vivent différemment. Nous avons ici, nous, des jeunes qui viennent de gros établissements publics et privés. Quand ils arrivent ici, ils sont surpris. Ils sont surpris par la taille de l'établissement, bien sûr, mais [aussi] par la vie à l'intérieur de l'établissement. Il est vrai que quand on est peu nombreux, on se rencontre plus facilement, on parle plus facilement. » (Directeur de Maison familiale rurale.)

La « *Chaleur* » d'un « *lieu de vie* », la « *convivialité* », la communication et les « *petits groupes* » sont, aujourd'hui comme hier, autant de supports à l'apprentissage d'une nouvelle sociabilité :

« Mon premier contact avec les Maisons familiales, c'est lorsque j'y suis entré pour passer un BPA [Brevet professionnel agricole]. Et moi qui venais du collège agricole où ça ne se passait pas forcément bien sur le plan scolaire, je dois dire que cette année-là, ça a vraiment "décollé". Et le fait de se retrouver dans quelque chose de plus petit, dans une structure beaucoup plus réduite avec d'autres, eh bien ça m'a plu. On formait un groupe soudé. L'ambiance était tout autre, quoi. » (Ancien élève et directeur de Maison familiale rurale.)

« Si un jeune est par exemple timide, je pense qu'il faut qu'il vienne en internat. S'il a du mal à s'affirmer au sein du groupe, il faut qu'il vive en internat. L'internat, c'est un moment intense, 24 heures sur 24. C'est un moment où il va se faire des copains et des copines. Ils vont vivre ensemble toute la semaine. Donc il sera intégré facilement dans le groupe. Si le jeune est timide, c'est le rejet du jeune par le groupe. Je crois que le jeune qui est timide, il vaut mieux qu'il soit en internat, notamment celui qui a des difficultés de communication, de reconnaissance. En internat c'est différent de la classe. Le point fort c'est les veillées. » (Directeur de Maison familiale rurale.)

Une nouvelle sociabilité qui passe par la relation à autrui et qui, plus largement, intègre en Maison familiale un véritable processus de « civilisation[4] » ou d'humanisation de l'élève :

---

4. C'est-à-dire cette *civilitas*, « courtoisie » ou « politesse », qui, à partir de la Renaissance, nous dit Norbert Elias, « détermine le "savoir-vivre" en matière de relations sociales » et se caractérise par une attention accrue portée à la présence et aux réactions des autres (1973, p. 113-117).

« Le mode de vie à l'intérieur de la Maison c'est la vie de société, de groupe. C'est comme ça qu'on apprend à se forger, en vivant en groupe avec les autres. S'il y a un idéal c'est d'apprendre déjà à se respecter et à respecter les autres. Il y a tout ça. Parce qu'aujourd'hui on s'aperçoit qu'on ne respecte plus personne. Je crois que c'est un apprentissage à la vie. La vie est un apprentissage. Dans l'éducation, il faut savoir apprendre à respecter les autres, à savoir vivre en commun, s'aider. Et ça c'est quand même important dans la vie. Pour moi c'est le but de l'internat ici. » (Président de Maison familiale rurale.)

Autrui, cet être communautaire ici, représente en Maison familiale un haut degré d'une conscience collective non altérée car qui sait se préserver au sein d'un espace peu volumineux et d'un collectif humain numériquement peu dense. L'idéal institutionnel d'une « solidarité mécanique », pour reprendre Durkheim (1991), est une sorte de seconde nature qui sait faire oublier sa part d'acculturation planifiée, c'est-à-dire ces services domestiques éducatifs en internat où « *on fait confiance à 90 %, on n'intervient pas, le travail est fait, c'est planifié, c'est très rare qu'on rappelle à l'ordre* ». Un tel idéal ne tient néanmoins que par l'instauration des conditions d'une solidarité, elle, tout « organique ». Nous avons vu ainsi, à travers la valorisation de l'engagement et de la prise de responsabilité, que la coopération autour d'une division du travail domestique – les services éducatifs ménagers – assure une cohésion sociale entre les élèves en internat. Un internat dont la fonction cohésive se voit par ailleurs soutenue par une réglementation formelle (voir encadré).

« Règlement intérieur de l'établissement

I. Conditions générales.

La formation assurée sous la responsabilité de la Maison familiale rurale est globale. Par sa méthode pédagogique et par le choix de l'internat elle doit permettre une progression vers des responsabilités professionnelles et humaines.

En s'inscrivant le jeune accepte par là même l'ensemble des activités nécessaires à sa formation et ses modalités.

Il s'oblige à respecter les règles et contraintes d'organisation que la vie collective commande.

[...] III. Horaires

L'organisation harmonieuse des formations et de la vie en commun en général nécessite des horaires précisément définis, dont le respect s'impose à tous.

Chaque élève s'engage de ce fait à se conformer aux horaires des cours, conférences, mise en commun, activités sportives, veillées, repas,

---

[…] **V. Usage et entretien des locaux.**

Les matériels et locaux d'enseignement, d'hébergement et de restauration sont à l'usage de tous, ils doivent être tenus en état de remplir dans de bonnes conditions la fonction pour laquelle ils ont été conçus.

Chaque groupe s'organise pour assurer un bon entretien de ses salles de travail et de ses accès. […]

VI. Repas.

Les repas sont des moments essentiels de la vie en commun.

Chacun s'oblige à en respecter les horaires.

La desserte des tables, le rangement de la salle à manger ainsi que la vaisselle en fin de repas sont assurés par les élèves, selon une organisation convenue à l'avance.

VII. Internat-hébergement.

La veillée fait partie intégrante du temps de formation.

Selon l'heure de fin de veillée l'heure de coucher peut varier ; le silence effectif après le coucher est obligatoire. […]

[…] **XII. Sanctions.**

Le non-respect des règles de vie en commun et des exigences d'ordre administratif pourra entraîner une sanction : simple réprimande, avertissement, mise à pied provisoire ou conservatoire, exclusion. […] ».

Une solidarité, enfin, qui tient, comme nous en avons déjà rendu compte, par la présence d'agents d'encadrement communautaire : les moniteurs, organes qui « *régulent* » la vie collective dans l'institution. Toute fin éducative, et peut-être plus particulièrement celle s'attachant à la formation morale de l'individu, s'appuie en Maison familiale sur de réels moyens d'encadrement.

L'ouverture socio-culturelle

Former le citoyen en Maison familiale, c'est ouvrir le champ des connaissances de l'élève à un certain universalisme social et culturel. L'institution dispose pour cela de tout un arsenal pédagogique visant à rentabiliser en bénéfices éducatifs chaque rencontre avec des « mondes extérieurs ». Intégrés dans une « modularisation » des programmes, les enseignements généraux tels que « vie sociale, civique et culturelle », « initiation au monde contemporain [5] », s'appuient ainsi sur des visites d'études en milieux professionnels variés (centre de transfusion sanguine, entreprise *Ouest-France*) mais s'attachent aussi, par exemple, à

---

5. Extrait d'un programme « BEPA exploitation-spécialisation élevages et cultures fourragères ».

la découverte du patrimoine historique local présent dans les écomusées, dans le Parlement de Bretagne, etc. Chaque visite sert ensuite de support pratique à un enseignement dispensé en classe. Les veillées en internat permettent, de la même manière, un accès à ce que l'on pourrait appeler une teinture de culture « légitime » (au sens classant et sociologique du terme), expression d'une bonne volonté culturelle qui s'impose tant bien que mal auprès des élèves :

> « Si jusqu'à maintenant nous faisions des veillées plutôt libres (les élèves faisaient du sport, certains regardaient la télé, d'autres jouaient au baby-foot), on a repris les affaires en main avec beaucoup plus de dirigisme. Sur quatre soirées qu'il y a dans la semaine, trois sont consacrées à une étude (la réalisation des devoirs de classe) et puis il y a une veillée par contre qui est consacrée à quelque chose qu'on appelle plus, nous, "ouverture socio-culturelle". Bon, c'est très varié. Ça peut être la patinoire, ça peut être un film… à condition qu'ils soient tous d'accord pour voir le même ! Alors évidemment, ce qu'on leur propose ne fait jamais l'unanimité, ça on le sait bien. Bon, si on les laissait organiser leurs soirées, certains, vous savez ce que c'est, ils loueraient des cassettes, des vidéos là, pour voir des films du style *massacre à la tronçonneuse*, des films d'épouvante ! C'est marrant, il y a une **catégorie** [c'est l'enquêté qui souligne] de jeunes, qui est quand même importante, mais alors qui prend plaisir à regarder ces films-là ! Il y a de l'action, il y a de l'hémoglobine [rires] ! Alors là, action et hémoglobine !… Et puis il y a des sensations. Et puis il y a *Rambo*. *Rambo*, pensez-vous, il n'y a pas mieux ! Bon alors, quand vous leur passez un film du genre *Autant en emporte le vent*… D'abord c'est long. On avait été voir *L'ours*. Bon, il y en avait qui avaient dormi quand même [rires]. On a été récemment voir *Germinal*. C'est long…, c'est un peu longuet. Enfin bon, vous voyez, on essaie de faire rentrer petit à petit, à dose homéopathique, des notions qui leur ouvrent les yeux… Bon ce n'est pas toujours facile. » (Directeur de Maison familiale rurale.)

Outre les veillées, où s'affrontent dans un combat singulier le *Rambo* populaire à l'« art » cinématographique moyen de *Germinal* ou d'*Autant en emporte le vent*, l'ouverture à d'autres horizons sociaux et culturels fait l'objet en Maison familiale d'actions éducatives plus formelles. Il en va ainsi des « thèmes d'année ». Mouvement national – proposé annuellement par l'Union nationale des Maisons familiales – de réflexion, mené par l'institution et mobilisant enseignants, parents et élèves, le thème d'année adresse à l'ensemble des établissements un sujet d'éducation commun. Les questions soulevées ainsi que les actions concrètes qu'elles vont susciter durant l'année scolaire donneront lieu à une synthèse et à un débat lors de la grande cérémonie qu'est l'assemblée générale du mouvement au printemps (mai-juin). Révélateur de cette volonté d'ouverture socio-culturelle, le thème d'année 92-93 s'intitulait *Citoyens d'Europe*.

La coopération et le développement internationaux qu'assurent les Maisons familiales avec leurs homologues étrangers participent de la même façon, comme outil éducatif, à cette ouverture culturelle. L'institution, de par son implantation dans le monde[6], se donne aussi les moyens de former la « conscience planétaire » de ses élèves. Ce sera ici par des échanges de stagiaires, là par des actions humanitaires.

Enfin, plus proches du quotidien de l'institution sont les venues en Maison familiale de conférenciers extérieurs. Aux interventions hygiénistes de professionnels de la santé sur les sujets archétypaux que sont « la drogue », « l'éducation sexuelle » et « le SIDA », se mêlent les témoignages socio-culturels de personnes étrangères. L'action humanitaire, la défense des Droits de l'Homme sont autant de discours qui œuvrent à la découverte de populations étrangères. Cette noble entreprise didactique, s'il en est, reste cependant subordonnée à une certaine morale éducative qui est très proche de celle cultivée par les Maisons familiales :

> « On a des gens qui ont travaillé à l'étranger, en Afrique ou en Amérique, qui viennent aussi faire des conférences à la Maison familiale. La Maison familiale étant relativement proche de Rennes, de notre fédération régionale, arrivent parfois à Rennes des professionnels étrangers qu'on invite ici.
> – Quelles sont les professions représentées ?
> – C'est très diversifié. Il y a des gens qui sont représentants de mouvements familiaux, professionnels ou syndicaux, politiques. Au niveau des professionnels ce sont plutôt des représentants du monde coopératif agricole, surtout en Amérique Centrale. On retrouve toujours de l'associatif, du syndicalisme, du coopératif. Ce sont des gens qui nous sont proposés et qui ont un certain souci de la solidarité de groupe, solidarité que développe la Maison familiale ici. » (Directeur de Maison familiale rurale.)

Une morale éducative qui, rappelons-le, prend place dans le projet de formation de la personne totale et où les dimensions dialectiques du rapport local/global peuvent par ailleurs se conclure en cette autre

---

6. Les MFR dans le monde :
   Amérique latine : Argentine : 43 ; Brésil : 136 ; Chili : 4 projets ; Guatemala : 10 + 2 en création ; Honduras : 7 + 2 en création ; Mexique : 2 ; Nicaragua : 8 + 3 en création ; Panama : 7 + 4 en création ; El Salvador : 1 + 4 en création ; Uruguay : 1 ; Vénézuéla : 1.
   Afrique : Bénin : 2 ; République du Congo : 11 ; République Centrafricaine : 14 + 3 en création ; Mali : 1 en création ; Rwanda : 31 ; Sénégal : 28 ; Tchad : 10 ; Togo : 17 ; Zaïre : 1.
   Europe : Espagne : 65 ; Italie : 6 ; Portugal : 5.
   Asie : Philippines : 5.
   Océan indien : Madagascar : 1 projet.
   Caraïbes : République Dominicaine : 2 en création.
   (Source : Union nationale des Maisons familiales rurales.)

mystique qu'incarne, nous l'avons déjà vu, « *la solidarité du groupe* » encore à l'instant évoquée.

Une relation totale

De l'encadrement tutoral total...

La Maison familiale, c'est la présentation ou la définition d'un monde physiquement restreint, celui de la « Maison ». À l'intérieur, les relations humaines au sein d'une même lignée (« Familiale ») éducative s'appréhendent sur le mode de la proximité affective, de l'interconnaissance et des relations intimes :

> « "Maison" c'est quelque chose de proche. Proximité, familier, relations interpersonnelles, contact humain, convivialité, connaissance interpersonnelle. D'abord c'est quelque chose de proche..., que l'on maîtrise aussi. » (Directeur de la Fédération régionale des Maisons familiales rurales de Bretagne.)

Une maîtrise d'un ordre harmonieux qui passe cependant par une relation éducative au caractère total, tant celle-ci se propose de régler intimement chaque activité de la sphère domestique de l'élève :

> « La vie à l'intérieur de la Maison c'est aussi de prendre les repas avec les jeunes. Mais il y a aussi le soir. Par exemple, il y a une activité qu'on appelle veillée. Et jusqu'à l'heure du coucher c'est un formateur qui est là. » (Directeur de Maison familiale rurale.)

Agent institutionnel d'encadrement du public scolarisé à la Maison familiale, le « moniteur » assure un accompagnement quotidien des multiples activités qui font la vie d'un élève dans l'établissement :

> « L'"éducation", c'est le fait que les jeunes se sentent bien accompagnés. L'internat peut être un exemple d'éducation. Dans l'internat, il se développe un type de relation formateur/élève, équipe éducative/élève. Par exemple, les moniteurs partagent les repas avec les élèves à tour de rôle. Pour les détentes, les moniteurs partagent les activités, sportives et autres, avec les élèves. Les veillées, on les partage avec les élèves. Pendant les inter-cours, on est souvent avec les élèves. Il n'y a donc pas que des relations élèves/enseignants. Il y a aussi des relations élèves/éducateurs. Je pense que c'est éducatif parce que quand on partage des activités avec des jeunes, il se développe un autre type de relation qu'en salle de cours. » (Enseignant et directeur de Maison familiale rurale.)

Ainsi, du matin au soir :

> « Un formateur est présent dès 6 h 45 pour assister au lever des élèves et préparer le petit déjeuner. Un autre prend la relève à 7 h 30 pour assurer

les services avec les jeunes. Midi et soir, deux moniteurs mangent avec les élèves. » (Directrice de Maison familiale rurale, *Le Lien des MFR*, n° 276, septembre 1996, p. 15.)

Ailleurs, cet encadrement, particulièrement planifié, peut aussi se laisser apprécier dans la version très formalisée d'un règlement intérieur d'une Maison familiale rurale (voir encadré).

« Moniteur de service

Le matin :
– Arrivée 7 h 20 pour petit déjeuner avec élèves et surveillant de nuit. […]
– Les élèves sont répartis en équipe de ménage. Les mettre au travail et vérifier si cela est correctement réalisé. […]
– Les élèves sont présents dans la même salle pour l'étude (8 heures à 8 h 30) […].

Le Midi : 12 heures :
– Le moniteur fait entrer les élèves en salle à manger.
– Mange avec les élèves, veille au bon déroulement du repas-savoir-vivre, comportement…
– Accompagne les élèves lors du changement de plat (faire ranger)
– Fait desservir les tables.
– Participe, surveille les services, encadre les jeunes pendant cette période (musique, jeux…). […]

Le soir : 18 h 45 […]
– Étude : les élèves dans la même salle (étude, silence, TP)
– 20 h 30 Veillée […]
       Veillée organisée (horaire en fonction de l'animation).
       Veillée étude (21 h 30). […]
– 30 mn après fin de veillée, extinction des lumières et SILENCE à 10 heures.

Départ du moniteur de service (silence). » (Règlement intérieur d'une Maison familiale rurale.)

Bien que totale, cette relation éducative ne se veut nullement coercitive. Il suffit d'ailleurs de quelques anecdotes exemplaires pour bien montrer tout ce que ce type d'éducation doit à la demande même – plus ou moins consciente sur le moment – de ceux à qui elle s'applique :

> « Je crois que du fait de notre petite taille, on est assez près des élèves et ça a ceci d'intéressant, c'est qu'on les comprend mieux. Et ça, ils apprécient. D'ailleurs on a fait une enquête récemment et ce que les jeunes trouvent de bien chez nous, c'est qu'on est près d'eux. On parle avec eux. On s'intéresse à leurs petits problèmes, il y a un dialogue, il y a une chaleur. Ça, ils le disent tous. Donc il y a une complicité qui se crée. Je crois qu'on peut se vanter d'être très proches des élèves et de mieux

les comprendre... que dans d'autres établissements. » (Directeur de Maison familiale rurale.)

« Nous avons des jeunes filles qui sont revenues ici la semaine passée, qui sont rentrées en fac de psychologie. Elles sont revenues ici et on leur a dit : "tiens ça tombe bien, vous pouvez pas aller parler au groupe de ce que vous avez fait ici ?" C'est ce qu'elles ont fait et elles ont dit au groupe : "on ne se rendait pas toujours compte et vous ne vous rendez pas toujours compte des privilèges que vous avez d'être là. C'est surtout maintenant qu'on est en fac qu'on se rend compte qu'on est livré à nous-mêmes". » (Directeur de Maison familiale rurale.)

Principe attendu, donc, de légitimation que celui qui consiste à faire redescendre l'action éducative du côté de la demande de son public. À cela s'ajoute le diagnostic institutionnel d'un « syndrome de déficience sociale acquise » présent chez bon nombre de jeunes. Il permet, là aussi, de justifier l'encadrement éducatif étroit en Maison familiale :

« Je pense quand même que nous sommes des référents pour les jeunes. Ce que nous constatons, nous, c'est que nous avons des jeunes qui manquent de repères. C'est la société qui les a fabriqués comme ça. Ils manquent de repères, c'est clair ! Et on veut être là, les aider à trouver des repères. Pour nous ça nous paraît important. » (Directeur de Maison familiale rurale.)

« Les jeunes, quand vous êtes avec eux en veillée, on discute facilement de choses et d'autres. C'est dans ces instants-là qu'on peut mieux comprendre ce qui se passe. On va aider. Il est certain qu'un jeune ne peut être attentif à un cours que s'il n'a comme souci que cela. Il est de plus en plus vrai qu'on a certains jeunes qui ont des soucis familiaux et il faut être à leur écoute. Ca c'est l'intérêt aussi de l'internat. » (Directeur de Maison familiale rurale.)

« Le terme de Maison donne le côté protection, assistance, suivi, rapport avec l'élève.
– Les élèves ont besoin d'être protégés et assistés ?
– La protection c'est celle de l'élève qui aura des difficultés ou qui aura eu un contact... avec la drogue ou un problème familial, c'est arrivé. C'est d'être capable d'être à l'écoute de ce jeune et puis être capable de le rediriger, sans sanctionner, vers peut-être un essai d'autre chose, ou d'autres valeurs. Et ça, l'élève, le jeune, il le fera le soir, quand ses camarades seront ailleurs. Il viendra voir le moniteur, lui parlera de ses problèmes ou ne lui en parlera pas. Mais le moniteur verra très bien qu'il est en baisse de régime, qu'il tremble, qu'il n'est pas réveillé le matin, qu'il dort en cours... Et automatiquement il l'interrogera le soir, enfin, après les cours pour essayer de savoir le pourquoi du comment et essayer de percer un peu... Bon, ça arrive, ça peut arriver fréquemment. Soit des problèmes familiaux, soit des problèmes d'un tas de choses, d'argent. Et l'information remonte au directeur. Tout ça, c'est

des grands principes familiaux. Et peut-être qu'on a des gens qui ont besoin justement que leur jeune retrouve un peu, si vous voulez, les grands principes familiaux, puisqu'on n'a plus tellement maintenant d'orientation autrement ». (Président de Maison familiale rurale).

Véritable boussole sociale et morale, l'encadrement éducatif tutoral total sait fonctionner aussi sous une forme plus atténuée. Il se pare alors d'une légitimité morale qui est celle de la « *seconde famille* ».

...À la « *seconde famille* »

La Maison familiale et son public participent d'une organisation sociale nominalement commune : la famille. Ramenée à une communauté éducative qui se pense comme étant « *intime* » et « *chaleureuse* », la représentation idéologique collective de la famille en Maison familiale s'est construite historiquement, comme le rappelle son fondateur, dans le prolongement de celle communément attribuée à la famille nucléaire :

> « Nous avions une maison, quel nom lui donner ?
> Dans une de mes premières visites à M. Clavier, après le 25 juillet, je lui pose la question :
> – Comment allez-vous appeler votre maison ?
> – C'est vrai, il faut lui donner un nom. Mais lequel ?
> – Un nom qui représente bien ce qu'elle est. N'est-ce pas votre maison à tous ? N'est-elle pas un peu comme le prolongement de toutes vos familles ? » (Granereau, *op. cit.*, p. 94.)

De nos jours, il est dit de la Maison qu'elle est :

> « "Familiale" parce que ça garde un caractère familial du fait de la taille. » (Directeur de Maison familiale rurale.)

> « "Familiale" c'est la famille parce que c'est des petites structures. Ça se rapproche de la famille. » (Président de Maison familiale rurale.)

> « Le mot "Maison" signifie petit établissement proche de la conception familiale, de certaines valeurs familiales. C'est un établissement où l'on se sent bien. "Familiale", au niveau relationnel c'est quelque chose d'assez direct où les uns et les autres se respectent, montrent une certaine affectivité. Donc ce sont des valeurs relationnelles parents/enfants, des valeurs éducatives. » (Directeur de Maison familiale rurale.)

> « Le mot "Maison" a pour nous une signification importante, qui rejoint tout ce qui est propre aux dimensions humaines. La Maison c'est quelque chose d'une taille définie. C'est là aussi dans une famille, dans une maison un lieu où il y a un cœur, où il y a un foyer, où il y a une cheminée. Il y a donc un caractère de chaleur, un climat de relations proches. » (Directeur de la Fédération départementale des Maisons familiales rurales d'Ille-et-Vilaine.)

Ce décalque idéologique, mêlant spatialité, sociabilité, affectivité et fonction éducative, autorise l'institution à franchir le pas qui sépare ordinairement l'école de la famille. Il annihile ainsi, symboliquement, toute concurrence éducative entre les deux instances de socialisation :

> « Chez nous, je crois que c'est un petit peu le prolongement de la famille. Si le jeune retrouve un certain nombre de valeurs au niveau de sa famille, je crois qu'il doit aussi les retrouver au sein de l'établissement. Et ce qui est le plus représentatif pour moi de l'aspect éducatif de la Maison familiale, c'est la qualité de la relation humaine entre le jeune et l'adulte, quelles que soient les activités. Il faut des relations vraies, des relations sincères, d'aide, d'accompagnement. L'internat est un moyen d'y arriver. Les fonctions des uns et des autres sont aussi une façon d'approche. Je crois que toutes les occasions, toutes les situations sont un moyen de développer des valeurs éducatives. La Maison familiale est presque une seconde famille. » (Directeur de Maison familiale rurale.)

> « On croit aux valeurs de la famille, à savoir l'éducation familiale qu'on peut remplacer au moment de l'internat ici, qu'on peut parrainer. Le terme "Familiale" c'est toutes les valeurs familiales. Il y a les valeurs éducatives, les valeurs de respect de chacun… Les grandes valeurs de la famille, l'honnêteté, le rapport proche aussi. C'est-à-dire que dans le terme de famille, il y a le terme de parents. Donc est-ce que le parent ça ne va pas être les enseignants aussi ? Est-ce que ça ne va pas être les moniteurs qui vont un petit peu remplacer les parents au moment de l'internat ? Ça va être les enseignants qui vont écouter et qui vont savoir répondre à une question, à un problème. Je m'aperçois qu'on peut avoir certains problèmes, par exemple de boisson. J'ai entendu parler qu'il y avait certains élèves qui avaient tendance à consommer de l'alcool. Bon, le terme de famille a été la place du directeur ou du référent [le moniteur responsable] de cette classe, de ces élèves. Ça a été d'aller les voir et de discuter avec eux, de savoir où était le problème. » (Président de Maison familiale rurale.)

Cette fonction de relais, quand elle n'est pas supplétive pour « *des jeunes qui manquent de repères* », ne se contente pas d'être symbolique. L'éducation de la personne globale par une relation totale – où « *quelles que soient les activités* », « *toutes les occasions, toutes les situations sont un moyen de développer des valeurs éducatives* » – se donne également les moyens matériels de son accomplissement. La relation de la Maison familiale à son public scolaire est aussi pénétration à l'intérieur de la sphère familiale privée. Ainsi ces quelques anecdotes exemplaires :

> « Il faut être à l'écoute des jeunes. Un formateur, c'est celui qui va être à l'écoute des jeunes, qui les connaît. Il va bien voir que tel jeune au cours de son cours ne dit rien, n'est pas dans le coup, ne parle pas ou se renferme. Il y a quelque chose qui ne va pas. Alors après, il va le voir et lui demande ce qui s'est passé. C'est un peu une relation de confiance. Le jeune, il a aussi ses problèmes familiaux auxquels il faut s'intéresser. Je

vois, moi, ce jeune qui est venu l'autre jour. Il pleurait, il passait et il pleurait. C'est pas normal qu'un jeune pleure comme ça à 17 ans, pourquoi ? J'ai dit "tiens F., viens donc qu'on discute. Qu'est-ce qui se passe ?" "On m'a cassé ma raquette de ping-pong !" Bon, je lui dis, "c'est pas grave F.". Mais c'était pas ça le problème. Le problème c'était pas la raquette de ping-pong, non, non. C'était ce que lui avait. En fait la raquette c'est la goutte d'eau qui a fait déborder le vase. C'est ce qui avait avant l'histoire, un problème dans la famille. Et ça, on peut avoir n'importe quel diplôme, ça c'est avant tout l'écoute du jeune, la proximité avec le jeune. » (Directeur de Maison familiale rurale.)

« Il y a des relations élèves/moniteurs et c'est éducatif de partager des activités avec des jeunes. Le jeune, par exemple à table ici, va parler de ses parents, de ses activités sportives, de ses week-ends, de ses sorties en boîte. On va connaître un tas de renseignements.
Un exemple : cette semaine, un jeune à table m'a informé que sa mère était hospitalisée pour la troisième fois, et il ne l'aurait pas dit en salle de cours, ça s'y prêtait mal. Le fait de connaître son milieu familial, ses soucis, ses préoccupations, fait qu'on est plus attentif. Et le fait qu'il y a l'internat et qu'on essaye d'être disponible permet de découvrir les jeunes sous d'autres aspects que le rapport enseignant/enseigné. Et je crois que dans ce sens-là, il se développe une qualité éducative.
Un dernier exemple : j'avais un jeune qui me paraissait triste cette semaine, un petit peu enfermé sur lui. Alors je me suis trouvé de passage dans sa commune et j'ai été voir ses parents pour dire bonjour. Et je leur ai dit : "tiens, il me semble que votre jeune cette semaine, il y a quelque chose mais je n'arrive pas à savoir quoi." Les parents m'ont répondu : "Ah ben oui, c'est que la voiture a été volée. On ne sait pas ce qui se passe. Il semblerait que notre fils est dans le coup." On discute et à la fin de la conversation je leur dis : "Est-ce que je peux dire à Y. que je suis venu vous voir ?" Ils répondent : "oui, pas de problème, vous pouvez très bien lui dire, mais ne parlez pas du problème de la voiture." Je suis revenu et le lendemain j'ai dit à Y. : "tiens, hier j'ai été dire bonjour à tes parents." Il m'a dit : "Ah ! Ils se portaient bien les parents ? Qu'est-ce qu'ils faisaient ?" Il s'est mis en évidence, content que j'ai été dire bonjour à ses parents. Et tout le reste de la semaine, il était bavard, causant. Il est venu me voir trente-six fois ! C'était un petit déclic. » (Enseignant et directeur de Maison familiale rurale.)

Nullement vues ici comme une violation de l'intimité de la sphère familiale privée de l'élève, ces incursions de l'institution dans la vie et le quotidien personnels des familles se parent d'une justification toujours éducative. Dans la mesure où les « misères domestiques » de l'élève affectent sa performance scolaire et compromettent, plus largement, son intégration à la communauté éducative quand « *un jeune renfermé sur lui n'est pas dans le coup* », il est fait de nécessité vertu d'étendre la relation totale Maison familiale/élève hors des murs de l'institution. La Maison familiale, « *seconde famille* » prolongeant ou suppléant la famille biologique tant dans sa fonction éducative morale que dans sa gestion des malheurs domestiques, s'efforce de promouvoir une idéologie du service pour le bien commun.

Une idéologie du service

Parler d'une morale en Maison familiale c'est, selon notre cheminement analytique, rendre compte d'une axiologie éducative qui explicite ses moyens d'action, ses techniques, en les finalisant principalement ici à une construction et à une conception globales et idéales de l'Homme. Mais cette morale serait incomplète si on la cantonnait à une relation strictement duale élèves/éducateurs. Se présentant volontiers comme participant d'une communauté éducative et rompant par là avec la représentation dominante de l'école comme objet d'une spécialisation des lieux et des agents sociaux chargés de transmettre un savoir, l'action d'éducation en Maison familiale s'expérimente dans une relation ternaire : élèves/éducateurs/familles. Plus exactement, il s'agit, au moins symboliquement, d'opérer cette révolution copernicienne où, selon la critique adressée aux « *enseignements traditionnels* », ce n'est plus la famille qui doit tourner autour de l'école mais bien l'inverse. La morale en Maison familiale peut donc s'étendre ici à deux dimensions : celle, nous venons de l'entendre, d'un savoir-être inculqué aux élèves et qui vise la formation de la personne totale ; celle, plus large et que nous allons explorer, d'un bien commun (communautaire) habillé d'une idéologie du service. Les règles d'action et les valeurs qui fonctionnent comme normes au sein des Maisons familiales ne s'épuisent alors jamais dans une stricte intériorité institutionnelle. Elles savent se reporter à un niveau de validité encore plus global.

Offre et égalitarisme scolaires compensatoires

Les Maisons familiales rurales rencontrent un public scolaire qui est, nous y reviendrons plus en détail, majoritairement en situation de relégation, d'élimination précoce du système éducatif traditionnel dominant. Ce qui pourrait être ici un stigmate, affligeant l'institution d'une image négative de réceptacle des échecs scolaires antérieurs, est au contraire fortement valorisé. À la noblesse de la consécration par les titres scolaires « légitimes », l'institution oppose la représentation, non moins honorable, d'un enseignement-recours, sorte de philanthropie éducative. Est ainsi retourné le stigmate de l'école des mauvais élèves en une action éducative positive – et souvent critique car accusatrice des défauts et carences de l'enseignement classique – qui cherche à compenser une misère[7] scolaire antérieure :

---

7. Nous empruntons ce terme à Luc Boltanski et Laurent Thévenot (1991, p. 271 et 274).

« Il faut quand même reconnaître que les jeunes qui viennent en Maison familiale, ce sont des jeunes qui sont en panne, en panne scolaire la plupart, surtout ceux qui vont en CAP. Et je crois que nous, on a pour mission de les réconcilier avec les études, de leur redonner goût à l'apprentissage des choses. » (Directeur de Maison familiale rurale.)

« Chez nous, on continue d'assister à une demande, je pense de plus en plus forte, de jeunes qui viennent de milieux très variables mais qui, à un moment donné de leur parcours scolaire, s'adressent aux Maisons familiales, un peu en recours vis-à-vis du système traditionnel. Ça c'est clair. L'enseignement agricole le joue déjà ce rôle-là. » (Directeur de l'Union nationale des Maisons familiales rurales.)

« On a l'habitude d'un public qui est en rupture scolaire. Mais on veut quand même les réconcilier avec les études. Enfin, ils sont à la recherche d'un second souffle, d'un intérêt pour les études. Et comme cet intérêt est grandissant, je dirais (je ne veux pas faire d'autosatisfaction mais…) qu'on rend service quand même à bon nombre de jeunes. On dépanne quand même pas mal.
– Est-ce là un peu une seconde chance que vous leur offrez ?
– Oui, oui. C'est une chance supplémentaire parce que bon, c'est des jeunes qui sont complètement déconnectés, hein, de l'Éducation Nationale puisqu'ils sortent de 5e souvent ! Il y a donc une motivation à trouver. Et à travers l'alternance, les stages, là certainement qu'on réamorce leur… goût des études. Bon, c'est peut-être un grand mot mais on fait prendre conscience qu'il faut qu'ils se remettent en route. Et lorsqu'ils ont trouvé leur voie, le stage c'est un véritable moteur. Ça on s'en rend compte à longueur d'année. » (Directeur de Maison familiale rurale.)

Par cette fonction de « *recours* », de « *chance supplémentaire* » pour des jeunes qui sont « *en panne scolaire* » ou « *en rupture scolaire* » et qu'il s'agit de « *réconcilier* » avec l'école, les Maisons familiales offrent leur thérapeutique scolaire. Toutefois, considérant l'éducation comme un tout, l'institution se doit de traiter le mal dans sa globalité. Ainsi, à une misère scolaire antérieure affectant l'élève s'ajoute, bien souvent, cet autre malheur qu'il transporte, malheur dû cette fois-ci à une hérédité familiale ou socio-culturelle négative et qu'il faut, là aussi, compenser :

« On a des jeunes qui sont en difficulté scolaire, qui ont essuyé des échecs (avec des motifs d'échec souvent) et qui sont complètement déroutés.
– Quels sont ces motifs d'échec ?
– Le motif le plus fréquent c'est, je dirais, la famille. Quand je dis la famille, c'est triste à dire, mais il y a des jeunes qui sont mal nés, quoi. » (Directeur de Maison familiale rurale.)

Être « *mal né* » se rattachait autrefois, et selon cette anecdote exemplaire autour d'une fausse « symétrie » sociale, à une inégalité socio-culturelle face à l'école :

« Moi j'ai connu les Maisons familiales, elles étaient implantées dans un secteur géographique et c'était des familles agricoles de ce secteur, exclusivement. Il s'agissait surtout d'enfants d'exploitants agricoles et, quelquefois, certains exploitants, soi-disant plus évolués sur le plan technique, avaient tendance à envoyer leurs enfants dans des lycées ou dans des établissements qui avaient peut-être une autre image.
– Une autre image : une autre cote ?
– Une autre cote. J'ai d'ailleurs plusieurs cas. Je pense à un garçon. Dans la famille il y avait un jeune qui était dans l'exploitation mais qui était salarié ou apprenti. Et puis il y avait le jeune de la famille qui avait à peu près le même âge. Et donc le jeune apprenti, ses parents avaient voulu qu'il aille en Maison familiale. Et l'exploitant n'avait pas souhaité que son fils aille au même endroit que son employé. Son employé a réussi son examen de BPA et le fils de la maison n'a pas réussi ; il est d'ailleurs revenu par la suite en centre de formation des Maisons familiales parce qu'il avait voulu passer un BTA qu'il n'avait pas réussi en lycée. » (Précédent directeur de la Fédération départementale des Maisons familiales rurales d'Ille-et-Vilaine.)

Sans distinction d'une appartenance à un quelconque milieu socio-culturel susceptible d'être handicapant, être « *mal né* » renvoie actuellement à un mal beaucoup transversal :

« Moi je suis sur deux Maisons familiales dont l'une va jusqu'au BEP. J'y étais tout à l'heure, et les 4e et 3e qui sont là, c'est la catastrophe ! C'est la catastrophe en ce sens qu'on a des jeunes très perturbés. Nous avons plus de 50 % qui sont de familles divisées, qui viennent de foyers, qui ont été au tribunal, qui ont subi des problèmes d'inceste, etc. 50 % ! Et ça augmente d'années en années. On sent bien qu'on est dans une société… On ne les a pas fabriqués ces jeunes-là ! Ils nous viennent. Ils sont pareils ailleurs. Ces jeunes n'ont pas de repères. Ils sont perturbés et ils n'ont pas de repères du point de vue familial. » (Directeur de deux Maisons familiales rurales.)

D'un côté, mal généralisé – puisqu'« *ils sont pareils ailleurs* » – qui évite la stigmatisation d'un particularisme Maison familiale, et, de l'autre, mal extérieur – où l'« *on sent bien qu'on est dans une société, on ne les a pas fabriqués ces jeunes-là, ils nous viennent* » – qui enlève toute responsabilité à l'institution : la misère sociale, à elle seule, ne justifie pas encore complètement l'action éducative salvatrice, du moins compensatoire, des Maisons familiales. Il s'y ajoute en effet une troisième misère. Elle serait, cette fois, relative à l'estimation de déficiences psychiques ou d'intelligences inégales selon une certaine idéologie des dons. Une idéologie qui opère le passage de la culture à la nature et qui par là, en tant que *fatum* ou donnée et fatalité biologiques innées, déresponsabilise l'institution scolaire :

« On a eu un fils de directeur général de *Ouest-France* qui a fait sa formation en Maison familiale. Il était d'ailleurs dyslexique et il ne s'adaptait pas bien à l'enseignement classique. Il s'est épanoui en Maison familiale. » (Précédent directeur de la Fédération départementale des Maisons familiales rurales d'Ille-et-Vilaine.)

Allant dans le même sens, cette autre anecdote exemplaire déjà citée et qui, là encore, nous parle d'une « symétrie » retrouvée :

> « On a eu autrefois à la Maison familiale les parents de deux filles qui sont maintenant toutes les deux infirmières. Il y en a une qui a pris la voie classique, les écoles traditionnelles, et l'autre, qui n'avait pas sans doute le même QI, la même rapidité, qui était plus abstraite, alors elle est allée en Maison familiale. Et puis elle a été infirmière également, deux ans après, mais c'est le résultat qui compte. » (Président de Maison familiale rurale.)

On ne considère plus tout à fait ici que « le problème distributif essentiel dans la sphère de l'éducation est celui de faire en sorte que les enfants soient égaux devant l'instruction sans détruire ce qu'ils n'ont pas en commun, à savoir leurs particularités sociales et génétiques » (Walzer, *op. cit.*, p. 303), tant une telle vue omet de prendre en compte les effets proprement négatifs, handicapants, de la sphère familiale sur celle de l'éducation scolaire. Il s'agit bien pour l'institution, sinon de « détruire », du moins de compenser une triple misère scolaire/socio-culturelle et familiale/psychique que transportent avec eux nombre d'élèves arrivant en Maison familiale. Une noble tâche éducative qui ne saurait se départir plus globalement, et selon une volonté d'égalitarisme (compensatoire) affichée, d'une idéologie du service (au) public :

> « La Maison familiale, c'est vouloir servir les jeunes, toutes les familles sans discrimination, au risque parfois de se faire critiquer par les autres enseignements d'"enseignement au rabais". Mais je crois qu'il ne faut pas faire de sélections parmi les jeunes. Il faut essayer de développer leur potentiel. On veut être au service de l'ensemble des familles, on ne veut pas faire, disons, de sélections. » (Directeur de Maison familiale rurale.)

> « Notre volonté depuis qu'on a créé les Maisons familiales, c'est qu'on ne veut pas que ce soit sélectif. C'est une Maison familiale, on est parent, les enfants on les éduque et on les élève comme on les a, comme on peut. C'est pas facile d'être parent. Alors on ne peut rejeter personne. Compte tenu qu'elles ont l'appellation "Maison Familiale", il a bien été précisé au départ qu'en Maison, il ne doit y avoir aucune ségrégation. C'est-à-dire qu'on accepte les gens tels qu'ils sont.
> – En termes, par exemple, d'origine sociale ?
> – Quel que soit leur milieu et quel que soit aussi le coefficient intellectuel. Il n'y a pas de sélection au départ, pas de concours d'entrée. Les enfants, on les aime comme on les a et puis on fait en sorte, on fait au mieux pour qu'ils acquièrent leur plein épanouissement, le maximum d'épanouissement. » (Président de Maison familiale rurale.)

Une idéologie du service au public qui, dans un souci de neutralité affiché, semble vouloir s'adresser à tous les publics, sans « *faire de sélections* » afin d'« *accepter les gens tels qu'ils sont* ».

Neutralité idéologique

Une fois accomplie la rencontre entre l'offre et la demande scolaires, l'idéologie du service se prolonge et se ramifie en termes de neutralité idéologique, c'est-à-dire ici de rejet de toute considération politique ou religieuse pouvant s'immiscer dans les contenus de l'action éducative. Par exemple, en ce qui concerne le choix des intervenants extérieurs qui viennent à la Maison familiale, il est précisé que :

> « Quand on fait venir un intervenant pendant une journée, c'est quelqu'un que nous avons quand même choisi. Nous connaissons ses origines, plus que ses origines, sa manière d'aborder le problème qui doit rester neutre. Je crois qu'en tant que directeur, je suis très pointilleux là-dessus. Je ne fais pas venir n'importe qui. » (Directeur de Maison familiale rurale.)

> « On ne fait jamais intervenir des gens sur des aspects de religion ou de politique. C'est hors de question. C'est une question de neutralité. Bon, c'est vrai qu'on ne veut pas être taxé d'une tendance ou d'une autre. Autant on est musulman ou on est bouddhiste, ça ne me gêne pas du tout, mais je crois qu'il faut respecter un petit peu… tout le monde. Je crois que les parents nous confient leurs jeunes pour une formation technique, professionnelle, une formation humaine sûrement, mais en aucun cas il n'a été question de les forger à la manière chrétienne ou à la manière orthodoxe. Ce n'est pas le contrat. Il faut être "réglo", quoi. » (Directeur de Maison familiale rurale.)

> « On est très à l'écoute de ce qui existe dans le milieu. La FDSEA [Fédération départementale des syndicats d'exploitants agricoles], le CDJA [Centre départemental des jeunes agriculteurs] sont les syndicats les plus représentatifs et, par la force des choses, on a une relation avec eux, ne serait-ce que pour des interventions ici. Il arrive parfois qu'ils interviennent sur des thèmes très pointus, plus pour donner leur témoignage en tant que responsables. Ce n'est pas pour développer une doctrine syndicale mais plus pour dire : je suis engagé dans le mouvement syndical pour telle ou telle raison. Ils parlent de l'engagement humain, social à travers le syndicalisme. On ne se laisse pas accaparer par n'importe quel type de mouvement, qu'il soit catholique, syndical ou politique. C'est vraiment observer une neutralité. » (Directeur de Maison familiale rurale.)

Moins le rejet intransigeant de toutes les idéologies, la neutralité politique et religieuse est peut-être plus en Maison familiale gage d'objectivité, de relativisme éthique. C'est garantir aux familles une tolérance institutionnelle, une ouverture d'esprit à l'égard de convictions privées. Autrement dit, le rejet de toute obédience politique ou religieuse ne signifie pas en Maison familiale la condamnation de croyances intimes. C'est bien plutôt leur mise entre parenthèses durant l'action éducative qui s'impose et qui répond en cela à une sorte d'« éthique de responsabilité » (Weber, 1991) – dénonçant le fait que « *ce n'est pas dans le contrat. Il faut être "réglo"* » – assujettie à une fin clairement posée : le service aux familles et, notamment, le respect de leurs convictions.

Les discours institutionnels sur la neutralité politique des Maisons familiales interviennent surtout dans une sphère d'activités bien située : celle, personnelle, des engagements militants des responsables d'établissement. Le niveau de référence et de justification de la neutralité ne concerne pas toujours directement la vie collective dans les Maisons familiales prises comme des institutions scolaires susceptibles de transmettre des valeurs à leur public. Que l'école, quelle que soit son appartenance idéologique, reste dans sa fonction éducative interne étrangère aux débats de la politique politicienne semble être un fait admis en Maison familiale. Ainsi, le discours institutionnel de retrait, de mise entre parenthèses des convictions intimes des enseignants, ne vise par exemple jamais la critique d'établissements concurrents. Il ne fait que souligner une rigueur et une discipline morales, une ascèse personnelle qui, peut-être parce qu'elle est personnelle, c'est-à-dire hors du champ des préoccupations éducatives scolaires, et de ce fait peu soumise au contrôle collectif, grandit, ennoblit cette position institutionnelle de neutralité idéologique. Le service aux familles sans aucune « *discrimination* » ni « *sélections* », *ultima ratio*, trouve ici un gage de crédibilité (au moins en direction du sociologue-enquêteur) par un effort d'abord accompli sur soi-même de mise à distance ou de neutralisation de ses propres idéologies :

> « Je suis très attentif à tout ce qui est évolution politique mais je n'ai pris aucune responsabilité bien que j'ai été sollicité pour entrer dans le conseil municipal. Mais j'ai toujours refusé parce que je me suis dit qu'un éducateur ne doit pas s'engager politiquement. Il doit observer un certain neutralisme. Dans nos sociétés d'aujourd'hui, les gens sont partagés au niveau idéologies et, ne voulant pas être arbitre, je veux rester neutre. C'est un peu pour ça que je n'ai pas voulu m'engager. Ce n'est pas le rôle de l'éducateur. » (Enseignant et directeur de Maison familiale rurale.)

> « Je ne suis pas très "politique". Disons que je n'affiche pas mes opinions. Les élèves quelquefois le devinent mais je ne dis pas mes opinions. De même tout ce qui est religion, non. C'est pas ma fonction avec des jeunes. J'ai peur qu'ils ne comprennent pas, qu'ils le redisent à leurs parents après. Moi je serais très prudente de ce côté-là. Je suis de la vieille France, moi [rire de l'enquêtée] ! » (Enseignante en Maison familiale rurale.)

Cette neutralité politique, qui relève apparemment de la déontologie du « moniteur », du « *rôle de l'éducateur* », de sa « *fonction avec des jeunes* », et qui s'applique *intra-muros*, vaut également lorsque les Maisons familiales s'exposent aux regards et aux appréciations extérieurs. Il s'agit là pour l'institution de contrôler de l'« information [potentiellement] destructive » (Goffman, 1973, p. 137) de son image (« *J'ai peur qu'ils ne comprennent pas, qu'ils le redisent à leurs parents après* »), qui risque de ruiner sa prétention à la neutralité :

> « J'ai pris la décision de ne pas adhérer pour une question de principe. Étant donné que l'on peut être amené à côtoyer des gens qui sont de sensibilités différentes, moi je n'ai pas à m'afficher, à dire je suis de tel syndicat. Moi je le vois pour une question d'éthique. C'est beaucoup plus simple, on est plus à l'aise pour rentrer en contact avec les gens. Si on a une étiquette de syndicaliste en tant que directeur départemental, tout de suite il y a des *a priori*, on peut être catalogué dans un sens ou dans un autre. Mais pour moi c'est clair et c'est simple comme ça. » (Directeur de la Fédération départementale des Maisons familiales rurales d'Ille-et-Vilaine.)

Ce travail (sur soi) préventif s'avère parfois insuffisant et certaines « représentations » en public nécessitent une véritable clarification :

> « J'ai été sollicité pour rentrer dans un conseil municipal par, d'ailleurs,… différentes tendances, des tendances tout à fait opposées. Maintenant, il y a un engagement que l'on prend au niveau de l'UNAF (comme au niveau des Maisons familiales). À l'UNAF, nous avons une certaine déontologie. Je me suis engagé dans les organismes familiaux, à l'UDAF [Union départementale des associations familiales] et à l'URAF [Union régionale des associations familiales]. Les UDAF par la loi représentent l'ensemble des familles auprès des pouvoirs publics, l'ensemble des familles indépendamment de leurs engagements politiques, idéologiques ou autres. Donc ceux qui prennent des responsabilités au sein des UDAF s'engagent, moralement, à ne pas prendre d'engagements politiques publics. C'est une règle qui me paraît très saine, très bonne. D'ailleurs, une anecdote : Quand j'ai pris ma retraite, la fédération [départementale] des Maisons familiales avait organisé une grande réception et il y avait en plus l'inauguration des locaux de la fédération à Saint-Grégoire. Donc des personnalités étaient invitées et monsieur Méhaignerie était là. Bien sûr, quand il est là on lui propose d'intervenir. Et il m'a rappelé que je l'avais attaqué en public à Vitré. En parlant de majorité, d'opposition, il se demandait si j'étais dans la majorité ou dans l'opposition. Alors, il n'était pas prévu que j'intervienne mais j'ai quand même demandé au président de la fédération d'intervenir. Je ne pouvais pas laisser passer ça sans réponse ! Je suis intervenu, en quelques mots simplement, en disant que ce qui lui était arrivé à Vitré était arrivé à l'hôtel de ville de Rennes avec le maire. Donc, on ne pouvait pas me cataloguer ni dans l'opposition, ni dans la majorité. C'était simplement le principe que nous devions défendre. »

(Précédent directeur de la Fédération départementale des Maisons familiales rurales d'Ille-et-Vilaine.)

À cette ascèse politique (ici chèrement défendue), du moins en termes de visibilité sociale d'un non engagement personnel, répond en échos une neutralité religieuse des Maisons familiales. Celle-ci tient encore et surtout à marquer la séparation plus ou moins nette entre les domaines privé (personnel) et public (institutionnel) de l'existence. En effet, chaque responsable institutionnel interrogé se déclare, sans aucun embarras, catholique pratiquant. Une pratique plus ou moins régulière qui comprend, outre la présence à la messe dominicale, divers engagements au sein de mouvements paroissiaux d'Action catholique et de nouvelles communautés spirituelles. Les convictions personnelles religieuses ne participent donc pas directement à ce que nous appelons une neutralité idéologique en Maison familiale. Il n'y a pas cet interdit (non formel), cette discipline morale individuelle qui prévaut au niveau de l'engagement politique. Disons que les croyances religieuses intimes des dirigeants en Maison familiale sont acceptables et acceptées tant qu'elles n'interfèrent pas (ou pas trop) avec la sphère publique scolaire. Plus encore, comme elles sont, à la différence des opinions politiques, susceptibles de n'être pas seulement l'apanage des agents institutionnels, elles imposent un certain relativisme éthique et prudent :

« À l'origine, il y avait un aumônier qui était rattaché à l'établissement. Comme il y a de moins en moins de prêtres, alors maintenant il n'y a plus d'aumônier depuis une quinzaine d'années. De toute façon, on est très tolérant. Il n'y a aucune obligation d'être catholique à la Maison familiale. On accepte tout le monde. On ne demande pas les étiquettes, même pas aux enseignants. » (Président de Maison familiale rurale.)

« Nous, nous n'avons pas de relations directes avec l'Église. Les relations sont très très minimes, on pourrait dire qu'elles sont pratiquement inexistantes. On tient à notre indépendance. On nous recherche parfois pour remplir des enquêtes auprès de nos jeunes.
– Qui vous sollicite ?
– Chez nous c'est très limité. Souvent on est sollicité par le MRJC[8]. On demande aussi parfois notre centre comme structure d'accueil. Mais ça se limite là. Mais sur tous nos jeunes, je suis cependant persuadé que quelques-uns militent. Mais c'est une question qu'on ne leur pose pas par pudeur, par discrétion. Pour montrer aux jeunes qu'on n'est pas finalement un mouvement d'Église en train de les endoctriner dans un secteur ou dans un autre, ça m'arrive de temps en temps de dire qu'il existe ceci sur le terrain et que ça serait bien qu'ils fassent partie d'une association, d'un club quelconque, pour retrouver d'autres jeunes et discuter sur d'autres aspects que le professionnel. Mais là, on laisse la

8. Mouvement rural de la jeunesse chrétienne.

liberté absolue. À eux d'adhérer ou ne pas adhérer. » (Directeur de Maison familiale rurale.)

Et cette autre parole institutionnelle, déjà entendue, de souligner :

> « C'est vrai qu'on ne veut pas être taxé d'une tendance ou d'une autre. Autant on est musulman ou on est bouddhiste, ça ne me gêne pas du tout. Je crois qu'il faut respecter un petit peu… tout le monde. » (Directeur de Maison familiale rurale.)

L'idéologie du service conjugue donc aussi en Maison familiale « *tolérance* » et relativisme religieux (« *autant on est musulman ou on est bouddhiste, ça ne me gêne pas du tout* ») dans un art de vivre ensemble.

La responsabilité administrative et éducative des familles

Les responsables dirigeant l'institution aiment à rappeler leur subordination, au moins symbolique, à l'initiative des familles créatrices des établissements. Les discours tendent ainsi à renverser la perspective traditionnelle d'une offre scolaire dont les agents, spécialistes de l'éducation, seraient distincts, fondamentalement, des familles constituant la demande scolaire parce que possédant seuls, habituellement, les commandes de la machine éducative. Une fois de plus, les Maisons familiales rurales s'érigent selon leur idéologie en serviteur des familles, voire en débiteur :

> « Les Maisons familiales, ce sont des familles qui ont créé ces établissements d'enseignement, prioritairement, dans un processus associatif. Ce sont des familles qui se sont groupées pour mettre en route, pour créer un établissement de formation scolaire. Ce n'est pas l'établissement qui est premier, c'est l'association qui est première, d'où le "F" de "Familiale" qui est très important. On ne recherche pas une Maison professionnelle. C'est une Maison familiale, ça veut dire que ce sont les familles qui sont en premier. » (Directeur de la Fédération départementale des Maisons familiales rurales d'Ille-et-Vilaine.)

Cette primauté donnée à la famille se légitime avant tout par une histoire institutionnelle dont la coloration religieuse est plus ou moins rappelée. Quoi qu'il en soit, à l'origine des Maisons familiales étaient les familles, sorte de démiurges dont la réalité objective revêt actuellement le caractère quasi sacré d'un mythe fondateur :

> « Les familles à l'époque ont pris un peu de distance avec l'Église traditionnelle, l'enseignement catholique. Elles ont pris conscience qu'il y avait un besoin de formation. Les familles ont donc été voir les Maisons qui existaient déjà, il y en avait peu. En fait, elles voulaient créer une école où les parents étaient responsables de la gestion, de l'éducation, de la formation des futurs chefs d'exploitation. Ils ne voulaient pas que ce pouvoir leur échappe. » (Directeur de Maison familiale rurale.)

« Chez nous, c'est vraiment parti du milieu, de l'initiative des familles. Des familles qui, si vous voulez, avaient été des militantes de l'Action catholique. Ceux qui avaient été des militants, ensuite quand ils ont été dans des exploitations, quand ils sont devenus des professionnels et puis des militants familiaux, ils ont souhaité qu'on donne aux enfants d'agriculteurs une formation qui corresponde aux besoins. C'est comme ça qu'est arrivée la création des Maisons familiales. C'était donc à l'initiative des familles et sous l'autorité des familles, et ça l'est resté ! » (Précédent directeur de la Fédération départementale des Maisons familiales rurales d'Ille-et-Vilaine.)

« Tout a commencé avec une équipe de militants familiaux qui se réunissait tous les mois dans le secteur. Ils étaient six, sept familles. Je m'étais intéressé comme aumônier à cette équipe-là pour compléter un peu mon expérience avec les jeunes. Les sujets se succédèrent mais un revenait toujours, c'était la formation des jeunes : que vont devenir nos jeunes et que deviendra l'agriculture qui ne va pas avoir de gens formés ? Et alors vint un jour la question de la Maison familiale. Elle existait en Ille-et-Vilaine en au moins un exemplaire. Et alors un beau jour ils ont dit : "Pourquoi on irait pas faire un tour là-bas ?" Alors ils "firent" un car, tout ça bien pris en charge par eux. C'est eux qui prirent contact par téléphone, qui décidèrent de l'horaire, qui commandèrent le car. Ils firent tout. À l'époque ce n'était pas évident ! Et quand un curé était en place, eh bien il venait. J'étais un peu mêlé à ça sans être…, je n'étais pas le meneur moi. La Maison familiale est gérée par les familles. Bien entendu, elle accueille la présence de l'Église et l'aide de l'État. Mais gestion des familles. Et ça, ça a été, et je crois que c'est peut-être encore vrai trente-cinq ans après, l'une des Maisons familiales de France la mieux prise en charge par les familles. » (Prêtre et ancien aumônier en Maison familiale rurale.)

Trois décennies ont passé mais cet exercice du « *pouvoir* » par les familles elles-mêmes au sein de l'institution demeure le thème récurrent dans l'idéologie du service élaborée par les dirigeants en Maison familiale. Ce pouvoir serait d'abord d'ordre administratif dans la mesure où chaque établissement fonctionne sous le statut juridique de la loi de 1901. C'est l'association des parents, constituée en conseil d'administration, qui gère notamment le recrutement du personnel enseignant parmi lequel figure le directeur. Une fonction qui, symboliquement, est valorisée au plus haut point puisqu'elle opère le transfert et la délégation du projet éducatif des familles en direction de spécialistes. C'est donc ici que s'éprouve particulièrement le discours familialiste des Maisons familiales :

« Dans notre système, gérer l'établissement ça veut dire que les représentants des parents ont des responsabilités importantes. Ils élisent un conseil d'administration qui élit un bureau qui élit un président. Le personnel, tout le personnel, y compris moi, nous sommes salariés de l'association. Les Maisons familiales ont gardé cette responsabilité de l'association en ce qui concerne notamment l'embauche du personnel. Le personnel reste salarié de l'association et la loi prévoit qu'une subvention est versée à l'association qui rémunère son personnel. Donc c'est le conseil d'administration, c'est le président qui embauche, qui confie les responsabilités à un directeur ». (Directeur de Maison familiale rurale).

« Le conseil d'administration, c'est l'organe de décision et ce sont les parents. Lorsqu'il y a, par exemple, un directeur à nommer dans une Maison, la fédération [départementale des Maisons familiales] propose. Elle propose donc un ou plusieurs candidats qu'elle a préalablement sélectionnés et c'est le conseil d'administration qui décide de l'embauche, qui choisit en dernier ressort. Et si un directeur ne fait plus l'affaire, ça veut dire qu'il est usé et qu'il est en désaccord total avec l'association. C'est donc l'employeur, l'association qui dénonce le contrat, qui peut inciter le directeur à démissionner. Donc il y a gestion des familles, gestion par la famille, contrôle des familles d'une certaine façon. Ce sont des gens à qui on doit rendre des comptes. » (Directeur de Maison familiale rurale.)

Qu'en est-il maintenant de la responsabilité et de la participation des familles à l'action éducative institutionnelle ? En Maison familiale, la pédagogie de l'action et de l'immanence, qui érige l'élève en principal acteur de sa formation, s'applique également, dans son principe, à ses parents. Ceux-ci sont désignés comme « *partenaires* » à part entière, voire comme « *souverains* », d'une communauté éducative :

« En Maison familiale il y a toujours des contacts à la fois entre la famille, le maître de stage et les formateurs. Et la famille intervient toujours au niveau du contenu des formations, au niveau des orientations. La famille a toujours à intervenir. Donc la Maison familiale, par le rôle des parents, assure une éducation. Il y a à associer le rôle des familles d'abord, comme partenaires de l'éducation. » (Précédent directeur de la fédération départementale des Maisons familiales rurales d'Ille-et-Vilaine.)

« C'est toujours l'association qui est souveraine. C'est elle qui en dernier recours fait le choix de tel ou tel type de formation. Quand on réfléchit sur des nouvelles formations à mettre en place, en horticulture et en paysage, on se réfère auprès du conseil. Et là où le conseil d'administration a joué un grand rôle il y a six ans, c'est lorsqu'il a fallu se déterminer quant à notre transfert. Donc là, ce n'est pas le directeur qui a pris la décision, c'est pas le président tout seul, mais c'est bien le conseil d'administration qui a voté et qui a opté. Il s'en est fallu d'une voix qu'on reste à Livré ! » (Directeur de Maison familiale rurale.)

Un pouvoir décisionnel, donc, des familles quant au choix des orientations professionnelles et éducatives de l'établissement, mais aussi une participation à l'acte même de formation :

« On a des commissions qui sont éducatives sur qu'est-ce que les familles souhaitent pour leurs enfants en termes d'éducation, de formation. Ca c'est au-delà de l'aspect technique, préparation à l'examen. Parce qu'il y a aussi cet aspect plus pratique. C'est-à-dire que le pari que font les Maisons familiales, c'est qu'à travers leur type de fonctionnement et leur pédagogie, elles rendent les familles actrices de la formation de leurs enfants.

– Quelles réalités concrètes cela traduit-il ?

– Actrices de la formation, c'est très simple. C'est pas une théorie. C'est les parents qui participent à des étapes de la formation, par exemple des évaluations. Alors non pas pour évaluer leurs enfants mais évidemment pour évaluer d'autres enfants.

– Ce qui nécessite la présence de parents dont le métier correspond à l'exercice à évaluer.

– Pas forcément parce qu'en 4e-3e, par exemple, où ça reste encore général comme enseignement, lorsqu'on va évaluer, faire le point sur le projet de chaque jeune, il n'est pas exclu qu'il y ait dans des jurys d'évaluation des familles. Des familles qui se situent en tant que parents qui ont eu un enfant un an plus tôt, deux ans plus tôt, confronté à cette situation. Donc la chance que nous avons, c'est que par la participation des familles, eh bien ce souci éducatif il revient. Il revient parce que les familles étant membres de l'association et ayant naturellement ce souci par rapport à l'éducation de leurs enfants, si une Maison familiale dérape un peu et s'enferme dans une professionnalisation étroite qui laisse de côté la formation des personnalités, je crois que dans un certain nombre de cas les parents sont un garde-fou. Des parents qui sont directement membres de l'association et qui peuvent rappeler le président en disant : "mais là on discute de gestion, on discute des programmes, on discute de technique, mais qu'est-ce qu'on veut faire ? Qui veut-on former ? Pourquoi existent les Maisons familiales ?" » (Directeur de l'Union nationale des Maisons familiales rurales.)

Enfin, si en Maison familiale la compensation de misères antérieures s'adresse au public qu'elle scolarise, elle vaut de la même manière, ou presque, pour les familles. L'éducation en Maison familiale n'est jamais limitée à l'enfant. Ledit engagement des familles produit son effet retour sur l'éducation des parents eux-mêmes et contribue, par là, à l'enrichissement collectif d'une communauté éducative :

« S'appuyer sur la famille, ça veut dire qu'on accorde toujours une valeur à toute famille, quelle qu'elle soit. Ça veut dire qu'on peut l'aider à progresser et à évoluer dans un sens positif et constructif si on lui donne des responsabilités, si on la fait prendre part aux travaux de la Maison familiale. Il faut aider la famille du jeune. Et le jeune peut faire évoluer, peut aider sa famille à évoluer et à se prendre en charge. Il y a toujours ici quelque chose de positif. » (Précédent directeur de la Fédération départementale des Maisons familiales rurales d'Ille-et-Vilaine.)

« On reçoit des enfants qui sont de parents divorcés ou [de familles] monoparentales ou ceci ou cela. Ça pose quand même des problèmes de mobilisation. Ils sont différents mais enfin, ce qui est important, c'est qu'il y ait des personnes qui soient à l'écoute de toutes les familles, de toutes ces familles-là et essaient de... leur apporter un plus, de les responsabiliser malgré tout, hein. Parce que combien de fois on a été témoin de gens qui n'ont jamais pris de responsabilités et qui, au fil des années, deviennent de véritables responsables parce qu'on leur en a donné la responsabilité, la possibilité. » (Directeur de la Fédération départementale des Maisons familiales rurales d'Ille-et-Vilaine.)

« La famille chez nous elle s'engage.
– Il y a cette coopération élèves-familles-Maison familiale.
– C'est surtout les familles entre elles. Sortir de l'individuel, arriver au collectif. On ne fait pas boire un âne qui n'a pas soif ! C'est ici qu'elles découvrent leur système, leur propre responsabilité en accompagnant leur jeune dans la formation. Au départ, elles ne connaissent pas tout ça quand elles s'engagent. C'est au fur et à mesure qu'elles accompagnent leur jeune dans le parcours qu'elles s'engagent... et alors c'est en toute connaissance de cause. » (Directeur de la Fédération régionale des Maisons familiales rurales de Bretagne.)

Chapitre VI

UN MONDE QUI SE TIENT

Ayant parcouru la totalité de l'édifice éducatif des Maisons familiales rurales, édifice dont les multiples fondements et représentations mobilisent autant d'éléments techniques (en termes de *savoir-faire technique*[1]) que moraux (*en termes de savoir-être éthique*), nous pouvons en dresser les tableaux synoptiques suivants :

Savoir-faire technique

Formation technique (« alternance »)
Pédagogie de l'action et de l'immanence : – Savoir pratique/savoir scolaire. *Geste technique-expérience pratique.* *Sens pratique/formation scolaire. (Pédagogie séquentielle de l'alternance).* – Orientation professionnelle. *Souplesse et ouvertures expérimentées.* *Rationalisation d'un libre arbitre.* **Pédagogie de la proximité et de l'accompagnement éducatifs :** – Suivi personnalisé. *Agent d'encadrement-canalisation.* *Proximité pédagogique.*

---

1. Au terme de ce panorama, il est à noter à nouveau qu'en guise de savoir-faire technique, c'est autant, sinon plus, une certaine vision sociétale et anthropologique qui est ici livrée par l'institution qu'une version techniciste de l'apprentissage professionnel, qui plus est agricole.

Culture d'entreprise et rationalité économique :

– Ajustement aux réalités professionnelles.
Temporalité.
Hiérarchie socio-professionnelle.
Responsabilité.
Insertion à l'emploi.

Savoir-être éthique

Formation morale (internat)

Éducation de la personne globale :

- Engagement et prise de responsabilités (*services domestiques*).
- Universalisme social et culturel (*veillées, conférences, visites d'études, etc.*).
- Altruisme et communauté de vie comme apprentissage de la vie sociale (*proximité spatiale et affective, petits groupes, sociabilité, services domestiques*).

Morale de formation (communauté éducative)

Relation totale :

– Agent d'encadrement tutoral et boussole sociale (*cours, repas, veillées*).
– Prolongement de la sphère familiale privée.

Idéologie du service :

– Offre et égalitarisme scolaires compensatoires.
Misères scolaire, sociale et psychique.
– Neutralité idéologique.
Ascétisme politique.
Démarcation de l'enseignement diocésain.
– Responsabilité administrative et éducative des familles.
Familialisme et communauté éducative.

Au-delà du mode d'appréhension séquentielle d'une réalité qu'induit notre méthode d'investigation, le répertoire ci-dessus indique un principe d'éducation totale. L'« alternance » vaut bien plus dans ses représentations qu'une action pédagogique dont l'acception se réduirait à ce seul va-et-vient entre pratique et théorie. En tant que concept, elle fonctionne en fait selon une logique de totalisation ou d'intégration au sein de l'institution scolaire d'une altérité « éducative » : élèves et familles.

Cette logique du concept est d'abord une règle. Une règle, qui selon Cassirer et la propriété discriminante qu'il confère au concept (*op. cit.*, p. 349), institue par ce même concept l'ordre et l'unité parmi la multiplicité intuitive. Une règle, qui selon nous, opère dans son travail de construction de l'ordre institutionnel un glissement, ou du moins une superposition, du sémantique vers le sociologique. La capacité de totalisation du concept d'« alternance », sa propriété de réunir symboliquement l'institution et une altérité qui en est dialectiquement constitutive, est à la fois jeu de mots et, à travers les mots, enjeu d'une construction sociale.

Machinerie conceptuelle au spectre sémantique large, l'« alternance », et peut-être surtout ses vocables connexes (« MFREO »), autorisent un partage lexical, une commune compréhension de mots somme toute très généraux. « Maison », « Famille », « Rurale », « Éducation » et « Orientation » possèdent suffisamment d'« élasticité sémantique » (Bourdieu, 1987, p. 159) et, selon une des caractéristiques de la logique pratique, ont toujours « en commun une sorte d'"air de famille", immédiatement sensible à l'intuition » (Bourdieu, 1980, p. 425) qui rend possible ce pont sémantique entre la pensée institutionnelle des Maisons familiales et le sens commun de son public. D'une manière plus restrictive, il semble que le triptyque « Maison » – « Familiale » – « Éducation » soit le plus à même de constituer ce bien sémantique commun entre l'institution et son public. Tout le monde sait intuitivement quelque chose sur la famille et l'éducation. Tout le monde a quelque chose à en dire et, ce faisant, opère aussi, par le discours sur de tels objets, une certaine « *neutralisation* de l'existence empirique au profit d'une idéalité » (Descombes, 1996, p. 47) ; une idéalité qui fait de chacun des termes « Maison » – « Famille » – « Éducation » un type ou un modèle, c'est-à-dire quelque chose, largement empreint d'imaginaire, qui est par essence fédérateur de représentations individuelles. Et c'est dans ce même registre d'un substrat sémantique commun entre les deux instances inséparablement domestiques et éducatives[2], qu'opère peut-être ce continuum qui est signifié dans le terme « alternance ». L'équipement conceptuel des Maisons familiales contribuerait ainsi, sur la base de « *croyances intuitives* » (Sperber, 1996, p. 123-131) et d'un bien lexical commun parce que porté à un degré de généralité, à créer une première communauté de sens. À cette première règle sémantique, règle qui confère aux concepts leur propriété d'intégration d'univers symboliques au sein d'un seul monde institutionnel, se superpose une autre : celle, sociologique, qui, selon la même exigence de montée en généralité, ordonne l'identité collective des Maisons familiales rurales.

Les mécanismes de définition collective d'une action éducative et, plus largement donc, d'une identité partagée au sein d'un groupe for-

---

2. La Maison familiale comme « seconde famille » et la famille comme partenaire de la communauté éducative faite Maison familiale.

malisé (une institution), appellent une considération de tout accord, de toute entente institutionnelle, comme une construction sociale. Bâtie ici à travers la pratique pédagogique de l'« alternance » en Maison familiale rurale et prise comme regard « sociocentré » porté par l'institution, la définition de l'enseignement technique et, au-delà, de l'éducation, n'est jamais une donnée immédiate et naturelle. Nous verrons plus loin que même le partage initial d'un lexique commun, basique, entre l'institution et son public doit largement à un travail de manipulation et d'appropriation des mots effectué par les Maisons familiales. Une telle définition mérite, de ce fait, que l'analyse y identifie à la fois les mécanismes d'assemblage et la nature des matériaux choisis, organisés et présentés pour une construction collective qui « se tient ».

Le modèle théorique des « économies de la grandeur », mis en place par Luc Boltanski et Laurent Thévenot (*op. cit.*), propose une analyse de l'accord commun en termes de construction sociale soumise à des impératifs de justification. L'entente collective, dans cette optique, ne renvoie pas nécessairement à des rapports de forces et à des intérêts personnels qui scelleraient arbitrairement (« violemment ») l'accord entre les membres d'un groupe quant à l'orientation d'une action commune à entreprendre. Afin d'échapper à un « relativisme[3] » analytique occultant ou, du moins, amoindrissant les exigences d'un accord commun en se satisfaisant d'une quasi-métaphysique de l'ordre social pris comme un rapport de forces, une telle perspective ne considère pas comme acquise et préétablie, comme allant de soi, l'entente collective sur la définition d'une situation. En effet, celle-ci subordonne les acteurs sociaux qui agissent ensemble à une contrainte de justification, impératif sur lequel repose la possibilité de coordination des conduites humaines. Pour cela, les personnes ont recours à des formes de légitimité sur lesquelles elles s'appuient afin d'accorder leurs actions. Ces conventions, qui permettent de vivre en commun, s'organisent autour de « grandeurs » appelées aussi « principes supérieurs communs » ou « mondes communs ». Ce sont donc des principes, des valeurs, qui visent la généralité – en référence à des formes universelles qui dépassent les particularités des personnes – et qui sont ainsi susceptibles de soutenir des justifications autour de la formulation d'un bien commun, d'un sens du juste.

Nous avons vu qu'en Maison familiale, la définition institutionnelle de l'action pédagogique scelle l'entente commune, l'évidence partagée, autour d'une certaine rationalisation, voire une formalisa-

---

3. Les auteurs entendent ici par relativisme (critique) une capacité de dénonciation d'un « bien commun » par un équivalent général (la force, le pouvoir, l'intérêt, etc.) qui ne soit pas et qui ne vise pas une forme particulière de bien commun mais nie la possibilité même de l'existence dudit bien (*ibid.*, p. 414-417).

tion, de l'acte de formation. Plus précisément, l'« alternance » se décline en une technique pédagogique qualifiée de « *didactique* », c'est-à-dire cette technique instrumentée – par les « *plans d'étude* », les « *fiches pédagogiques* », la « *mise en commun* », « *les visites d'étude* », etc. – et mise au point par des experts au sein de l'institution. Cette « *didactique* » légitime, nous l'avons entendu, l'articulation de la pratique à une dimension théorique, à un enseignement. L'efficacité, la performance de l'« alternance » s'éprouve donc en partie à travers sa qualité intrinsèque de pédagogie formalisée, réflexive et spécialisée. Elle vaut comme méthode ou « *méthodologie* » avec ses « *phases* » (d'observation – de mise en commun – d'acquisition complémentaire), sa « *succession de rythmes* » ou encore sa « *succession de relations entre des espaces temps* ». Toujours dans ce même registre de l'efficacité et de la performance techniques, registre que rassemble ici un « principe supérieur commun » de légitimité assimilable au « monde industriel[4] », l'« alternance » se targue d'être une formule opérationnelle, rentable, productive dans l'apprentissage d'un métier. Ajustés aux réalités professionnelles, les stages « *en vraie grandeur* » font de l'élève des Maisons familiales un « *membre à part entière de l'entreprise* » ; ils lui permettent d'acquérir le sens des responsabilités, des hiérarchies professionnelles et, en final, lui assurent facilement (mesures chiffrées à l'appui) un emploi.

L'« alternance », ainsi envisagée comme méthode ou technique éducative et rattachée à un principe supérieur « industriel » de légitimité, n'épuise pas, on le sait, la totalité de l'identité institutionnelle des Maisons familiales. La méthode pédagogique est en fait indissociable de son objet : l'élève. Autrement dit, l'« alternance » incorpore, intériorise dans le traitement éducatif de son objet une altérité dialectiquement constitutive d'une identité institutionnelle. Ici intervient et s'imbrique un second principe de justification, en compromis avec le « monde industriel » : le « monde de l'inspiration[5] ». Il apparaît en effet que la pédagogie de l'action et, surtout, de l'immanence prônée en Maison familiale induit une représentation de l'élève qui exalte l'intériorité créatrice, engagée et autonome de la personne. La valorisation de la pratique, du savoir concret dans l'« alternance », tend à rendre

---

4. Le « monde industriel » est le monde de l'efficacité. Le discours industriel est dominé par les impératifs de productivité, d'organisation et de programmation de l'avenir. Dans ce monde, ce qui compte est d'être un expert, de mettre en œuvre des méthodes et d'utiliser des outils opérationnels. Les choses doivent y être organisées, mesurables, fonctionnelles, standardisées, reproductibles.

5. Il désigne un monde où les personnes se situent par rapport à des valeurs transcendantes (ici la « personne ») très « intérieures », peu ou pas objectivables, qui ne dépendent pas de l'opinion des autres. La créativité, l'inspiration relèvent, entre autres, de ce monde.

l'élève, l'« *apprenant* » ou l'« *alternant* » « *acteur de sa formation* ». De la même manière, c'est « *en connaissance de cause* », selon un libre arbitre, que l'élève choisit et intègre ses stages professionnels, ceci suivant la politique d'orientation ouverte et souple que pratiquent les Maisons familiales. Enfin, principe fondamental du savoir-être éthique ou de la formation morale institutionnelle, l'éducation de la personne globale ne se conçoit pas sans l'engagement et la prise de responsabilités de l'élève, c'est-à-dire, là encore, sans une intériorité ou une « *personnalité* » créatrice et volontaire. Toutefois, et comme nous venons de le voir, l'« alternance » n'en demeure pas moins en Maison familiale un principe éducatif formalisé et réflexif. Le compromis entre les « grandeurs » « industrielle » et « inspirée » se réalise ainsi à travers une « *régulation* » institutionnelle, très rationalisée et instrumentée, des tendances intérieures et créatrices de l'élève. Plans d'étude et autres fiches pédagogiques rappellent qu'être acteur de sa formation suppose un scénario pédagogique. Le choix des orientations professionnelles nécessite, pour sa part, un certain désenchantement et une rationalisation des passions et autres affects juvéniles par l'obligation d'effectuer des stages variés. Enfin, une pédagogie de la proximité et de l'accompagnement éducatifs, un suivi personnalisé qui « *rejoint un peu la fonction rogérienne* » et qui fait l'objet d'une définition formelle (inscrite dans la convention collective des établissements) du rôle du « moniteur » comme « *catalyseur* », concilie action et immanence de l'élève avec cette sorte de « management » institutionnel ou d'encadrement planifié et raisonné des jeunes âmes.

Toujours dans le traitement (éducatif) de leur objet, les Maisons familiales ont aussi affaire plus globalement à une demande scolaire des familles. L'intériorisation et l'assimilation institutionnelles de cette altérité « éducative » passe par un nouveau compromis entre une « grandeur industrielle » et, cette fois-ci, un « principe supérieur commun » de légitimité émanant du « monde civique[6] ». La dialectique identitaire de l'institution admet ici l'intégration d'une clientèle scolaire où les familles, parents et élèves, sont représentées, rapportées à la définition d'une volonté et d'un intérêt généraux. Tel est en Maison familiale le sens d'une idéologie du service où se mêlent offre et égalitarisme scolaires compensatoires, neutralité idéologique et responsabilité éducative et administrative des familles. Les Maisons familiales et leur action éducative représentent en fait ici l'instrument technique au service de causes collectives : ces élèves « *en panne scolaire* » qu'il s'agit de « *remotiver par les stages en alternance* » et ces parents qui participent

---

6. Dans ce monde, les êtres sont liés entre eux par la notion d'intérêt général et les personnes sont « grandes » lorsqu'elles agissent en vue du bien commun.

aux tâches éducative et administrative, et qui, en retour, « *progressent, évoluent dans un sens positif et constructif* ».

Le traitement pédagogique de leur objet diffracte donc le « monde » de légitimité « industriel » des Maisons familiales en deux plans associant tour à tour « grandeur industrielle »/« grandeur inspirée » et « grandeur industrielle »/« grandeur civique ». Registre basique, attendu, de légitimation d'une institution scolaire[7], le « monde industriel » n'épuise cependant pas en Maison familiale la représentation d'une action éducative qui, à côté d'un savoir-faire technique, développe un savoir-être éthique, une formation morale. Intervient alors une quatrième sphère de justification qui réalise la jonction entre la singularisation du registre de l'« inspiration » et la généralisation du registre « civique », ceci tout en s'associant à la « grandeur industrielle ». Cette sphère relève de la « grandeur domestique[8] ». « Monde » des relations et des dépendances personnelles, le « monde domestique » interpelle la particularisation « inspirée ». Ainsi l'élève en Maison familiale trouve en la personne du « moniteur » le « *référent* », le père de « *la seconde famille* », l'initiateur à la pensée et aux pratiques institutionnelles dans un suivi personnalisé. « Monde » de la famille par excellence, de la lignée, le « monde domestique » intègre aussi la généralisation « civique ». Prévaut ainsi en Maison familiale la notion de communauté éducative, ce collectif humain traité sur un mode familialiste. Enfin, traitements pédagogique (savoir-faire technique) et moral (savoir-être éthique) de l'objet « éducatif » (élèves et familles) se concilient autour de techniques institutionnelles d'encadrement – services domestiques planifiés, repas, veillées en internat, etc. – et de solidification des rapports affectifs et singularisés. Ces techniques « industrielles » contribuent à la création et au maintien d'un esprit de famille.

Au total, ce sont donc quatre « principes supérieurs communs » qui s'imbriquent et justifient l'action éducative des Maisons familiales rurales :

---

7. C'est-à-dire d'une instance de socialisation dispensant une éducation de type scolaire telle que nous l'avons définie à partir des concepts de socialisation et d'éducation.
8. Dans ce monde, le lien entre les êtres est conçu sur le modèle du lien de parenté. L'intensité de ces liens s'exprime en termes de proximité, et leur contenu est celui des relations de dépendance et de protection existant dans une famille, une lignée, une maison.

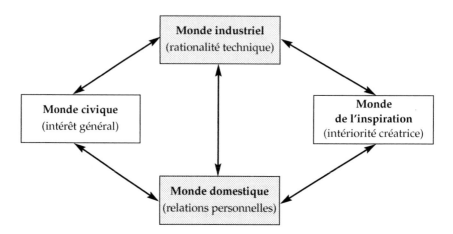

Ce détour par des « principes supérieurs communs » de justification d'une action collective, ici éducative, permet de saisir un principe essentiel dans l'élaboration d'une identité institutionnelle (Douglas, *op. cit.*, p. 49-60) : la cohésion d'éléments fragmentaires par leur mise en correspondance et par leur généralisation. En effet, c'est en ramenant l'infiniment petit des particularités éducatives techniques et morales (cf. tableaux précédents) à quatre « grandeurs » supérieures que les Maisons familiales intègrent cette altérité « éducative » (élèves et familles) sur laquelle s'applique leur action d'éducation. Un monde qui se tient doit être capable d'effectuer ce travail de réflexivité, ce passage d'une intériorité multiple et spécifique vers une extériorité de « grandeurs » qui visent la généralité et qui, dans le même mouvement, autorisent surtout l'assimilation d'Autruis. Plus encore, l'accès à des niveaux généraux de justification offre à l'institution la possibilité d'une mise en ordre symbolique de son champ d'action sans pour autant en dénaturer la spécificité et surtout l'autorité.

En effet, une seconde règle sémantique transparaît dans cette construction identitaire. L'« alternance » et ses concepts connexes (« MFREO ») s'augmentent ici de termes beaucoup plus techniques et spécialisés. Il est alors question de « *savoir pluridisciplinaire* », de « *phases d'observation – mise en commun – acquisition complémentaire* », d'« *alternant acteur de sa formation* », de « *succession de rythmes* », de « *succession de relations entre des espaces temps* », de « *plans d'étude, fiches pédagogiques, mise en commun, visites d'étude, thèmes d'année* », de « *méthodologie* », d'« *apprenant* », de « *catalyseurs* », de « *fonction rogérienne* », de « *didactique* », de « *développement de la personnalité* » et de « *référents* ». Autant de termes empruntés à la psycho-pédagogie de l'« École nouvelle[9] » et qui, adjoints aux mots courants (« Éducation »

---

9. Doctrine pédagogique qui, comme nous le verrons, structure fondamentalement la pensée et les pratiques éducatives des Maisons familiales.

ou « Orientation », par exemple), s'emparent du sens commun et le portent à un degré de compréhension désormais accessible aux seuls initiés : les pédagogues de l'institution et, plus globalement, ses dirigeants-experts. Sémantiquement parlant s'instaure cette ligne de démarcation entre une institution scolaire et son public. Le concept n'est donc pas, contrairement à ce que soutient Durkheim, tout à fait universalisable ou le point de communion de toutes les intelligences humaines (Durkheim, 1994, p. 619). Sociologiquement parlant, les mots spécialisés ou les concepts pédagogiques œuvrent déjà symboliquement à une répartition des rôles et des pouvoirs dans la division du travail éducatif :

> « Les formateurs sont toujours invités aux réunions du conseil d'administration. S'ils viennent, c'est en tant qu'auditeurs. Mais ils peuvent aussi illustrer tel ou tel phénomène pour des questions purement pédagogiques ou éducatives, domaine où les formateurs sont quand même mieux placés que les administrateurs pour donner telle ou telle explication. » (Enseignant et directeur de Maison familiale rurale.)

> « La semaine dernière nous avions une réunion du conseil d'administration et nous avons réfléchi longuement sur le thème d'année qui porte sur la qualité, les forces et les faiblesses de notre enseignement. Il y a quatorze chapitres assez pointus qui étaient passés en revue. Alors évidemment, il y a des chapitres où le conseil d'administration vous dit : "Ben c'est vous les formateurs qui êtes plus compétents pour répondre." C'est évident. » (Enseignant et directeur de Maison familiale rurale.)

> « En règle générale, les administrateurs ratifient nos décisions. Bien souvent ils votent "oui". Donc les orientations pédagogiques pour l'établissement, je les prends plus avec mon directeur qu'avec mon conseil d'administration. C'est plus notre domaine là. Les administrateurs sont là pour prendre de l'information et puis c'est souvent ratifié, c'est jamais un vote négatif. Je crois qu'ils nous font confiance pour toutes ces questions pédagogiques. » (Président de Maison familiale rurale.)

Il ne resterait alors aux familles qu'à faire part de préoccupations non moins légitimes mais peut-être plus « *terre à terre* » ou plus proches de leur expérience et de leur autorité éducatives ordinaires de parents :

> « On s'aperçoit que dans un conseil d'administration, les questions primordiales sont de l'ordre de l'internat, c'est-à-dire qu'il faut que l'enfant mange bien, est-ce que les élèves n'ont pas assez de pain ?... C'est avant tout la nourriture parce qu'il n'est pas normal que l'enfant travaille et qu'il ne mange pas bien. Enfin bref, c'est la nourriture, les cadences. C'est à peu près ça, hein, c'est même ça. » (Président de Maison familiale rurale.)

« Le conseil d'administration, ce sont des gens à qui on rend des comptes, des gens qui vous posent des questions, qui s'interrogent sur des choses qu'ils ont pu entendre par la voix des élèves.
– Quels sont les sujets de ces questions ?
– Le conseil d'administration peut avoir des questions sur la marche quotidienne de l'école, sur les relations entre les profs. Ca c'est classique. Parce qu'ils ont pu entendre un bruit, ça les interpelle. Mais on ne peut pas dire qu'on a un conseil d'administration qui nous harcèle de questions, non. Les questions, ça peut porter sur l'ambiance en cours. Ca peut être des parents d'élèves dont le jeune leur a raconté un fait sur un contrôle, par exemple, qui a été sévèrement corrigé, où les questions étaient peut-être extrêmement difficiles… Ce sont des choses simples, enfin, des choses de tous les jours, quoi. C'est du concret. On ne débat pas souvent de grandes idées, il y a aussi du terre à terre. Les parents, ils apprécient plus ça que de débattre de… la philosophie [rire de l'enquêté] ! » (Directeur de Maison familiale rurale.)

Une hiérarchisation des compétences et de l'autorité en matière de division du travail éducatif que l'institution instaure selon une troisième règle sémantique. Celle-ci consiste à restituer[10] au sens commun des concepts éducatifs simplifiés, clarifiés, voire naturalisés, et identifiables, c'est-à-dire à la fois idéalisés et nourris d'une substance qui les rend intelligibles et par là crédibles. L'« Éducation » s'offre ainsi comme la possibilité d'un engagement et d'une prise de responsabilité chez l'élève. Un projet éducatif qui est mis en application, qui se donne à voir notamment dans ces services domestiques qui nourrissent empiriquement les concepts d'« Éducation » et de « Maison ». Et ce sont encore d'autres signes tangibles – animations, écoute, petits groupes – de l'altruisme et de la communauté de vie régnant en Maison familiale qui alimentent les notions de « Maison », de « Famille » et d'« Éducation ». De la même manière, l'« Orientation » ne saurait être un vain mot en Maison familiale. Elle s'appuie sur les réalités de stages pratiques « *en vraie grandeur* » et d'un suivi personnalisé ou d'un « *accompagnement* » de l'élève par un « moniteur » durant son cursus. Ce retour des concepts à leur acception la plus pratique, et, par là, la plus commune, n'écarte pas cependant l'autorité éducative de l'institution. Ils consacrent dans la pratique elle-même la subordination de l'objet « éducatif » (élèves et familles) à l'institution qui le traite. La « Maison », la « Famille », l'« Éducation » et l'« Orientation » restent une affaire d'encadrement et de prise en charge institutionnels dans :

---

10. Une restitution qui, comme nous l'observerons plus loin, s'effectue lors des campagnes publicitaires de recrutement scolaire qui déclinent publiquement les appellations d'« alternance » et de « Maison Familiale Rurale d'Éducation et d'Orientation ». Une restitution qui, une fois réalisée la rencontre entre l'offre et la demande scolaires, se poursuit pour l'institution dans un véritable travail d'acculturation auprès de son public.

– l'orientation d'un public socialement désorienté et scolairement indéterminé ;
– la rationalisation et la maîtrise du choix professionnel de l'élève à travers le désenchantement de ses premières passions ;
– la planification des services domestiques en internat ;
– le règlement intérieur de l'institution ;
– le choix orienté des thèmes des visites d'étude, des veillées et des conférences ;
– la relation totale élèves / moniteurs ;
– la seconde famille et sa fonction supplétive ;
– l'offre et l'égalitarisme scolaires compensatoires de misères scolaire, sociale et psychique ;
– les effets retours de l'éducation sur les familles.

Les concepts les plus simples, exempts de leur sens technique et spécialisé, restent chargés dans leur portée pratique d'un principe de hiérarchisation des rôles et pouvoirs. Un principe qui joue en faveur de l'institution au sein d'une division sociale du travail éducatif.

L'« alternance » et ses épithètes (« MFREO ») ordonnent donc sémantiquement une réalité empirique multiple : celle qui, à travers une pluralité d'actions et de niveaux (technique et moral) éducatifs, intègre symboliquement élèves et familles à une institution. Une institution ou une communauté de sens dont ces derniers ne sont jamais naturellement constitutifs. Dans cet ordonnancement sémantique, il est possible de distinguer les trois règles ou processus suivants :

Nature du lexique conceptuel	Nature de la connaissance mobilisée	Rapport entre la pensée institutionnelle (1) et le sens commun (2)
Général, « élastique »	Intuitive	Adéquation, partage immédiat
Technique et spécialisé	Psycho-pédagogique	Prise de possession de (1) sur (2) et rupture
Général et idéalisé	Pratique, expérimentée	Restitution

Traitement conceptuel de l'altérité « éducative ».

Ces règles sémantiques révèlent en final la propriété cognitive et sociologique – de hiérarchisation sociale – des concepts éducatifs en Maison familiale. En premier lieu, ils contribuent à créer une connaissance et une compréhension de l'institution par son traitement réflexif : les concepts – notamment ceux, « restitués », qui se nourrissent d'une connaissance « pratique », « expérimentée » – ont une valeur explicative de l'ordre institutionnel ; en tant que significations objectivées, ils lui accordent une validité cognitive. En second lieu, ces concepts – ceux, « techniques » et « spécialisés », qui relèvent de la psycho-pédagogie – sont tout autant à même de filtrer, de distribuer sélectivement l'accès à la connaissance de l'institution et d'ordonner, de manière apparemment légitime[11], la division sociale du travail éducatif au sein des Maisons familiales. Leur propriété est aussi de ce fait sociologique. La dialectique de l'inclusion et de l'exclusion, dialectique qui fonde le statut de ceux que nous regroupons sous le terme d'altérité « éducative », ne se résout en fait que dans l'élaboration discriminante et hiérarchisée de l'identité institutionnelle des Maisons familiales rurales.

Hiérarchie sémantique et sociologique, autant dire qu'un tel processus indique le caractère éminemment construit d'une identité collective. Il met l'accent tout particulièrement sur la logique interne de production d'une altérité dont la présence n'est, d'une part, nullement naturelle et, d'autre part, aucunement réductible à un pur déterminisme externe. En parlant de « production d'une altérité », nous souhaitons souligner le fait que l'identité collective a ici partie liée avec une altérité institutionnellement comprise, interprétée. Une altérité qui, par un traitement conceptuel, quitte son statut empirique initial pour celui, beaucoup plus dialectique, de composante proprement identitaire.

Cependant, peut-on raisonnablement imputer aux concepts ce pouvoir de légitimation d'un ordre institutionnel, pouvoir que sous-entend notre expression « une altérité institutionnellement comprise, interprétée » ? Bien évidemment, non. Un concept, quel qu'il soit, n'a en lui-même aucun pouvoir de légitimation. Certes, il discrimine, met en ordre, effectue une sélection dans la multiplicité intuitive ou perceptive. Mais la discrimination n'est jamais la propriété de la chose, du concept. Elle reste éminemment liée au statut du concept, à son inscription objective, à sa position au sein d'un milieu socio-linguistique arbitraire. À l'encontre de l'idéal scientiste qui, lui, confère au concept un statut « logique » et « direct[12] » de « non position », l'opération de discrimination est bien moins cet acte pur de connaissance « objective » qu'une projection normative qui traverse l'acte de connaissance conceptuelle. Toute objectivation, dont celle ici concep-

---

11. Le détachement ou la « rupture » entre les concepts « immédiatement partagés avec le sens commun » et ceux « techniques et spécialisés » ne signifierait pas pour autant l'illégitimité de compétences psycho-pédagogiques : « [...] *il y a des chapitres où le conseil d'administration vous dit : "Ben c'est vous les formateurs qui êtes plus compétent pour répondre." C'est évident.* » (Voir entretien *supra*.) Ce ne serait que la validation et la compréhension de compétences séparées.

12. La croyance dans le caractère « logique » et « direct » de la science masquerait en fait, selon Bruno Latour et Steve Woolgar, tout un travail de construction sociale des faits scientifiques effectué en amont (1988, p. 147-189).

tuelle, comporte une part d'arbitraire – celle inhérente au « milieu socio-linguistique » du sujet objectivant – quant aux principes de sélection qu'elle met en jeu pour discriminer. Ainsi, si l'évocation du pouvoir de légitimation de l'ordre institutionnel par des concepts est bel et bien un abus de langage, celui-ci disparaît lorsque l'on ramène ces concepts et leur capacité d'objectivation discriminante à un fondement ou à un substrat typiquement normatif. Ce fondement serait idéologique pour les Maisons familiales et les concepts institutionnels ici mis au jour se donneraient comme autant de marqueurs doctrinaux. C'est dire qu'« un monde qui se tient » doit, en dernière instance, à travers ses concepts, se rapporter à quelques « catégories doctrinales de l'entendement institutionnel » que nous nous proposons d'explorer à présent.

TROISIÈME PARTIE

Les catégories doctrinales
de l'entendement institutionnel

Chapitre VII

MISE EN PERSPECTIVE HISTORIQUE
DES DOCTRINES EN PRÉSENCE

À l'instar des historiens eux-mêmes, il est extrêmement banal d'affirmer que l'histoire ou la connaissance historique, c'est-à-dire la réflexion scientifique portée sur le passé, permet d'éclairer les événements du temps présent (Marrou, 1954, p. 38-39). Toutefois, la leçon, rappelée entre autres par Durkheim, vaut d'être retenue. Une leçon selon laquelle on ne peut entièrement saisir un phénomène social en faisant fi d'une analyse historique dont le primat logique vise à retrouver telle ou telle institution sous sa forme élémentaire, à sa source, ceci afin d'en examiner et d'en comprendre ensuite la construction : « Si nous sortons du présent, c'est pour y revenir. [...]. En définitive, l'histoire, qu'est-ce autre chose qu'une analyse du présent, puisque c'est dans le passé que l'on trouve les éléments dont est formé le présent? [...] le présent n'est rien par lui-même; ce n'est que le prolongement du passé dont il ne peut être séparé sans perdre en grande partie toute sa signification. » (1969, p. 21-22.) À cette compréhension par l'histoire doit, bien évidemment, s'ajouter une vertu de la sociologie qui, en historicisant, « dénaturalise » (Bourdieu, 1987, p. 25).

L'identité collective d'une institution ne s'élabore et ne se déploie sans ce minimum de sens partagé entre les acteurs sociaux qui y participent. Ce sens partagé, cette commune évidence doit, quant à elle, quelque chose à un passé collectif. Oublier ceci reviendrait en effet à nier toute historicité constitutive d'une culture au sens anthropologique. De ce fait, l'identité institutionnelle actuelle des Maisons familiales ne saurait être pleinement saisie par le sociologue sans qu'il prenne la peine d'y objectiver cette histoire faite chose. Plus fondamentalement, l'histoire, le temps long, sont les plus à même d'élaborer dans leur diachronie ces « expériences sédimentées » dont parlent

Berger et Luckmann (*op. cit.*, p. 95-101) et qui valent dans le présent d'un collectif humain comme autant d'*a priori* fondateurs. Ceux-ci seront d'autant plus indiscutés et transcendants qu'ils intègrent le statut d'idéologies. Il y aurait ainsi dans la constitution de l'identité collective des Maisons familiales l'assimilation d'altérités – désormais internes – que sont les différentes doctrines incorporées de longue date et qui viennent soutenir la représentation collective d'un « Soi » institutionnel.

Catholicisme social et engagement séculier.

La première Maison familiale, créée en 1935 à Sérignac-Péboudou (Lot-et-Garonne), fut l'œuvre d'un religieux, l'abbé Granereau, qui s'en octroya la direction. Issu de la petite paysannerie locale, notre homme entra selon l'ordre des choses au petit séminaire, laissant à son frère aîné la succession de l'exploitation familiale. Il y fut très tôt sensibilisé à la doctrine sociale de l'Église par son confesseur formé dans les cercles sillonnistes de Marc Sangnier[1].

Fréquentant assidûment les Semaines Sociales de France[2], Granereau fit de sa vocation religieuse une action militante, alliant le spirituel au temporel afin de participer à la promotion sociale du monde paysan. Il fut pour cela indéniablement marqué par l'influence des Jésuites. Un ordre religieux qui, faut-il le rappeler, est tourné avant tout vers l'action et le temporel et qui était plus particulièrement attaché au ministère de l'enseignement, ceci en réaction à la menace de la Réforme. Un ordre auquel appartenait par ailleurs celui qui durant vingt-cinq années serait le directeur spirituel de l'abbé Granereau. De plus, la présence des Jésuites était particulièrement active au sein des Semaines Sociales. Devenu secrétaire général du SCIR[3] au sortir de la première guerre mondiale, c'est sur cette même association corporatiste agricole que l'abbé fonda juridiquement l'existence de sa Maison familiale qui répondait ainsi aux exigences de la loi du 18 janvier 1929

---

1. Mouvement politique d'inspiration démocrate chrétienne, le Sillon entendait prolonger la démocratie politique (post-révolutionnaire) par une démocratie sociale favorisant l'expression et la représentation de tous les intérêts. Ceci passait par une éducation civique du peuple par lui-même et par l'instauration d'un syndicalisme qui transforme la société en donnant aux travailleurs la responsabilité effective de leur activité. C'était là une passion de la justice sociale et de l'émancipation populaire qui était proche du socialisme.

2. Créées en 1904, les Semaines sociales réunissaient chaque année autour d'un thème d'actualité des ecclésiastiques, des militants de mouvements catholiques et de syndicats chrétiens, des chefs d'entreprise, des universitaires pour des conférences où le catholicisme social confrontait sa doctrine aux exigences temporelles de la modernité (Boltanski, *op. cit.*, p. 85).

3. Secrétariat central d'initiative rurale fondé le 10 novembre 1920.

relative à l'apprentissage agricole. Fondement idéologique – lui-même issu, plus largement, du catholicisme social – de la première Maison familiale, le SCIR se donnait le but suivant :

> « Art 4 – Le SCIR, s'appuyant sur les principes chrétiens et démocratiques, a pour but l'étude et la défense des intérêts professionnels de l'Agriculture Française et spécialement :
> 1. d'établir un programme d'action pour restaurer, développer et maintenir la famille rurale dans le cadre de la profession agricole organisée ;
> 2. de constituer parmi ses membres une élite capable de se dévouer à la réalisation de ce programme ;
> 3. de créer les ressources que nécessite cette entreprise. » (Granereau, *op. cit.*, p. 226.)

La seconde Maison familiale fut créée en 1940 à Vetras-Monthoux (Haute-Savoie), à l'initiative d'Albert Chappuis, militant à la JAC[4]. Né en 1929 de l'ACJF[5], ce mouvement d'inspiration catholique et sociale rompt quelque peu avec la doctrine corporatiste paysanne[6] à laquelle adhère le SCIR. Néanmoins, SCIR et JAC se retrouvent autour d'une volonté essentielle : l'éducation humaine du milieu rural par lui-même. Passant de l'« étape missionnaire » d'évangélisation des campagnes à celle, « humaniste » (Houée, 1972b, p. 14-20), de la formation culturelle pour, ensuite, s'affirmer « technicienne » (Houée, 1980, p. 6-25) dans des campagnes qui se modernisent, la JAC fut un mouvement massif d'éducation, d'auto-formation humaine, morale et technique du milieu rural alors à dominante agricole.

À la base de ces deux mouvements d'Action Catholique, mouvements dont nous verrons les influences respectives sur la constitution d'une « idéologie éducative » en Maison familiale, un substrat idéologique commun : le catholicisme social. Un catholicisme social qui, à la fin du XIXᵉ, se confronte selon ses différentes sensibilités à « la question sociale » (Mayeur, 1995, p. 489-497) que pose la société industrielle émergeante et son cortège d'inégalités, d'exploitations humaines et de laissés-pour-compte du progrès technique. Un catholicisme social dont la charte fut sans nul doute l'encyclique *Rerum Novarum* du pape Léon XIII. Fondant, par sa parution le 15 mai 1891, la doctrine sociale de l'Église qui donne aux catholiques un cadre et un droit moral pour leurs actions publiques, *Rerum Novarum* se voit confirmée en 1892 par la « Lettre aux Français ». Il s'agit là d'une autre encyclique de Léon XIII

---

4. Jeunesse agricole catholique.
5. Association catholique de la jeunesse française.
6. La JAC, contrairement à l'idéal corporatiste organique (la famille – la profession – la terre) d'une contre-société rurale, ne conçoit pas un développement du milieu rural hors du monde mais dans le monde. Par ailleurs, pour la JAC, la prise en charge du développement du milieu rural ne saurait être confisquée par et pour une élite d'individus éclairés. Cela reste avant tout l'affaire d'une élite « de et dans la masse ».

qui autorise les catholiques de France à accepter la République et à participer aux affaires d'ici-bas. Sur le plan politique, l'Église a fait son choix en cette première moitié de la Troisième République. Ce sera un candidat du Ralliement, Albert de Mun (Levillain, 1983), qui marquera la scission de l'Église avec l'élite rurale et qui assurera la défaite du candidat royaliste de l'aristocratie. Est ainsi légitimée la tendance la plus modérée du catholicisme social. Représentée par de Mun et L'ACJF, elle « cherche dans la foi chrétienne la base nécessaire de toutes les institutions et mesures sociales, préconise un réformisme social qui se préoccupe moins de renverser l'ordre établi que de l'aménager par une multitude de projets sociaux, d'œuvres d'assistance, d'organismes économiques, de syndicats et de mutuelles, toujours rattachés à leur source religieuse » (Houée, 1972b, p. 90). D'une religion théocentrique, fidéiste, faite de soumission, le champ religieux intègre progressivement un nouveau schéma, plus social, liant par l'action et l'engagement les champs profane et religieux. La dimension religieuse est ainsi, dans un but apostolique, systématisée à toutes les dimensions – culturelle, économique, civique et professionnelle – d'une vie sociale désormais faite d'engagements temporels. Telle sera l'éthique de l'Action catholique regroupant l'ensemble des organismes catholiques laïcs créés à partir de 1925, à la demande de Pie XI, pour collaborer à l'action apostolique. Comme le résume Edgar Morin avec son sens habituel de la formule, désormais « l'Église veut remplacer le fidèle par le croyant militant. Elle veut réveiller la foi endormie sous l'observance et l'action endormie sous l'obéissance. […]. Elle [la foi] doit transformer le chrétien en missionnaire dans le monde moderne, c'est-à-dire en militant d'une vérité qui irriguera tous les domaines de la vie sociale. Le principe réactionnaire où le devenir apparaît comme une dégradation est abandonné. Il n'y a pas seulement reconnaissance du fait accompli, mais aussi adhésion à l'évolution. Une révolution copernicienne s'est opérée dans l'anthropo-cosmologie catholique : ce n'est plus le monde qui doit tourner autour de l'Église, c'est l'Église qui doit tourner autour du monde. » (1967, p. 295.)

Le SCIR de l'abbé Granereau participait bien de cette systématisation du religieux aux actes profanes. Son programme visait à « collaborer à la formation de l'âme paysanne en l'imprégnant des principes chrétiens jusque dans les détails de la vie professionnelle et en la libérant ainsi de ses erreurs » (Granereau, *op. cit.*, p. 230). Il était clairement précisé dans les statuts du SCIR que :

> « Art. 2 – Le but principal de cette création est de donner aux jeunes paysans une formation intellectuelle, professionnelle, complétée par une formation sociale, morale et religieuse, afin que parmi eux puissent se lever les chefs vraiment paysans dont l'agriculture a besoin. » (*ibid.*, p. 235.)

Une formation chrétienne de la personne globale, certes, mais dans laquelle primait le souci, constamment affiché, de voir émerger, « se lever les chefs vraiment paysans ». L'éducation en Maison familiale se justifiait parallèlement par un discours social éminemment élitiste et corporatiste. Le but avoué était bien de former des chefs[7] selon des modalités très spécifiques :

> « LE CHEF DE JEU.
>
> Arrivant en récréation, je leur dis : "Mes enfants, je n'aurai pas le temps de m'occuper de vous pendant les récréations. Je n'aurai que ce temps pour dire mon bréviaire. Il faudra pourtant bien vous amuser pour pouvoir bien travailler. Nous nommerons chaque jour un chef de jeu. Vous le serez à tour de rôle. Ce que le chef de jeu décidera, vous le jouerez. Même si cela ne vous plaît pas, vous jouerez tout de même. Mais le soir, nous le jugerons. Si vous n'avez pas été contents, alors vous lui passerez la salade. "
>
> [...] Il est donc possible, avec un nombre d'élèves suffisant, de créer un ensemble de fonctions qui leur permette à tous de prendre des responsabilités. Grâce à ces responsabilités ce sont les élèves eux-mêmes qui vont assurer la bonne marche de la Maison.
>
> [...] Liste des fonctions :
>
> 1. chef de semaine ;
> 2. chef de jeu ;
> 3. chef de dortoir et son adjoint ;
> 4. chef d'étude et son adjoint ;
> 5. chef de cabinet ;
> 6. fournisseur de bois à la cuisine ;
> 7. servant la messe.
>
> Toutes les fonctions sont journalières, sauf celle de chef de semaine qui dure trois jours, afin que tous puissent au moins une fois remplir cette fonction.
>
> Elles sont distribuées chaque soir par le chef de semaine, d'après un roulement établi une fois pour toutes, et consignées sur le cahier de fonctions.
>
> 1. Le chef de semaine a la responsabilité générale de la bonne marche du groupe : tenue au dortoir, régulier accomplissement des fonctions, observation du règlement.
>
> 2. Le chef de jeu doit donner une vie ardente aux récréations.

---

7. Cette idée n'est en fait pas nouvelle dans l'enseignement agricole. Elle apparaît dès la première moitié du XIXe siècle au sein des colonies agricoles, institutions de formation professionnelle agricole assurant prioritairement la rééducation des jeunes délinquants. Le système du « chef de famille » y est pratiqué. Choisi parmi les « colons », un jeune élève est désigné comme « chef » et se doit de veiller très étroitement au bon accomplissement des différents travaux agricoles qui incombent aux jeunes reclus (Boulet, 1987, p. 54). Toutefois, il s'agit là d'un système d'inter-surveillance strict, qui relève beaucoup plus d'une technique de contrôle social d'une population « difficile » internée que d'une volonté élitiste de formation de chefs paysans, comme c'est le cas dans le projet éducatif de la première Maison familiale.

3. Le chef de dortoir est chargé de vider les eaux sales, de balayer le dortoir et l'escalier, d'essuyer les tables qui servent à la toilette, de remplir les brocs d'eau pour le lendemain. Il est aidé par son adjoint. Il ouvre et ferme les fenêtres aux heures convenues.

4. Le chef d'étude allume le poêle en hiver et l'entretient, ouvre et ferme les fenêtres, balaie la salle d'études, essuie la poussière. Il ne doit pas oublier de lever la tête pour enlever les toiles d'araignées, tout comme son collègue, le chef du dortoir. Il est également aidé par son adjoint.

5. Le chef de cabinet est le gardien de la propreté d'un lieu qu'on aime à trouver toujours propre en entrant. » (Granereau, *op. cit.*, p. 57, 122-123 et 237.)

Cet apprentissage, plus ou moins ludique, qui doit préparer de jeunes adolescents à leur fonction future de « chef paysan », n'est pas bien sûr sans rappeler ce qui se pratique actuellement en Maison familiale. Cependant, derrière le trait commun de services domestiques effectués pendant l'internat, diverge quelque peu la finalité éducative et, par-delà, sociale de telles actions. A la visée élitiste de la première Maison familiale a plutôt succédé ce que nous avons appelé une mystique de la prise de responsabilités et de l'engagement communautaire.

Nous retrouvons donc à travers ce rapide retour aux sources idéologiques de l'institution deux caractères essentiels de l'actuelle éducation en Maison familiale : la formation de la personne globale ainsi que sa préparation à l'engagement et à la responsabilité sociale. Fondement même du catholicisme social, cet héritage ne saurait être tout à fait complet sans la référence au moyen éducatif ou, plutôt, à la modalité d'encadrement humain qu'il implique.

Le rapport éducateur/élève ne se concevait à l'époque de la première Maison familiale que sur le mode d'une relation totale qui, elle, s'avérait assez totalitaire[8]. Rappelons que l'instigateur d'un tel mode de contrôle social fut très tôt et durablement sensibilisé au jésuitisme dont la spécificité du système de discipline scolaire faisait que « [...] l'élève des Jésuites n'était jamais seul » selon un « [...] système d'enveloppement continu. Le milieu moral qui entourait l'enfant le suivait partout où il allait ; partout il entendait exprimer autour de lui, et avec la même autorité, les mêmes idées et les mêmes sentiments » (Durkheim, 1969, p. 297). Jacques Bonniel, quant à lui, parle, avec justesse, d'un modèle d'éducation conventuelle[9] (1982, p. 20-33) qui s'imposait aux élèves de la première Maison familiale :

– Débaptisation (le jeune est appelé par son prénom).

---

8. Au sens donné par Goffman (1968) aux institutions totalitaires comme univers spécialisés dans le gardiennage des hommes et le contrôle totalitaire de leur mode de vie.

9. Ce qui n'est point étonnant lorsque l'on sait que, d'une manière générale, « la discipline scolaire provient de la discipline ecclésiastique ou religieuse ; elle est moins ins-

– Direction spirituelle (pratique de la confession, examen de conscience[10]).

– Silence (en étude, dans le dortoir et durant la messe quotidienne).

– Obéissance avec dressage du corps (durant les repas et les rituels religieux).

– Discipline (sous le regard de Dieu et par une auto-surveillance des élèves[11]).

On est donc assez loin ici de ce que nous avons appelé une « relation totale » pour qualifier le modèle d'encadrement des élèves actuellement développé dans les Maisons familiales. La rupture avec un système éducatif conventuel fut en fait consommée très tôt. Plus largement, s'amorça puis se confirma dès 1945 la décléricalisation des Maisons familiales. Critiqué par les familles pour sa direction spirituelle et l'orientation par trop religieuse de son action éducative, Granereau se vit supprimer son poste d'aumônier général à l'Union nationale des Maisons familiales et dut renoncer à toute fonction directoriale. La décision de laïciser l'institution fut officiellement arrêtée et approuvée lors de l'assemblée générale extraordinaire des Maisons familiales réunie le 24 novembre 1945 et regroupant déjà les représentants de 23 départements. Il y était clairement notifié que :

> « Les familles peuvent avoir recours au prêtre ou au pasteur pour la formation morale et religieuse des jeunes catholiques ou protestants dont les parents expriment le désir qu'ils reçoivent cette formation. En aucun cas le Ministre du Culte ne peut être le Directeur de la Maison Familiale et y résider. [...]
>
> L'orientation prise par le Mouvement nous oblige à supprimer le poste d'Aumônier Général existant jusqu'à ce jour. Le Bureau entend conserver la collaboration éclairée de notre cher Fondateur, dont l'action persévérante fut et reste à la base de notre développement. » (*Le Lien*, n° 3, janvier 1946, p. 2-3.)

Peut-on parler ici d'un juste retour des choses puisque depuis 1941 les Maisons familiales avaient opté pour un statut d'association fami-

---

trument de coercition que de perfectionnement moral et spirituel, et elle est recherchée pour son efficacité, parce qu'elle est la condition nécessaire du travail en commun, mais aussi pour sa valeur propre d'édification et d'ascèse » (Ariès, *op. cit.*, p. 373).

10. Une action éducative « plus personnelle, mieux appropriée à la personnalité de chacun » qui doit, là encore, énormément au modèle jésuitique où ladite action « était d'autant plus pénétrante qu'elle savait mieux s'adapter à la diversité des natures individuelles, qu'elle connaissait mieux les ouvertures par où elle pouvait se glisser et s'insinuer dans les cœurs » (Durkheim, *op. cit.*, p. 297).

11. Qui n'est pas, là non plus, sans rappeler ce qui se pratique aujourd'hui en Maison familiale, notamment dans l'organisation des tâches domestiques en internat : « *Les élèves se prennent au jeu, ils font leur propre planning.* [...]. *On fait confiance à 90 %, on n'intervient pas.* » (Voir Deuxième partie.)

liale loi 1901 qui permettait au Secrétariat d'État à la Famille de défendre leurs intérêts auprès des pouvoirs publics ? Toujours est-il que par cet acte sans appel des familles s'achevait ici l'influence de Granereau et du SCIR.

La filiation des Maisons familiales avec la JAC fut, par contre, beaucoup plus évidente et surtout plus durable. En effet, l'institution scolaire a été l'une des cibles privilégiées du mouvement jaciste (Durupt, 1960, p. 301-305) dans son travail de systématisation du domaine religieux à toutes les dimensions d'une vie sociale à transformer. À l'origine de nombreuses créations d'établissements – en particulier dans l'ouest de la France, première région d'implantation (en nombre de militants) de la JAC à son point culminant en 1954 – qu'ils administrèrent, les militants de la JAC trouvèrent là un média essentiel dans leur action de prise en charge de la formation professionnelle et générale de la petite et moyenne paysannerie catholique. Les Maisons familiales représentaient l'ouverture d'une troisième voie au sein d'une offre scolaire agricole qui, jusqu'alors, était âprement partagée entre l'emprise d'un clergé conservateur et celle d'un État républicain plus attentif, semble-t-il, dans son enseignement à la conversion idéologique des campagnes (Grignon, *art. cit.*) qu'à une véritable prise en charge éducative du milieu rural.

Ainsi, Jacques Ferte, président du MFR[12], accédait en 1945 à la vice-présidence de l'Union nationale des Maisons familiales, tandis que M. Nové-Josserand, ancien haut responsable de la JAC, en assurerait la présidence jusqu'en 1968. Localement, les présidences et directions des établissements furent massivement investies par d'anciens militants ou sympathisants du mouvement d'Action catholique. Cette situation fut particulièrement marquée en Ille-et-Vilaine, département où les Maisons familiales virent dans leur quasi totalité d'anciens responsables jacistes de secteur (village), de fédération (département), voire de région, parvenir à la direction et à la présidence d'établissements. Les instances fédératives connurent elles aussi cette dynamique d'engagement. Citons, entre autres exemples, le créateur et directeur de la Fédération départementale des Maisons familiales d'Ille-et-Vilaine (en poste de 1967 à 1990) qui milita à la JAC puis au MFR.

Relevons aussi que bon nombre de moniteurs de Maisons familiales participaient à la formation agricole dispensée au sein des CETA[13] et des GVA[14], structures de formation technique non scolaires qu'animaient, voire dirigeaient, en majorité d'anciens militants de la JAC devenus militants du MFR. D'autre part, il arrivait assez fréquem-

---

12. Mouvement familial rural, la branche « adultes » de la JAC.
13. Centre d'études techniques agricoles.
14. Groupe de vulgarisation agricole.

ment que les Maisons familiales mettent leurs locaux à la disposition du mouvement d'Action catholique pour ses journées de formation ou ses soirées d'animation culturelle. On comprend alors que beaucoup de jeunes militants rencontrèrent l'institution par cette coopération entre les deux mouvements, coopération qui permettait d'assurer une certaine reproduction idéologique à la tête des Maisons familiales. En effet, la plupart des jeunes moniteurs, qui accédèrent par la suite à une direction d'établissement, se recrutaient parmi la catégorie des mutants agricoles. Enfants d'agriculteurs ne pouvant prendre la succession de l'exploitation familiale [15], ils trouvèrent à la JAC à la fois une réflexion collective et une structure institutionnelle rendant possible et acceptable leur « expulsion » du secteur professionnel de la production agricole. Soucieuse de la formation des agriculteurs mais aussi clairvoyante quant au devenir de l'agriculture, la JAC fut également à l'origine de l'IFOCAP [16], institut de formation accélérée et approfondie destiné aux cadres de l'agriculture. L'IFOCAP intégra « la promotion sociale [17] » en agriculture, permettant ainsi aux mutants agricoles d'obtenir des certificats de formation de technicien agricole, diplôme équivalent au BTS actuel et dont le niveau autorisait la conversion professionnelle du secteur de la production agricole vers celui des services, secteur auquel se rattache l'enseignement agricole. Il n'est pas étonnant, à l'époque, que nombreux furent ces mutants agricoles qui investirent l'enseignement en Maison familiale. Retrouvant ici l'idéologie éducative et ruraliste de leur militantisme à la JAC, ils assumaient aussi aux moindres coûts – psychologique ou financier – une expulsion du milieu d'origine [18].

Nous parlons là d'une époque qui recouvre la période d'existence de la JAC, de 1929 à 1961. Une période d'intense activité militante qui a donné aux Maisons familiales deux générations de responsables dont la présence dominante au sein de l'institution s'affirmait il y a encore une dizaine d'années. La nouvelle génération de jeunes dirigeants, qui tend actuellement à se substituer à l'ancienne, n'a donc pas connu le mouvement d'Action catholique. Cependant, et sans toujours avoir

---

15. Soit pour une question de règle successorale attribuant la direction de l'exploitation à l'aîné des garçons au sein de la fratrie, soit pour une question de non viabilité de l'exploitation.

16. Institut de formation des cadres paysans.

17. La loi du 31 juillet 1959 instaurait les dispositions relatives à la « promotion sociale » en mettant « à la disposition des travailleurs des moyens de formation et de perfectionnement propres à faciliter leur accès à un poste supérieur ou leur réorientation vers une nouvelle activité ». Parmi ces moyens figuraient les stages en centres de formation, dont l'IFOCAP en agriculture.

18. Notons actuellement qu'en Ille-et-Vilaine, 11 directeurs de Maison familiale de base sur 12 sont issus de parents agriculteurs (source : Fédération départementale des Maisons familiales rurales d'Ille-et-Vilaine).

conscience de la filiation, elle applique et défend à travers son action éducative un savoir-faire technique et un savoir-être moral directement inspirés du projet et des techniques de formation élaborés par la JAC.

Pédagogie d'avant-garde s'il en est, le programme éducatif du mouvement d'Action catholique était tout entier contenu dans son fameux slogan : « Voir-Juger-Agir ». « Voir » signifie pour le militant l'observation attentive de la réalité dans laquelle il vit quotidiennement ; une réalité notamment professionnelle et familiale qu'il doit par lui-même découvrir. « Juger », c'est être alors capable de se poser des questions à partir de ces faits observés. Enfin, « Agir » ouvre sur les actions concrètes de transformation sociale, qui permettent la prise d'initiatives et de responsabilités. Ce que Bertrand Hervieu et André Vial nomment « mystique de la transformation par l'initiative d'un milieu donné, mystique qui consiste à connaître son milieu, à en saisir les aspirations puis à vouloir le faire avancer sans se couper de lui » (1972, p. 300), n'est pas bien sûr sans rappeler la démarche de l'« alternance » pratiquée en Maison familiale. Le primat d'une connaissance pratique, de terrain, y est revendiqué. Cette propédeutique à la réflexion théorique, à la connaissance intellectuelle proprement dite qui doit succéder à l'exercice canonique qu'est l'étude du milieu, ne prend sens, pour finir, que dans la perspective d'une pédagogie active et de l'immanence – être acteur de sa propre formation – qui se double d'une « mystique de l'engagement et de la prise de responsabilités ». Cette homologie de principes éducatifs étant posée, on ne peut ensuite qu'être frappé par la profonde similitude qui existe entre les deux pédagogies, similitude perçue à travers leurs techniques et outils éducatifs respectifs (voir tableau).

Cahier d'exploitation ou d'entreprise en Maison familiale (= plan d'étude)	Stages de culture générale à la JAC
Phase 1 : élaboration en Maison familiale d'un questionnaire portant sur une activité dans laquelle l'élève est engagé. Encadrement par un moniteur.	Phase 1 : travail collectif de préparation d'une grille d'observation autour d'un sujet devant relever du milieu de vie des militants. Encadrement par un responsable d'équipe et un aumônier.
Phase 2 : observation et interrogation des adultes en milieu de vie à l'aide du plan d'étude.	Phase 2 : visites et enquêtes des militants au sein de leur village.
Phase 3 : de retour en Maison familiale, travail de réprécision des problèmes rencontrés et de présentation-expression avec le moniteur et le groupe.	Phase 3 : mise en ordre des résultats obtenus, synthèse des observations fragmentaires examinées en équipes et travail d'expression.
Phase 4 : les travaux personnels sont mis en commun, confrontés, échangés avec l'ensemble de la classe par des exposés oraux.	Phase 4 : un rapporteur est désigné par chaque équipe pour une mise en commun générale des observations récoltées.

Enfin, l'homologie ne saurait être complète sans évoquer de part et d'autre les visites d'études (les « journées d'études » à la JAC portant sur des sujets précis : formation ménagère, aviculture, etc.), les conférences d'intervenants extérieurs, les voyages d'études et les veillées. Ce sont là autant de techniques et d'outils éducatifs qui, à la JAC, répondaient à ce « souci d'éducation globale, de réalisation de l'homme complet » selon quatre axes principaux :
– La vie culturelle.
– La vie affective.
– La vie de travail.
– La vie sociale, civique (Durupt, *op. cit.*, p. 27-28).

La doctrine jaciste, et plus largement l'idéologie de l'Action catholique et du catholicisme social, a donc durablement marqué de son empreinte le projet éducatif des Maisons familiales. Les traits les plus saillants de cette filiation apparaissent sans nul doute à travers les caractères actif – dont la prise de responsabilités et l'engagement – et immanentiste de la pédagogie institutionnelle qui se double d'une conception holiste de l'homme et de sa formation. Maintenant, il est évident que la rencontre entre la JAC et les Maisons familiales doit quelque chose à la commune fonction d'éducation populaire que se sont assignés les deux mouvements ainsi qu'à la captation d'un public majoritairement d'origine agricole et largement exclu du système scolaire dominant (Brangeon et Jégouzo, *op. cit.*, p. 17-90 ; Grignon, *art. cit.*, p. 75-78, 80 et 96).

La variante personnaliste

Bon nombre de sociologues s'étant intéressés à la JAC s'accordent à dire dans leurs recherches que le mouvement d'Action catholique fut bien moins, dans son action globale, l'exécutant d'une ligne idéologique clairement définie, que l'expression d'un empirisme pragmatique. Roger Le Guen note ainsi que « la JAC n'est pas une organisation dont les finalités ont toutes été consciemment vécues, généralement partagées ou harmonieusement structurées ; elle n'est pas plus instigatrice ou victime d'un complot historique. Ses raisons d'être, de penser et d'agir sont dans un ensemble de forces, une conjonction d'acteurs, de mécanismes et de stratégies qui paraissant après coup relativement rationnels étaient à l'époque vécues comme des luttes, comme des prises de risques (parfois folles) ; en tout cas toujours comme la participation à une époque dont les protagonistes étaient loin d'avoir une conscience claire et entière » (1980, p. 84). Dans le même ordre d'idée et autour de la question de l'identification de la JAC à un mouvement de lutte des classes, Yves Lambert précise que : « à la différence du mouvement ouvrier, il s'agissait d'une série d'enchaînements plus que d'une stratégie prédéfinie, d'une lutte éparpillée et multiforme plus que d'un combat ouvert et direct, ce qui d'ailleurs, en a longtemps voilé la portée réelle aux yeux de ses futures victimes » (1980, p. 35). Abondant encore dans ce sens, Bertrand Hervieu et André Vial insistent sur le fait que « parler d'idéologie au sujet de la JAC peut surprendre : le mouvement n'a pas, de façon explicite, connu de maîtres. Il s'est orienté assez empiriquement souvent, en fonction de sa fidélité à la connaissance des hommes en situation et à l'Évangile » (*art. cit.*, p. 298). Toutefois, les deux auteurs vont évoquer un peu plus loin la filiation de la JAC avec le « personnalisme » chrétien d'Emmanuel Mounier[19], doctrine lue et véhiculée par les aumôniers du mouvement et par certains militants (*ibid.*, p. 298-300).

À bien des égards en effet, *Le Personnalisme* d'Emmanuel Mounier (1967) s'incarne dans la *praxis* jaciste, elle-même déposée au sein de l'idéologie éducative des Maisons familiales.

Cultivant, tout comme la JAC, une certaine mystique du peuple et un messianisme de la jeunesse, Mounier fut, plus fondamentalement, l'un des plus éminents représentants de ces « non-conformistes des années trente » (Loubet del Bayle, 1969) que rassemblaient de multiples mouvements[20] de jeunes écrivains et essayistes. Tous avaient en commun une volonté de transformation – idéologique et politique – profonde d'une société alors jugée comme étant sclérosée – selon la thématique du « désordre établi » (*ibid.*, p. 183-267) – par les méfaits d'un libéralisme de droite et d'un collectivisme de gauche. Participant activement avec « Esprit » à cette tentative de renouvellement doctrinal de la pensée sociale, Mounier entendait, à travers la « révolution spirituelle » (*ibid.*, p. 290-301) qui s'imposait, restaurer et édifier le primat spirituel de « la puissance créatrice de l'homme et de l'esprit » (*ibid.*, p. 296) dans un engagement temporel : « C'est, disait-il, la rigueur de notre époque que les problèmes temporels s'y posent au premier plan. […]. Le monde est en panne. L'esprit peut seul remettre en marche la machine, il se trahit s'il s'en désintéresse. C'est pourquoi notre volonté s'étend jusqu'à l'action. » (Mounier, 1932, p. 21.) Pour Mounier, donc, « la révolution économique et sociale était alors indissociable d'une conversion intérieure » (Loubet del Bayle, *ibid.*, p. 149) où « la primauté des valeurs spirituelles » (*ibid.*, p. 296), « liberté créatrice de l'homme » (*ibid.*, p. 301), devait s'incarner dans « la recherche des révolutions temporelles qu'elles imposent » (*ibid.*, p. 140). Primat de l'intériorité créatrice – et libératrice – de l'homme et investissement du spirituel dans le temporel : autant de thèmes communs au catholicisme social et à la JAC dont, par filiation interposée, nous retrouvons

---

19. Qui fut, dans sa jeunesse, membre de l'ACJF.
20. Dont, notamment, celui organisé autour de la revue « Esprit » que dirigea Mounier de 1932 à 1940.

la présence au sein de la pensée éducative des Maisons familiales ; autant de thèmes qui constituent les fondements théoriques d'une philosophie « personnaliste » qui, en germe durant ces années de « révolution spirituelle », sera quelques années plus tard systématisée par Mounier.

Ainsi, envisagée par Mounier, la personne, « activité vécue d'auto-création, [...] qui se saisit et se connaît dans son acte » (*op. cit.*, p. 8), procède de cette expérience intérieure qui ne vaut comme affirmation d'une existence libre et créatrice que par un engagement temporel actif et responsable de « la personnalité totale [...] indissolublement liée à un corps et à une histoire, appelée par un destin, engagée dans cette situation par tous ses actes » (*ibid.*, p. 92). Cette dialectique du spirituel et du temporel par laquelle émerge la personne, intériorité libre et créatrice qui ne prend forme que par son rapport actif au monde, théorise l'engagement séculier propre au catholicisme social. Elle évoque sans ambages le pragmatisme et la mystique jacistes de la responsabilité – selon le slogan « Voir-Juger-Agir » – qui s'adressent à la personne totale, relayant encore en cela le personnalisme comme « philosophie de l'homme total » où « l'homme comme personne est à envisager dans toutes les dimensions de sa réalité existentielle » (Loubet del Bayle, *op. cit.*, p. 344-345). Une telle dialectique rejaillit enfin dans cette conception immanentiste et active de la pédagogie et de l'élève en Maison familiale qui tend à rendre l'élève acteur de sa propre formation – technique et morale – par le rôle premier accordé à l'expérience pratique. Notons encore que cette expérience intérieure et spirituelle personnaliste, issue d'une relation intime et personnelle à Dieu, admet une dimension singulière de la personne. Une dimension qui est présente dans le suivi personnalisé de l'élève développé en Maison familiale où la « *Personne* » peut se définir ainsi :

> « LA PERSONNE.
> Nous croyons que l'Homme est premier, que la personnalité se construit à travers les actes de la vie ; nous voulons promouvoir une éducation qui :
> – fait confiance aux valeurs humaines ;
> – prend en compte l'ensemble des dimensions de la personne,
> – responsabilise et rend l'Homme autonome et créateur de son avenir,
> – place la promotion de l'Homme au-dessus de toute autre exigence. » (*Des convictions : racines pour le futur*, document des Maisons familiales rurales.)

Enfin, donnée élémentaire de l'expérience, la communication crée la personne dans une perspective sociale éminemment communautaire et altruiste. Comme le souligne Mounier, « la personne ne croît qu'en se purifiant incessamment de l'individu qui est en elle. Elle n'y parvient pas à force d'attention sur soi, mais au contraire en se faisant disponible, et par là plus transparente à elle-même et à autrui. Tout se passe alors comme si n'étant plus occupée de soi, pleine de soi, elle devenait, et alors seulement, capable d'autrui, entrait en grâce. [...]. Ainsi, le premier souci de l'individualisme est de centrer l'individu sur soi, le premier souci du personnalisme de le décentrer pour l'établir dans les perspectives ouvertes de la personne. [...]. Par expérience intérieure, la personne nous apparaît aussi comme une présence dirigée vers le monde et les autres personnes, sans bornes, mêlée à eux, en perspective d'universalité. Les autres personnes ne la limitent pas, elles la font être et croître. Elle n'existe que vers autrui, elle ne se connaît que par autrui, elle ne se trouve qu'en autrui » (*op. cit.*, p. 37-38). C'est bien, finalement, de cet apprentissage à une vie sociale altruiste et communautaire dont s'acquitte l'internat en Maison familiale dans sa fonction d'humanisation des élèves.

La synthèse humaniste

La « *Personne* » dont parlent les Maisons familiales, nous venons de le voir, est cet « *Homme* » qui est « *premier* », « *autonome et créateur de son avenir* » et placé « *au-dessus de toute autre exigence* ». Version laïcisée d'un personnalisme chrétien, la doctrine humaniste, idéologie très polysémique (Robert, 1946, p. 11-16) et polyvalente, permet aux Maisons familiales d'opérer la synthèse non religieuse d'un *credo* éducatif.

L'humanisme est pragmatique en ce qu'il est une détermination expérimentale d'une nature humaine, libre d'esprit, qui ne se réalise comme telle que par cette dialectique de l'intériorité spirituelle et de l'extériorité temporelle : « [...] en fin de compte tout l'univers est en puissance en nous, nous avons pour tâche de le penser, de l'organiser, de l'objectiver et de le projeter hors de nous si nous voulons nous découvrir nous-mêmes et pénétrer enfin dans ce qui nous constitue essentiellement : construction de l'homme et construction du monde ne sont qu'un seul et même mouvement de l'esprit. » (Callot, 1963, p. 97.) Autrement dit, « ce qui est transformable dans l'homme changera dès qu'on aura modifié le milieu, les conditions de vie : c'est donc le milieu seulement qu'il faut s'appliquer à changer, c'est sur lui seulement que l'on peut agir. » (Robert, *ibid.*, p. 133.)

L'humanisme est unité de l'homme. Il embrasse une conception universaliste et holiste de l'être que se plaît à rappeler Fernand Robert : « L'unité humaine que nous connaissons dans le temps, directement et comme un fait, [...] voilà ce qui proprement constitue l'objet de l'humanisme. L'humanisme est une constatation de l'unité humaine dans le temps. » (*Ibid.*, p. 131.)

L'humanisme est altruisme, c'est-à-dire « mouvement vers les autres hommes » (Callot, *op. cit.*, p. 131).

L'humanisme est relativisme, ceci dans le sens d'« une acceptation, non point par doctrine, mais par méthode, de toutes les formes de pensée que l'humanité a reconnues comme siennes en les faisant survivre aux circonstances où elles furent créées » (Robert, *op. cit.*, p. 88). Belle noblesse d'esprit qui n'est pas sans fonder cette idéologie du service qui a cours en Maison familiale, notamment à travers la neutralité politique et religieuse dont se targue l'institution.

Voici donc mis au jour ce qui pourrait bien constituer le socle de l'idéologie éducative des Maisons familiales rurales : la doctrine du catholicisme social. Cependant, cette sorte de matrice doctrinale et historique, si totale soit-elle, ne suffit pas à rendre entièrement compte de la trame idéologique tissée par les Maisons familiales. L'influence de la JAC, avons-nous dit, n'a pu s'inscrire durablement dans le projet et l'action éducatifs des Maisons familiales que parce que les deux mouvements s'adressaient aussi à un public et à un milieu communs : le monde agricole de la petite et moyenne paysannerie. Ce monde, ou du moins les représentations qu'il supporte, est susceptible « à lui seul » de fournir aux Maisons familiales une seconde composante de leur nourriture idéologique.

Du corporatisme agricole au ruralisme

Nous avons vu que la première Maison familiale, placée sous la tutelle de l'abbé Granereau et du SCIR, travaillait à la construction du « bloc scolaire : familles, terres, professeurs, éducateurs, élèves » (Granereau, *op. cit.*, p. 156). Une construction dont le but, « s'appuyant sur les principes chrétiens », était « la défense des intérêts professionnels de l'Agriculture Française et spécialement d'établir un programme d'action pour restaurer, développer et maintenir la famille rurale dans le cadre de la profession agricole organisée, de constituer parmi ses membres une élite capable de se dévouer à la réalisation de ce programme » (*ibid.*, p. 226). Dénonçant dans un même élan l'« écrémage des meilleures intelligences paysannes » opéré par la ville et l'enseignement de l'État républicain, Granereau (*ibid.*, p. 22, 32, 34, 48, 133 et 185) personnifiait l'idéal d'une contre-société rurale dont le développement, autonome, doit être pris en charge par une élite indigène éclairée. Tel était le projet corporatiste originel des Maisons familiales. Il s'agissait là d'une ambition ajustée, donc, au monde agricole (Berger, *op. cit.*) et légitimée par la pensée sociale du catholicisme. En effet, l'ordre social chrétien qu'appelle de ses vœux au XIXe le catholicisme social met en demeure la société civile de se gouverner elle-même. Elle doit, pour cela, s'organiser selon la hiérarchie des « com-

munautés naturelles » : la famille, le village et la profession (la corporation). Cette « volonté organique », à laquelle répond en échos le triptyque du « bloc scolaire » de l'abbé Granereau, relève de cette pensée naturaliste de la société. Une pensée où le lien social est celui, harmonieux, des « communautés naturelles » qui, idéologiquement, se fondent sur l'analogie organiciste établie entre le corps biologique et le corps social. Une pensée qui érige traditionnellement la société en un fait de nature – contre laquelle on ne pourrait aller – dès lors difficilement conciliable avec la texture politique de la société moderne : celle idéalement égalitaire et contractuelle, *artefact* historique issu de la Révolution française – et, notamment, de la pensée rousseauiste – et dont l'État centralisateur (jacobin) représente légitimement l'instance administrative et juridique suprême. Un État auquel sont négativement associées la société urbaine et l'école publique respectivement accusées par l'abbé Granereau de « facticité » – au regard des « paysans, [qui] épanouis en pleine nature, ont une conception de la vie autrement plus réelle » – et d'« écrémage des meilleures intelligences paysannes » (*op. cit.*, p. 22 et 185) selon la version ici élitiste de la critique corporatiste agricole dénonçant la désertification des campagnes et l'exode rural. Afin de mieux cerner encore ce projet de contre-société agrarienne et anti-étatique qui accompagna longtemps l'orientation idéologique des Maisons familiales et que Jacques Bonniel qualifie de « néocorporatisme agrarien » (1982, p. 108-109), il convient, selon l'auteur, d'ajouter ces autres indicateurs :
– Refus du libéralisme, rejet du capitalisme.
– Dénonciation du collectivisme.
– Agriculture coopérative, solidaire, responsable et à structure familiale.
– Rejet du malthusianisme et promotion d'une politique familialiste.
  Concernant l'évolution du rapport des Maisons familiales avec l'État, la prétention à l'indépendance de l'institution agricole corporatiste fait un pas décisif dès 1942. Sur le plan juridique, elle quitte à cette date son statut initial de « Section d'apprentissage agricole » du SCIR pour se constituer en association de type loi 1901. Elle peut désormais se soustraire au contrôle de l'État – *via* le ministère de l'Agriculture – qui, sous le régime de Vichy, finance « La Corporation paysanne » qui regroupe alors en un syndicalisme unique tous les syndicats agricoles (Barral, 1968, p. 276-277). Moins de vingt ans après, le rapport est quelque peu inversé. La loi du 2 août 1960 « relative à l'enseignement et à la formation professionnelle agricoles » crée la procédure de la « reconnaissance ». À leur demande, les établissements privés d'enseignement agricole, dont les Maisons familiales rurales, peuvent être reconnus par l'État et bénéficier ainsi d'une aide financière. À cette reconnaissance, inaugurant – nécessité financière oblige –

le rapprochement vers l'État, succède le contrat passé avec l'État selon les lois de juillet et décembre 1984 « portant rénovation de l'enseignement agricole » et qui intègre les Maisons familiales au « service public d'éducation et de formation ». À ce processus législatif d'« étatisation » des Maisons familiales, processus qui, gommant l'un des traits saillants de la doctrine corporatiste, marque la fin de l'éloignement et du détournement volontaires de l'institution vis-à-vis de l'État, se combine depuis au moins 1950 le déclin, ou du moins la transformation très sélective, d'un secteur économique et professionnel : l'agriculture (Kayser, *op. cit.*, p. 83-145). Une tendance qui s'est particulièrement affirmée durant les années 1980-1990[21] : « Décennie de toutes les ruptures » (Hervieu, *op. cit.*, p. 27-92) pour cette même agriculture et qu'accompagnent les Maisons familiales au travers de leurs formations professionnelles (voir en introduction le tableau *Secteurs de formations/Nombre d'établissements affiliés*). Notons toutefois que ce « désarrimage agricole » est parfois progressif. Soit les nouvelles formations, de préférence orientées en direction du « tertiaire rural », se juxtaposent pour un temps à de la production agricole – souvent résiduelle en termes de filières maintenues ouvertes – au sein d'un même établissement. Soit la transition se fait plus douce lorsqu'elle passe, insensiblement, d'une production végétale à une autre tout en maintenant le rapport à la mise en culture du sol; telle pourrait être, par exemple, la logique transitionnelle de cette Maison familiale rurale horticole d'Ille-et-Vilaine :

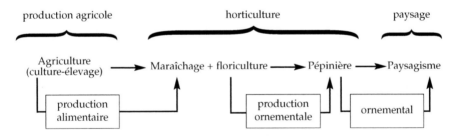

L'établissement en question a initialement démarré en 1963 sur des formations de production agricole. Dix ans plus tard s'est greffé le maraîchage. Vinrent ensuite la floriculture, puis la pépinière et, enfin, le paysagisme, amenuisant d'autant la part de la formation agricole. En 1985, l'« agriculture-production » disparaît définitivement des formations ramenées à l'« horticulture » et au « paysage ». Actuellement,

---

21. Cécile Détang-Dessendre et Mohamed Hilal relèvent pour l'étude conjointe INRA/INSEE (*op. cit.*, p. 42-43) que, entre 1982 et 1990, l'effectif des agriculteurs accuse une chute de -31 %.

ce dernier secteur, « *noblesse* » de l'activité oblige, tend à s'imposer comme la formation dominante qui réduit à son tour le maraîchage à la portion congrue, un « *travail pas très alléchant et pénible* » selon le jugement du directeur de la Maison concernée.

L'origine socio-professionnelle du public scolaire recruté (voir les tableaux en introduction) est un autre indice de cette distanciation institutionnelle avec un « tout agricole » originel.

Enfin, et selon l'ancien classement de l'INSEE[22], le recrutement géographique des Maisons familiales concerne un public d'implantation résidentielle autant rurale qu'urbaine :

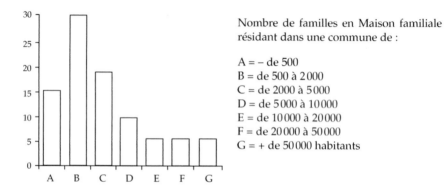

Nombre de familles en Maison familiale résidant dans une commune de :

A = – de 500
B = de 500 à 2000
C = de 2000 à 5000
D = de 5000 à 10000
E = de 10000 à 20000
F = de 20000 à 50000
G = + de 50000 habitants

Nombre d'habitants dans la commune. (Enquête de l'Union nationale des Maisons familiales rurales, février 1995.)

Ces quelques indices (« étatisation », formations professionnelles, origines socio-professionnelles et aires géographiques du public scolaire recruté) tendent à dessiner les contours de réalités plus ou moins objectives qui inscrivent assez clairement les Maisons familiales hors de leur caractère agricole originel et exclusif. Des réalités diluées dans une ruralité qui, à défaut généralement de présenter une véritable consistance substantielle clairement définie (Kayser, *op. cit.*, p. 11-13 ; Sanselme, 2000b), sonne ici pour les Maisons familiales le glas d'une identité strictement agricole. Rapportées aux représentations collectives institutionnelles, il se pourrait bien alors que ces réalités objec-

---

22. Un classement qui désigne comme communes périurbaines celles appartenant à des zones de peuplement industriel et urbain (ZPIU) et dont la population peut varier de 2000 à 20000 habitants. Valable jusqu'en 1996, cette classification cède ensuite la place à un nouveau découpage de l'INSEE faisant état de zonages en aires urbaines (ZAU). Ceux-ci doivent compter un minimum de 8000 à 10000 habitants et offrir au moins 5000 emplois. Ce dernier paramètre étant absent de l'enquête de l'Union nationale des Maisons familiales menée en 1995, nous nous en tenons donc, pour notre mesure du recrutement géographique des Maisons familiales, à l'ancienne ZPIU de l'INSEE.

tives s'assimilent et s'assument en Maison familiale autour d'un travail de remaniement idéologique qui, par la dialectique agrarisme/ruralisme, offre à l'institution les conditions à la fois de sa pérennité et de son changement identitaires. Peut-être moins représentatif d'une idéologie éducative en Maison familiale en termes de savoir-faire techniques et de savoir-être éthique, ce passage du corporatisme agricole au ruralisme – selon une acception toujours très fluide et ouverte – révèle toutefois, à travers les représentations qu'il mobilise, un point nodal de la construction de l'identité collective institutionnelle.

La ruralité est peut-être avant toute chose pour les Maisons familiales l'inscription dans une histoire institutionnelle agricole et le rappel récurrent du mythe fondateur : à l'origine de l'institution était le « *milieu agricole* », milieu engagé et militant pour la cause paysanne. C'est bien, selon la métaphore horticole convoquée par le directeur de la Fédération des Maisons familiales d'Ille-et-Vilaine, « *dans ce terreau-là qui est spécifique* » qu'« *ont germé* » les établissements.

Au-delà de cette cosmogonie agricole, la ruralité en Maison familiale est aujourd'hui synonyme de micro-monde, de communauté ou de *Gemeinschaft* identifiable – et donc support d'identification – sous la forme première et « matérielle » d'une territorialité. Réalité géographique d'une « *zone* », d'un « *milieu* », d'un « *espace* », d'un « *lieu* », d'un « *territoire* » d'implantation, aime-t-on à le rappeler en Maison familiale, le rural exprime aussi cet « *espace privilégié* » dont la charge symbolique ne saurait se réduire à une seule lecture topographique. Autrement dit, la territorialité, donnée première et immédiate car empiriquement appréciable, ne se suffit pas à elle-même. Il s'y investit bon nombre de représentations sociétales et « anthropologiques » qui contribuent à la réification, plus ou moins idéalisée, de la ruralité. Le rural est ainsi cette communauté humaine aussi identifiée comme socialement (et professionnellement) homogène :

> « "Rurale" c'est la notion de milieu. C'est des gens de même… ou d'origine socio-professionnelle relativement proche qui se retrouvent, s'apprécient. » (Directeur de Maison familiale rurale.)

Un processus d'identification certes quelque peu sommaire, mais qui est révélateur d'une représentation visant l'unité d'un monde. Univers de semblables, le rural désigne ce groupe humain caractérisé par sa forte sociabilité, son « *réseau de relations de proximité* » qui est à même de développer un véritable « *sens des solidarités* » et, au total, d'instaurer « *la richesse d'un rapport aux autres* ». À cette communion dans la « *fraternité* », la « *communication* » et l'inter- « *connaissance* », communion qui fonde ce que l'on n'hésite pas appeler en Maison familiale une « *unité culturelle* », s'ajoute la maîtrise d'un destin social commun dans la prise en charge éducative du milieu par lui-même :

« "Rurale", c'est des personnes qui se retrouvent aussi dans les aspects éducatifs qui permettent à l'individu de grandir et d'assurer son propre développement. "Rurale" c'est la promotion de l'individu par le milieu. Je crois que c'est tout le monde paysan qui doit assurer sa propre promotion. » (Directeur de Maison familiale rurale.)

Une auto-éducation du milieu rural – on reconnaîtra là, la thématique de la JAC – à laquelle, bien évidemment, se doivent de participer les Maisons familiales :

« Les Maisons familiales sont implantées dans le milieu rural et pour le milieu rural. Elles sont au service du milieu rural. Elles ont été créées par le milieu rural. La Maison familiale est très engagée dans un milieu. Elle crée une dynamique de développement. Elle permet l'expression à un mouvement associatif. Les gens peuvent s'engager, prendre des responsabilités. Si la Maison familiale a participé pendant un certain temps au développement du milieu rural, il faut qu'elle continue. » (Directeur de Maison familiale rurale.)

Enfin, la ruralité c'est peut-être aussi une moralité et une psychologie collectives « indigènes » qui sont célébrées à travers le mythe du (bon) sens pratique paysan :

« En milieu rural, il reste une valeur qui peut-être [ailleurs] se perd. On trouve peut-être plus de gens qui sont plus moraux, plus simples, plus honnêtes. Parce qu'en général, le campagnard est peut-être moins… "business", moins "entourloupe"… que ne peut l'être le citadin. » (Directeur de Maison familiale rurale.)

« Au conseil d'administration on a certains agriculteurs puisqu'on avait une identité agricole il y a plusieurs années. Donc on a gardé certains doyens, des sages au sein du conseil qui sont de profession agricole. Ils ont toujours une démarche philosophique qui est très bonne et une analyse que je juge très saine. Si on prend vraiment le doyen qui est à l'origine de l'association, il est important d'avoir ce que j'appelle son bon sens. Autant on peut avoir, nous, un peu de fougue et un peu de réactions violentes ou négatives à certains propos, autant eux, les doyens, sont toujours là pour ramener un petit peu les choses au calme en disant : "Attention! À telle période nous avons vécu telle situation, nous avons pu passer parce que nous avons pris telle philosophie." C'est la question du bon sens.
– Ceci serait d'autant plus nécessaire que vous êtes l'un des rares responsables en Maison familiale à ne pas être issu du monde agricole.
– C'est vrai et je me rends compte lors d'assemblées générales qu'on n'a pas du tout les mêmes origines.
– Cela vous pose-t-il parfois problème ?
– Jamais, non, en aucun cas. J'aime bien le milieu agricole puisque c'est un milieu de bon sens. Ce sont des gens qui ont un très bon recul, une très bonne réflexion d'ensemble. » (Président de Maison familiale rurale.)

Transposée au caractère du public scolaire que les Maisons familiales se proposent de former, cette « psychologie rurale » (Duffaure et Robert, 1955, p. 1), pour reprendre les termes mêmes du premier inspecteur de l'Union nationale des Maisons familiales, est représentée ainsi :

> « La population purement urbaine quand elle venait chez nous auparavant, [mêlée] avec des jeunes du milieu purement rural, elle s'intégrait à eux facilement. C'était plus facile compte tenu qu'ils n'étaient pas une majorité. Même s'ils avaient des propos un petit peu violents ou des comportements typiquement de la ville, ça ne se voyait pas. Disons que dans le groupe, en fait on s'apercevait qu'ils s'amélioraient. Ils revenaient à des choses plus… calmes, plus près de la campagne. Aujourd'hui c'est l'inverse. Aujourd'hui les élèves que j'appelle des élèves "purement Maison familiale" (on dit ça entre nous des fois : "ça c'est un élève qui est typiquement Maison familiale"), c'est l'élève qui… a une pureté, quoi, derrière. C'est peut-être fort ce que je vais dire là, mais qui a une pureté, c'est-à-dire qu'il n'a pas encore été… "pollué" par les médias, par le comportement en ville. Déjà entre eux, en ville, ils sont quand même assez violents. Donc ça, [les "élèves typiquement Maison familiale"] ils ne connaissent pas. Alors ça, c'est le jeune typique comme on le connaissait il y a quelques années, mais c'est une minorité maintenant. Ce qui veut dire que quelquefois, ces jeunes-là ne comprennent pas le comportement des autres. Donc notre rôle c'est de pouvoir faire cohabiter en même temps des gens qui ont des valeurs complètement différentes, une façon de vivre différente, des respects totalement différents les uns par rapport aux autres. Je vois, par exemple, des jeunes qui arrivent des villes, tout juste ils arrivent et ils te tutoient, des trucs comme ça, quoi. Pour eux c'est naturel. Alors que quelqu'un qui serait plus de la campagne, bon ben non, c'est pas la même façon d'aborder. En fait c'est par rapport à tout ce comportement qu'on a le plus de mal. Les jeunes, ils ne sont pas respectueux les uns par rapport aux autres. En ville, c'est un peu ça aussi. C'est un peu dur entre eux. Alors qu'en campagne, s'il y a quelqu'un qui a du mal, tout le monde est là pour le soutenir. » (Directeur de Maison familiale rurale.)

« *Pureté* » des jeunes ruraux que la rencontre avec la violence et l'irrespect urbains risque de dénaturer, de pervertir ou de « *polluer* », la psychologie rurale se décline encore autour du (bon) sens pratique paysan :

> « Il y a une différence très nette entre les ruraux, des fils d'agriculteurs, et puis les autres.
> – Une différence de quel ordre ?
> – Une différence dans… le sens du travail, dans l'idée du métier. Il y a toujours des exceptions, bien sûr, mais les urbains sont plus des rêveurs ! Ils n'ont pas touché, ils n'ont pas exercé manuellement (sans parler de travailler la terre). Je dirais que les fils de la campagne, d'agri-

culteurs, ont été associés plus ou moins à des travaux manuels. Un exemple : la première année, la première semaine vous leur mettez à ces jeunes de la ville un outil, un manche, et vous donnez le même manche aux gens de la campagne. Le gars de la campagne va savoir quoi en faire, lui. Il va savoir par quel bout [rire de l'enquête]!... Bon, j'exagère un peu mais ce sont deux mondes différents. Et alors en stage, les gens de la ville ont beaucoup de mal à s'adapter.
– Vraiment ?
– Ah oui ! Ils s'écoutent davantage. Est-ce que c'est lié au confort ?... Est-ce que c'est lié à la culture de la ville, à la vie à la ville ?... Alors les maîtres de stage, quand on se met en rapport avec eux, on dit : "Voilà, on a quelqu'un à vous proposer, ses parents sont en ville", et on a comme une petite réticence : "Ah ? J'aurais préféré un gars de la campagne". Donc lorsqu'on met comme ça un jeune en première année, si c'est un gars qui débarque parfois de la ville, qui descend de son HLM, il n'a jamais touché un outil. » (Directeur de Maison familiale rurale.)

Affleure ou se donne beaucoup plus explicitement à voir dans ces discours la référence dépréciative au monde urbain, à sa mentalité « *business* », à son non-sens pratique ainsi qu'à ses valeurs ou comportements corrupteurs d'une « *pureté* » rurale. On retrouve bien là cette vieille altérité négative qui réactive la toute aussi vieille célébration politique et littéraire des vertus paysannes face aux « classes laborieuses et dangereuses » de la ville perverties par les nouvelles fractions – dont la bourgeoisie d'affaires – nées de la Révolution et de l'Empire (Boulet, 1981, p. 190 ; Grignon, *art. cit.*, p. 83-90). Amené à encadrer un public scolaire de jeunes citadins que la débâcle de 1940 avait précipité jusqu'à la Maison familiale, le fondateur de la première institution livrait déjà en son temps ce jugement sans ambages :

« La première semaine, ils réussirent à se plier à la discipline de la Maison familiale. Mais, au début de la deuxième semaine, catastrophe !
[...] Avec M. Cambon, nous avions décidé de faire deux cours, lorsque le soir au dortoir, un grand chahut est organisé par les citadins sous les yeux ahuris des paysans.
[...] à la semaine suivante, qui n'était qu'une demi-semaine et où ils étaient seuls, ils ne purent même pas tenir les trois jours dans la discipline de la Maison familiale.
"Je ne vous en veux pas, leur dis-je le dernier soir. Vous êtes les victimes de tout ce factice dans lequel vous vivez en poussant entre les cailloux de la ville, avec pour tout horizon le cinéma ou le dancing, et comme idéal d'écolier, le chahut des professeurs. Les paysans, épanouis en pleine nature, ont une conception de la vie autrement plus réelle". » (Granereau, *op. cit.*, p. 184-185.)

Toutefois, le danger d'hier, c'est-à-dire le prolétariat urbain, a cédé la place à une menace plus diffuse mais non moins inquiétante : les banlieues. Stigmatisant un univers urbain à la dérive et, plus largement, une crise sociale, les banlieues représentent cet Autrui négatif, l'image repoussoir contre et à partir de laquelle se construit l'hymne rural en Maison familiale :

> « "Rurale", moi je pense à cette tradition, cette origine, à toutes ces valeurs. Si les valeurs du monde rural se trouvaient colportées dans le monde urbain, ça améliorerait les choses. » (Directeur de Maison familiale rurale.)

> « Le rural c'est quelque chose en devenir. Le ras-le-bol des banlieues, le ras-le-bol d'une certaine consommation. Le rural peut offrir autre chose. » (Directeur de la Fédération régionale des Maisons familiales rurales de Bretagne.)

> « Le milieu rural c'est l'opposé du milieu urbain déjà. C'est vrai que nous sommes loin des villes. Nous sommes implantés quand même en milieu rural. Nous sommes un peu protégés de tout ce qui est urbain. C'est une qualité de vie. Déjà on ne connaît pas le problème des banlieues, des jeunes violents ou autres. Nous c'est vrai qu'on ne connaît pas ça. Et donc les jeunes entre eux ont plus une certaine stabilité. Bon, quelquefois il y a des heurts, c'est vrai, on ne peut pas le nier. Mais disons qu'on ne connaît pas la violence comme dans certains quartiers. Rural c'est donc opposé à urbain. » (Enseignante en Maison familiale rurale.)

Un requiem pour la ville et une ode à la ruralité qui sont par ailleurs repris en chœur, sinon orchestrés, par le politique. En témoigne cette intervention (pré-électorale) du très libéral Alain Madelin, député invité et venu en voisin au forum *Environnement et développement rural* organisé en février 1993 par une Maison familiale d'Ille-et-Vilaine :

> « Il y a aujourd'hui une crise économique qui ne facilite quand même pas la solution des problèmes de l'agriculture. Et puis, il y a une panne de l'aménagement du territoire. Tout le monde voit bien à quel point c'est absurde : d'un côté les campagnes se vident, de l'autre les banlieues explosent! On se dit que c'est quand même mal fait. Moi, j'ai la conviction que le monde rural n'appartient pas au passé. Il y a une période difficile, on hésite entre les deux, mais il y a une telle qualité de vie que ça appartient à l'avenir. Et quand on regarde des pays qui sont un tout petit peu plus en avance que nous, comme les États-Unis par exemple, on s'aperçoit que la vie à la campagne, la vie dans les petites villes, les petites communes, ce n'est pas regardé comme quelque chose qui appartient au passé. C'est quelque chose qui est regardé comme étant un plus. Ce sont les centres des villes qui se vident parce que les gens préfèrent naturellement (et à mon sens ils ont raison) vivre à la campagne, dans un autre univers. Vous n'êtes pas des attardés, attachés à un mode de vie appelé à disparaître. Vous êtes à mon avis les éclaireurs d'un nouveau mode de vie. »

Autre chantre de la ruralité, le maire de la commune sur laquelle est implanté l'établissement scolaire et dont l'intervention, face à la même assemblée, appuie encore l'antinomie banlieue/campagne :

> « Nous, les agriculteurs, on n'a pas uniquement une fonction de produire mais on a aussi une fonction de vivre ensemble, d'aménager et puis de trouver un tas de solutions au niveau associatif pour que les gens n'aient pas toujours envie d'aller en ville pour vivre leurs aspirations mais qu'ils puissent aussi les vivre là où ils sont. Même si c'est une commune de cinq cents, mille habitants, il faut qu'il y ait un tissu social qui soit valable. Parce qu'il vaut mieux avoir ça que des escadrons de CRS dans les ZUP où on emmène tout le monde de force là où ils ne devraient pas aller, dans les prisons. Et ça, c'est quand même plus facile à dominer ici. »

Ainsi valorisée, la ruralité admet donc en Maison familiale une forte consistance tant matérielle que symbolique. Une consistance qui, de plus, s'alimente dans la représentation idéologique dichotomique villes/campagnes où l'on tend à créditer le rural de ce que l'on débite à l'urbain. Nous sommes bel et bien en présence d'« une mythologie d'essence morale » (Nadau, *art. cit.*, p. 80-82[23]). Cependant, si rentable – rentabilité que nous examinerons dans la prochaine partie – que soit pour l'institution l'investissement symbolique et idéologique dans la ruralité, objectivement, il n'en demeure pas moins que les Maisons familiales – selon les résultats de leur enquête de 1995 – forment autant de jeunes ruraux que d'urbains ; par ailleurs, bon nombre d'établissements sortent, au travers de leurs formations, du secteur agricole *stricto sensu*. Autrement dit, face à une subjectivité institutionnelle réifiante – et « déifiante » – du monde rural et de la ruralité, s'impose, en décalage, la réalité objective, bien que très mouvante, très fluide et imprécise, qui « caractérise » tant bien que mal ce même monde rural (Kayser, *op. cit.*). Mais ce décalage tend à se corriger lorsque les Maisons familiales « quittent » le registre – le réflexe défensif – idéologique de la promotion d'une contre-société rurale et de ses valeurs pour s'accorder, selon une logique très pragmatique, à un environnement social, économique et professionnel en termes de nouvelles formations, principalement extra agricoles, et de nouveaux publics, surtout d'origine urbaine. Comme nous le verrons plus loin, il y va de la survie économique de chaque établissement de savoir ouvrir stratégi-

---

23. L'auteur insiste ici sur la fonction historique de transmission d'« une représentation mythique de la société et de l'économie qui s'appuie sur une morale érigée en bouclier contre les excès d'une nouvelle civilisation matérielle » (*ibid.*, p. 80) qu'assume l'enseignement agricole durant les années 1850-1914. Ainsi : « L'agriculture prise comme prétexte devient l'occasion de construire des figures de rhétorique, outils de sa propagation qui, en retour, déterminent les formes, elles bien matérielles de l'enseignement agricole. » (*Ibid.*)

quement, à temps, tel ou tel nouveau secteur de formation qui lui-même saura capter tel ou tel public scolaire supplémentaire, qui plus est dans un champ de l'enseignement agricole fortement concurrentiel. Ainsi, la représentation institutionnelle du monde rural auparavant donnée se fait maintenant plus imprécise et nuancée dans les discours. L'identification habituellement immédiate et péremptoire du substantif « rural » cède à présent la place à ce qui serait plutôt perçu comme « *une notion floue* » ou « *quelque chose de transversal* ». Une ouverture symbolique et sémantique se fait alors jour, permettant de couvrir une aire non délimitée ou presque :

> « Le rural c'est assez large. [C'est] Toutes les communes de moins de je ne sais combien d'habitants…, moins de 5000 ? Pour ce qui nous concerne, ça exclut Rennes, bien sûr, ça exclut des villes moyennes du département. Nous, nous sommes passés d'une formation agricole à une formation "services aux personnes". Alors ça veut dire que nous avons des jeunes qui se destinent à travailler auprès de personnes âgées, des malades, des enfants, à faire de l'animation sportive, culturelle. C'est un secteur très vaste mais qui englobe tout ça. Alors le service en milieu rural, il existe ; c'est quelque chose, c'est une réalité. N'empêche que le terme "rural" il faut le voir au sens très très large. Et derrière "rural" il ne faut pas voir "agricole". Et je crois qu'on est encore plus rural que certains lycées, à l'école publique, qui sont à proximité des villes. » (Directeur de Maison familiale rurale.)

> « On est resté "Maison familiale rurale" parce que le rural, sur un département comme l'Ille-et-Vilaine, c'est quand même 70 % à 80 % d'habitants. À part les grandes agglomérations qu'on dit urbaines ou péri-urbaines, le reste ce sont quand même des ruraux. Et dans le milieu rural, on trouve aussi bien des commerces, des artisans, des infirmiers, de l'aide ménagère, de l'aide soignante, de la cuisine, de la restauration, etc. C'est vaste. On trouve tous les métiers. Et je pense que le terme "rurale", il situe bien (bien que je ne sois pas hermétique au fait qu'il y ait des urbains ou des péri-urbains qui viennent chez nous) que notre rôle est pour le développement du tissu et du milieu rural. Moi je crois que cette richesse c'est un de nos atouts. » (Directeur de Maison familiale rurale.)

> Le milieu rural c'est vaste. Il y a une certaine étendue, il y a aussi… des initiatives qui sont nombreuses. Maintenant, qu'est-ce que ça veut dire exactement le mot "rural" ?… Quand on voit certains économistes ou certains sociologues qui disent que Poitiers est une ville rurale. Alors est-ce qu'elle appartient à un milieu rural ou pas ? Je me pose des questions. Alors si c'est dans ce sens-là, si on prend une ville telle que Poitiers qui est du milieu rural, alors les Maisons familiales et le monde rural sont encore en adéquation. Il faut cependant s'entendre sur la définition du terme. Je crois que si on parle d'une ville comme Fougères ou comme Redon, est-ce qu'elles ne font pas partie du monde rural ? Personnellement je le pense. Et puis le "rural", moi je le consi-

dère au sens large. Ça peut nous ouvrir des voies, à des créneaux nouveaux ou à des partenariats nouveaux, et je crois qu'il y a certainement de l'avenir là-dedans. » (Directeur de la Fédération départementale des Maisons familiales rurales d'Ille-et-Vilaine.)

Par des acceptions donc très larges du terme, les Maisons familiales confirment un remaniement idéologique de la notion de ruralité. Son traitement dialectique – autour du couple agrarisme/ruralisme – a permis à l'institution, il y a environ une quinzaine d'années, ce passage identitaire d'un tout agricole à un rural plus global. Une identité qui est encore ancrée, par certains côtés, dans une « cosmogonie institutionnelle agricole » ainsi que dans l'édification d'un « (bon) sens pratique paysan ». Mais une identité qui a su aussi se débarrasser – notamment en matière de formations dispensées et de publics recrutés – ou, du moins, dépasser une assignation originelle à un secteur socio-économique donné pour s'ajuster aux mutations du monde rural et, en même temps, s'affranchir d'un certain « stigmate agricole ». L'identité pour Autrui, c'est-à-dire destinée à un public scolaire potentiel, se veut désormais très pragmatique à l'heure des stratégies de communication et de marketing :

« Le rural, c'est vaste comme la campagne, c'est dispersé. Mais si je me base sur un plan plus pub [publicité], ça nous joue des tours, ça peut nous jouer des tours pour notre recrutement. Tout le monde ne connaît pas les Maisons familiales rurales. Pour moi "rurale", tout de suite on est catalogué comme étant un centre de formation des métiers de la terre. » (Directeur de Maison familiale rurale.)

« Par rapport au milieu, le terme "rurale" est restrictif et peut nuire dans une publicité de communication. C'est par rapport essentiellement à cette image de communication et de recrutement des élèves. Parce que le terme "rurale" colle beaucoup au terme "agricole". C'est quand même assez restrictif. C'est réservé aux agriculteurs. Je crois que c'est en termes de communication essentiellement. » (Directeur de Maison familiale rurale.)

« La Maison familiale est "rurale" parce que ça a été créé par des ruraux à l'origine et que le mot "rurale" est bien ciblé par rapport à la situation d'aujourd'hui. Ce qui aurait été mauvais, c'est que la Maison familiale se soit appelée "Maison familiale agricole", par rapport à un domaine professionnel. En tout cas, même si on supprime le mot "rurale", non, on ne peut pas le remplacer par les mots "Maison familiale agricole", ça ne peut pas aller. » (Directeur de Maison familiale rurale.)

« Je crois qu'au démarrage des Maisons familiales, ça correspondait à un tissu et à une demande locale puisque la Maison familiale a été créée avant tout par des agriculteurs. On a commencé à réfléchir à un logo, à une autre image et à une autre étiquette. Je ne tiens pas à me détacher du mouvement Maison familiale rurale mais je veux une image plus jeune. Je pense qu'en termes de communication, j'aime mieux parler d'école d'horticulture. Je trouve dans l'appellation "Maison familiale rurale" une image un peu trop... vieille. Ce n'est plus de l'agriculture. Bon, le rural, d'accord, mais il faut bien aussi penser qu'on est en pleine évolution et que l'horticulture est quand même implantée dans le bassin rennais et que le "rurale" a moins cette enseigne stricte. » (Président de Maison familiale rurale.)

La ruralité serait alors en Maison familiale cette extension de cercles concentriques de représentations dont le « noyau agricole », sorte de force symbolique de rappel, participerait à un tout identitaire tout en s'en éloignant au fur et à mesure que l'institution développe de nouvelles sphères d'activités. Et c'est selon le même mécanisme de représentation et de remaniement idéologiques que les Maisons familiales franchissent actuellement le Rubicon en s'implantant au centre des villes. Une implantation certes encore timide, puisque seulement quatre établissements (Étampes, Reims, Rennes et Toulouse) fonctionnaient fin 1993[24], mais dont la justification renvoie, en partie, à la promotion institutionnelle de la ruralité :

« Les Maisons familiales urbaines vont toucher un public en mal de société. Donc on va essayer d'appliquer notre façon de faire, notre éthique.
– Mais le fait que ce soit en milieu urbain ne pose-t-il pas un problème à l'institution qui a toujours travaillé en milieu rural, avec un public que vous décrivez comme étant assez spécifique ?
– Non, c'est juste une question d'adaptation parce que l'esprit des jeunes de la campagne est tout à fait différent de ces jeunes [qui sont] peut-être "loubards". C'est vrai qu'ils n'ont pas les mêmes réactions. Ils sont peut-être plus agressifs, plus violents, peut-être moins courageux. Mais on va adapter notre éthique. » (Directeur de Maison familiale rurale.)

« Les Maisons familiales commencent à s'implanter en milieu urbain parce qu'il y a un transfert de technologie. Ce ne sont pas les familles rurales qui sont allées chercher celles des villes, ce sont les familles urbaines qui ont demandé. C'est totalement différent. Je crois que demain ce sont les familles urbaines qui demanderont à faire partie des Maisons familiales mais dans le secteur rural. » (Directeur de la Fédération régionale des Maisons familiales rurales de Bretagne.)

Et la Fédération départementale des Maisons familiales rurales d'Ille-et-Vilaine de légitimer dans un tract la création de Maisons familiales urbaines :

---

24. Source : *Le Lien des MFR*, n° 265, décembre 1993, p. 7.

> **« Des Maisons Familiales Urbaines…
> Pourquoi ?**
>
> Les Maisons Familiales ont été fortement interpellées par le problème de l'adoles-
> cence et en particulier, les difficultés de qualification et d'insertion de nombreux
> jeunes des milieux urbains et péri-urbains.
> [...] La question est souvent posée :
> **Pourquoi les Maisons Familiales Rurales n'offriraient-elles pas au public spécifi-
> quement urbain le service qu'elles rendent déjà en milieu rural ? [...] »**

L'antagonisme villes/campagnes tend donc à s'effacer quand le monde rural vient au secours du monde urbain en important un modèle éducatif et, plus largement, un modèle de vie[25] dont les Maisons familiales se font les chantres et les dignes représentantes. L'altérité négative de la ville devient ici en quelque sorte une altérité de commisération, inversant ainsi la perspective misérabiliste tradi-tionnellement adoptée depuis le monde urbain vers le monde rural.

Au total, une seconde composante de l'idéologie éducative des Maisons familiales rurales vient d'être portée au jour : le ruralisme. En effet, les représentations et les célébrations institutionnelles d'un monde rural en termes de micro communauté solidaire et sociable, qui maîtrise collectivement son destin social par sa propre prise en charge éducative et qui peut compter en cela sur la psychologie collective du bon sens pratique de ses membres, ne font que reprendre celles déve-loppées à propos d'un savoir-faire technique et d'un savoir-être éthique en Maison familiale. Lorsque les Maisons familiales parlent de ruralité, elles ne parlent que d'elles-mêmes. La célébration est auto-célébration.

Familialisme institutionnel

Entendu comme idéologie de défense de la famille traditionnelle, le familialisme, cette institution relais entre l'État et l'individu, a pour mission de transmettre les valeurs et normes sociales dominantes. De ce point de vue, l'Église catholique a traditionnellement constitué la base morale du familialisme. « Religion et morale familiale » (Lenoir, 1985, p. 70-74) ont participé, au moins jusqu'aux années cinquante en régions catholiques, à cette entreprise collective de gestion et de pro-duction des intérêts matériels et moraux de la famille, à sa définition. Une conception religieuse de « la famille comme la cellule de base de

---

25. Remplissant en cela, face à la ville, sa fonction symbolique de « réserve sociale donnant le modèle de rapports sociaux [...] » où jouent à fond « [...] les utopies de la
sociabilité pure et harmonieuse [...] » (Chamboredon, 1985, p. 573).

la société » (Lambert, 1985, p. 126) – une société *a fortiori* catholique (Lenoir, *art. cit.*, p. 70) – à laquelle a d'ailleurs pleinement souscrit le corporatisme agricole. Ce dernier, selon Suzanne Berger, propose une construction sociétale et doctrinale dans laquelle « la paix sociale englobe les relations de ceux qui travaillent la terre. Bien ordonnée, la société rurale est fondée sur une harmonie d'intérêts hiérarchisés. L'harmonie sociale n'est pas le fruit de l'égalité des individus qui composent la société rurale mais des relations qu'entretiennent les familles dans le travail » (*op. cit.*, p. 94-95). Le catholicisme social du XIXᵉ légitimait ici un ordre social chrétien à travers lequel la société civile devait se gouverner elle-même, en s'organisant selon la hiérarchie des communautés naturelles : la famille (fait biologique), le village (fait territorial) et la communauté professionnelle (la corporation : fait social, économique et politique).

Cette morale familialiste, ajustant la pensée sociale du catholicisme au monde agricole pris comme une totalité organique, colora uniformément le projet et l'action éducatifs de la première Maison familiale. Celle-ci se construisait idéalement selon « le bloc scolaire : familles, terres, professeurs, éducateur [prêtre], élève » (Granereau, *op. cit.*, p. 156) :

> « Le but principal est la formation professionnelle, complétée par une formation sociale, morale et religieuse, trois ans, en collaboration avec les familles. [...] élever ensemble, vers la constitution de foyers chrétiens, jeunes gens et jeunes filles de nos Maisons familiales d'apprentissage agricole et d'enseignement ménager. [...]. Il faut arriver, par la restauration de la famille, cellule fondamentale de la société, à rendre à l'agriculture le rang qu'elle doit occuper dans l'échelle de la production : le premier. [...]. Tant que la famille paysanne ne sera pas en voie de restauration, toute autre action professionnelle restera finalement vaine. » (*Ibid.*)

Ainsi sanctifiée, la famille – et, inséparablement, la profession agricole – inscrivit étroitement la première Maison familiale dans un « familialisme idéologique normatif » (Chauvière, 1991, p. 291), c'est-à-dire un familialisme moral et catholique édifié en éthique éducative.

Une première rupture, ou du moins une distanciation, avec ce familialisme religieux s'opère à partir de 1945 en Maison familiale. Nous avons vu, en effet, que l'assemblée générale du mouvement officialise en ce 24 novembre 1945 la décléricalisation des établissements afin :

> « [...] d'orienter le mouvement vers une plus large collaboration avec l'organisation familiale et professionnelle [...] pour une Association de Parents effectivement responsable de la Maison, à tous points de vue. [...]. Il s'agit de provoquer un rapprochement avec les organisations familiales et professionnelles représentées par la Confédération générale de l'agriculture. » (*Le Lien*, n° 3, janvier 1946, p. 1-3.)

À l'emprise éducative traditionnelle des clercs sur la paysannerie succéderait ainsi un mode de contrôle familialiste plus « institutionnel » (Chauvière, *art. cit.*). Ce droit des familles à disposer pleinement de leur liberté en matière de choix et de responsabilité éducatifs sera d'ailleurs confirmé vingt ans plus tard – et en quelque sorte symboliquement réapproprié – par l'Église dans le Concile œcuménique Vatican II. Toujours est-il qu'on assiste à cette époque en Maison familiale à la naissance d'un familialisme plus institutionnel et « gestionnaire » (*ibid.*, p. 290), donc, à travers cette reprise en main – au moins formelle – par les familles du destin éducatif et scolaire de leurs enfants. Le rapprochement annoncé avec les organisations familiales représentées par la Confédération de la Famille rurale, inaugure, dès 1945, l'ancrage des Maisons familiales dans un « familialisme, dynamique sociale non nécessairement superposable aux pratiques familiales observables, qui cherche à structurer, au nom de la défense de la famille ou des intérêts familiaux, espaces sociaux, représentations sociales et actions collectives, […] un familialisme plutôt institutionnel et stratégique, adapté à la segmentation des politiques sociales et à l'organisation originale de la représentation des intérêts familiaux en France, c'est-à-dire au système UNAF/UDAF » (*ibid.*, p. 291). L'Union nationale des associations familiales agrée en effet les Maisons familiales rurales le 19 novembre 1971 en tant que mouvement à recrutement spécifique « éducatif et professionnel ». En entrant dans l'UNAF, les Maisons familiales intègrent ainsi un mouvement ou un élan général d'institutionnalisation politique de la famille qui, à la Libération, s'affirme sous la forme d'un corps de représentants. Parmi ce corps se trouve l'UNAF[26] qui est créée par l'ordonnance du 3 mars 1945. Cette cogestion État/UNAF des « intérêts moraux et matériels des familles » est particulièrement intéressante pour les Maisons familiales à une époque où elles entament un rapprochement avec l'État qui reconnaît

---

26. Selon l'article 3 du Code de la Famille :

L'Union nationale et les unions départementales des associations familiales sont habilitées, sans préjudice de tous les droits et prérogatives pouvant résulter de leurs statuts, à :

1. Donner leur avis aux pouvoirs publics sur les questions d'ordre familial et leur proposer les mesures qui paraissent conformes aux intérêts matériels et moraux des familles.

2. Représenter officiellement auprès des pouvoirs publics l'ensemble des familles et, notamment, désigner ou proposer les délégués des familles aux divers conseils, assemblées ou autres organismes institués par l'État, le département, la commune.

3. Gérer tout service d'intérêt familial dont les pouvoirs publics estimeront devoir leur confier la charge.

4. Exercer devant toutes les juridictions, sans avoir à justifier d'un agrément ou d'une autorisation préalable de l'autorité publique…, l'action civile relativement aux faits de nature à nuire aux intérêts moraux et familiaux des familles.

à présent l'Union nationale des Maisons familiales rurales comme interlocuteur institutionnel premier et direct. La loi du 28 juillet 1978, dite « loi Guermeur », instaurait en son temps le système de l'« agrément » afin de favoriser le développement de l'enseignement agricole privé en augmentant les subventions lorsque l'enseignement répondait à certains critères de qualité. Il n'était dès lors pas négligeable pour l'institution scolaire d'obtenir le label de l'UNAF comme gage de qualité morale éducative. Autrement dit, sur la question de la défense et de la promotion des intérêts des familles juridiquement définies et prises ici en tant que parents d'élèves, les Maisons familiales jouent désormais la carte de la représentation institutionnelle nationale – UNMFREO, UNAF – dans leurs diverses tractations avec l'État. Sur la question, par exemple, des bourses scolaires[27], les Maisons familiales ont su activer rapidement leur réseau d'appartenance :

> « Nous intervenons auprès de l'UNAF et du Premier Ministre sur cette question. Je crois indispensable que simultanément chaque fédération des Maisons familiales s'organise pour alerter son UDAF. » (*La Lettre du Président* [de l'Union nationale des MFR], 16 septembre 1994.)

Ce passage, donc, d'un familialisme moral et associatif de base à un familialisme institutionnel *supra* local est enfin particulièrement visible dans la composition des conseils d'administration des UDAF dans lesquels les représentants des Maisons familiales émanent des structures fédératives du mouvement. Le président départemental et régional ainsi que le directeur départemental des fédérations de Maisons familiales rurales représentent, par exemple, les intérêts de l'institution au sein du conseil d'administration de l'UDAF d'Ille-et-Vilaine. Le processus de représentation est identique au niveau de l'UNAF. Le familialisme « institutionnel et stratégique » des Maisons familiales est donc bien une affaire d'« experts » (Crozier et Friedberg, *op. cit.*, p. 84-86[28]).

---

27. La loi sur la famille du 25 juillet 1994 avait prévu la suppression des bourses des collèges et le versement, par les Caisses d'allocations familiales ou la Mutualité sociale agricole (MSA), d'une aide à la scolarité pour les enfants de moins de 16 ans, sous certaines conditions de revenu. Cette mesure aurait entraîné en Maison familiale une perte moyenne de 2 700 francs par élève et par an pour une famille boursière ayant un enfant en 4e Technologique.

28. Ces derniers, détenteurs d'un savoir unique au sein de l'organisation et maîtrisant et contrôlant seuls, de surcroît, les relations entre celle-ci et son environnement, existent bel et bien en Maison familiale. Leur identification renvoie à la présence de hauts responsables – départementaux, régionaux et nationaux – de Maisons familiales au sein de conseils d'administration et autres collectifs de décision politiquement importants pour l'institution : UDAF-URAF-UNAF, MSA, CREA, etc. Le curriculum vitae du précédent directeur de l'Union nationale des Maisons familiales rurales est de ce point de vue exemplaire : Vice-président de l'UNAF, représentant

École nouvelle et pédagogie

L'École nouvelle est un courant pédagogique qui s'affilie directement ou indirectement aux travaux et pratiques sur l'éducation et l'enfant menés depuis au moins un siècle par d'illustres pédagogues, psychologues et philosophes que sont Claparède, Cousinet, Dewey, Piaget, Freinet, Decroly, Debesse, Rogers, Montessori, etc. Autant de patronymes qui sont d'ailleurs reconnus comme les fondements – et les cautions – intellectuels et scientifiques de la pédagogie pratiquée en Maison familiale :

> « [Les Maisons familiales ont] une méthode pédagogique qui illustre authentiquement Claparède et Dewey, Piaget et Cousinet. […]. Durant les premières années d'après-guerre […], un grand nombre de moniteurs s'intéresse aux pédagogies actives. Freinet-Dewey-Decroly alimentent leur réflexion. Ils y trouvent des analyses proches de leurs observations mais aussi cette priorité sur le technique, point motivant incontestable, de la formation générale […]. S'appuyant sur ces méthodes et systèmes, reprenant les théories de l'apprentissage et, plus tard, Rogers, c'est une petite révolution qui fut amorcée et confortée. […]. Les professeurs Debesse et Cousinet apportent leur concours en psychologie et en pédagogie. » (Précédent directeur de l'Union nationale des Maisons familiales rurales, *Réalités Familiales*, s. d., p. 45-47.)

Ces auteurs auxquels il est fait référence, font par ailleurs et depuis longtemps l'objet d'études lors des sessions de formation qui s'adressent à tout futur moniteur en Maison familiale. Depuis 1965, le Centre national pédagogique des Maisons familiales confronte ainsi chaque moniteur à la pensée de ces pédagogues qui sont fort appréciés par l'institution (Chartier et Legroux, 1997, p. 99). Actuellement est présenté un module de formation initiale intitulé « Évolution des courants et pratiques pédagogiques ». Notons encore que tous les auteurs précités alimentent abondamment les réflexions et travaux menés en « Sciences de l'Éducation », discipline universitaire particulièrement prisée par les enseignants et les dirigeants de Maisons familiales si l'on en juge d'après leurs nombreux diplômés (DUEPS[29], doctorat) en lesdites « Sciences ».

De ces points de vue, donc, c'est-à-dire selon une certaine grandeur de renom, l'affiliation avec les Decroly, Piaget, Freinet, Rogers et autres psycho-pédagogues est clairement revendiquée par les Maisons familiales :

---

permanent des organismes familiaux auprès de la FAO (*Food and agriculture organization*), membre du Conseil économique et social, vice-président du comité chargé des problèmes sociaux de l'agriculture à la CEE.

29. Diplôme universitaire d'études de la pratique sociale.

« Freinet a cent ans.

On fête les 100 ans du célèbre pédagogue Célestin Freinet. Sa pédagogie repose sur le désir des enfants, la motivation, le plaisir d'apprendre sans en avoir l'air, le va et vient entre le réel et la théorie et l'apprentissage par le projet... Voilà qui évoque beaucoup de choses aux MFR. » (« Les brèves », *Le Lien des MFR*, n° 277, décembre 1996, p. 21.)

Cette appropriation date d'une époque où les représentants de l'Union nationale des Maisons familiales se voient alors invités, en 1947, à la première rencontre internationale (d'après-guerre) de l'École nouvelle, rencontre présidée par Henri Vallon. Au-delà de cette lecture événementielle, il faut comprendre que, rompant avec la morale religieuse éducative de ses débuts, l'institution commence à chercher en fait une source de légitimité plus « scolaire ». Elle s'en donne les moyens dès 1955, date à laquelle paraît, sous la plume collective de l'inspecteur de l'Union nationale des Maisons familiales et d'un pédagogue, le premier manifeste pédagogique de l'institution. Préfacé par Roger Cousinet, l'emblématique directeur de l'École nouvelle française, l'ouvrage formalise *Une Méthode Active d'Apprentissage Agricole* (Duffaure et Robert, *op. cit.*) avec la présentation de cet outil pédagogique que sont les « cahiers de l'exploitation familiale ». Jouant dès lors la carte, entre autres, du « pôle éducationnel » (Bonniel, 1982, p. 47), les Maisons familiales anticipent et préparent leur « reconnaissance » – selon le terme même de la loi du 2 août 1960 « relative à l'enseignement et à la formation professionnelle agricoles » – par l'État qui leur assure, outre une reconnaissance officielle, un régime de financement plus avantageux que celui obtenu sous l'ancien statut – régi par la loi du 18 janvier 1929 – des centres d'apprentissage agricole.

Ceci étant dit, il nous reste à présent à faire ressortir dans les projets et faits pédagogiques comparés tout ce que l'éducation en Maison familiale doit au courant de l'École nouvelle : emprunt certes théorique et méthodologique, mais aussi, et peut-être surtout, idéologique.

« La grande idée directrice, nous dit Marc-André Bloch, de la pédagogie nouvelle » postule que « tout ce qui est apporté du dehors, sans répondre à un besoin, tout ce qui est apporté trop tôt, ou trop tard, ou hors du champ des intérêts de la jeune intelligence naissante est un mal. La vraie pédagogie consiste à n'exercer une activité chez l'enfant qu'autant que celui-ci en ressent le besoin naturel. [...]. Considéré en profondeur, le mouvement d'éducation nouvelle n'est pas autre chose qu'une pédagogie de l'immanence, puisqu'il repousse toute idée d'une formation par le dehors et réduit les apports externes au rôle de simples stimulants ou matériaux pour la croissance d'un esprit qui se développe du dedans et suivant sa loi propre » (1973, p. 35 et 97).

Critique directe de l'« école traditionnelle » et de ses « savoirs standardisés », « dogmatiques », « étrangers », « livresques », « abstraits », « encyclopédiques » (*op. cit.*, p. 12-18 et 35-38), etc., l'éducation nouvelle se veut « pédagogie de l'immanence », bâtie sur « les intérêts intrinsèques [30] » de l'enfant. Autrement dit, l'élève ne doit pas être agent mais bien acteur de sa propre formation.

S'impose ainsi l'expérience pratique de l'enfant comme base éducationnelle, comme expérience intime vécue au sein du « milieu naturel et social » (*ibid.*, p. 35) qui, en Maison familiale, renvoie autant à la famille biologique – indissociable d'une communauté éducative institutionnelle : la « *seconde famille* » ou seconde nature – qu'au monde du travail – les stages en « alternance » par lesquels les jeunes sont « *des éléments à part entière de l'entreprise* » qui « *sentent parfaitement les affaires* » « *en vraie grandeur* » – à l'intérieur desquels l'élève évolue. Plus globalement, s'affirme dans ce programme éducatif le primat de la pratique et de l'action. Un pragmatisme pédagogique d'une « école active » (Bloch, *op. cit.*, p. 38-49) – la connaissance comme produit de l'action et de l'expérience : le « *learning by doing* » de Dewey – où, tout comme dans le modèle séquentiel de l'« alternance » en Maison familiale, « la pratique conduit nécessairement à la théorie et inversement » selon « l'union de l'expérience directe au savoir livresque » (*ibid.*, p. 67 et 104). Relevons, cependant, que le pragmatisme éducatif prôné par l'École nouvelle s'oppose fermement à « une conception utilitaire d'une éducation manuelle » (*ibid.*, p. 58-61). Prise comme une préparation étroite à la vie professionnelle, cette conception est étrangère, de ce fait, à toute valorisation autonome du corps qui est toujours considéré intrinsèquement comme le média de l'expérimentation et de l'expression des intérêts subjectifs de l'élève. Plus subtilement est aménagé ici le compromis entre, d'une part, une nature subjective qui doit pouvoir s'éprouver pleinement par les activités manuelles, et, d'autre part, des « fins sociales » telles que la « demande sociale de praticiens » (*ibid.*, p. 77-86), ceci selon une harmonie qui ne doit jamais être mécanique – en termes d'imposition des statuts professionnels selon les besoins sociaux – mais bien plus « naturelle ». C'est de la même manière que l'ouverture des choix d'orientations professionnelles [31] en

---

30. « Intérêts intrinsèques » liés aux « tendances instinctives du moi » de l'enfant, à sa « structure mentale » et aux « besoins de sa nature » (*ibid.*, p. 27-29, 62-70 et 92-94). Avons-nous affaire ici à une version psychologique de l'idéologie du don qui, en Maison familiale, légitimerait une offre et un égalitarisme scolaires compensateurs d'une misère « psychique » ou « intellectuelle » de l'élève ?

31. Une question par ailleurs centrale pour l'éducation nouvelle selon sa thématique de l'adaptation aux intérêts particuliers et immanents de l'élève dont l'« extrême plasticité des tendances instinctives » autorise toutefois une action d'orientation (*ibid.*, p. 148-154) telle que peut la pratiquer la Maison familiale par sa rationalisation du choix professionnel de l'élève.

Maison familiale – pour une orientation de l'élève « *en connaissance de cause* », selon son libre arbitre – ménage dans les discours une place pour le rôle intégrateur de l'institution à la division et à la hiérarchisation sociales du travail. Souvenons-nous que « *pour les* [élèves] *destiner ensuite à des activités plutôt pratiques et manuelles, rien ne vaut de les immerger très tôt dans le milieu professionnel* ».

Le pragmatisme pédagogique de l'École nouvelle prévaut de façon identique dans le domaine de l'éducation morale où « l'enseignement doit venir après l'expérience vécue, […] systématiser et fonder en raison une expérience morale antérieure » (*op. cit.*, p. 72 et 74). Le « développement du sens des responsabilités » chez l'élève par l'« auto-gestion » et sa « coopération active » (*ibid.*, p. 86) – exercices qui rappellent les services domestiques en internat et la phase pédagogique de « mise en commun » de l'« alternance » pratiqués par les Maisons familiales – contribuent ici à l'édification d'une « communauté de travail » et, bien au-delà, à celle d'une « communauté sociale[32] ». A travers cette « formation pratique du sens social » (*ibid.*) que l'on retrouve en Maison familiale avec l'apprentissage de la vie sociale, l'altruisme au sein d'une communauté de vie qui y est enseigné, se déploie ouvertement la critique des principes « intellectualistes », d'« assistanat » et de « coercition extérieure » (*ibid.*) attribués à l'« école traditionnelle ». Une école de la « soumission », de l'« individualisme » et de la « compétition » dont les fins sociales, alors éminemment anti-démocratiques puisque travaillant à la reproduction de la hiérarchie sociale[33], rompent avec un idéal d'une participation éclairée et désintéressée des citoyens à la vie collective (*ibid.*, p. 86).

Enfin, et rejointe en cela par le suivi personnalisé et l'encadrement tutoral total mis en place par les Maisons familiales, l'éducation nouvelle se veut « pédagogie d'encouragement et d'entraînement » (*ibid.*, p. 70), où l'aide et le suivi individuels de l'élève s'ajustent encore et toujours à ses aptitudes et intérêts particuliers, intrinsèques et naturels.

Il est donc relativement aisé de repérer tout ce que l'idéologie éducative construit en Maison familiale, tant en termes de savoir-faire technique que de savoir-être moral, doit au programme pédagogique développé par l'École nouvelle. Toutefois, si la filiation apparaît presque totale et parfaite, elle n'est pas tout à fait directe, du moins au départ. En effet, bon nombre d'éléments majeurs du système éducatif de l'École nouvelle – pédagogie de l'action et de l'immanence, primat de l'expérience pratique, suivi personnalisé, altruisme et communauta-

---

32. Ou « république scolaire » qui est elle-même comprise comme « microcosme de la grande société » selon l'« *embryonic community life* » de Dewey (*ibid.*, p. 77-86). Ceci n'est pas sans rappeler, non plus, la « *seconde famille* » des Maisons familiales.

33. Ce qui va à l'encontre de l'égalitarisme scolaire compensatoire offert, on l'a vu, par les Maisons familiales.

risme – se retrouvent déjà dans l'action éducative de la JAC avec sa variante personnaliste et humaniste. Il n'y aurait là, pour les Maisons familiales, qu'un déplacement diachronique et stratégique du champ de l'éducation populaire et catholique sociale en milieu rural vers celui de la pédagogie scolaire. Une translation, donc, qui s'effectue sur un champ proprement scolaire et qui, par là, procure aux Maisons familiales un statut d'enseignement à part entière, une légitimité pédagogique[34] assurée par l'affiliation de l'institution aux méthodes ou, au moins, à la renommée scientifique de psycho-pédagogues :

> « Je crois que la pédagogie de l'alternance c'est quelque chose qui a de la valeur. Aujourd'hui on parle beaucoup de formations en alternance, mais il y a alternance et alternance. Mais je suis optimiste parce que la pédagogie de l'alternance rejoint les grands courants pédagogiques modernes. On rejoint les grands courants pédagogiques que moi j'appellerais pédagogie institutionnelle. La pédagogie de l'alternance est un peu une sorte de synthèse de tout un ensemble pédagogique centré sur l'intérêt, l'expérience, le projet, la relation. Elle prend appui sur le milieu naturel, la motivation, l'expression, la coopération et l'aide. On retrouve là des gens comme Decroly, Dewey, Piaget, Freinet, Cousinet et Rogers. Ce sont des pédagogues qui ont créé une pédagogie qui rejoint mon institution. Rogers, ça serait peut-être un peu plus la relation psycho-sociale dans la relation d'aide, la facilitation par exemple. L'alternance en tant que système pédagogique, ce n'est pas une invention, disons purement de l'esprit, mais une méthode qui reprend un certain nombre de principes élaborés par de grands pédagogues, surtout du début du vingtième siècle. Et lorsque nous sommes en formation pédagogique, on étudie tous ces pédagogues. Il y a d'autres pédagogues comme Rousseau et Montessori auxquels on peut faire référence. » (Directeur de Maison familiale rurale.)

Au total, le discours des Maisons familiales sur elles-mêmes, car c'est bien de cela dont il s'agit, met en jeu une rhétorique institutionnelle, un parler collectif conventionnel qui, *ars probandi*, n'est jamais une « rhétorique du désert » (Molinié, *op. cit.*, p. 5) puisqu'il puise sa source et sa légitimité au sein d'une « histoire des idées ». Autrement dit, la filiation historique de l'institution avec nombre d'idéologies – catholicisme social, corporatisme agricole et ruralisme, familialisme et pédagogie de l'École nouvelle – démontre que la pensée des Maisons familiales ainsi que l'identité collective qu'elle soutient ne se sont pas construites hors du monde – ce monde fut-il, mais pas seulement, comme nous le verrons plus loin, celui des idées – mais bien, dialectiquement, en lien avec un univers de doctrines. Toutefois,

---

34. Et une autorité scientifique à certains responsables institutionnels ainsi légitimés à critiquer, parfois, l'inopportunité du regard extérieur porté par le sociologue sur l'institution.

ces dernières, si visibles et identifiables soient-elles à travers le travail d'objectivation du sociologue, ne livrent pas toujours directement leur substance brute et originelle dans les discours tenus par l'institution. Elles apparaissent bien plutôt sous une forme qui est ajustée nécessairement – afin que ces doctrines puissent être intégrées – à la spécificité fonctionnelle de l'institution : l'éducation et la formation d'un public. Mais comment l'ajustement est-il possible ? N'y a-t-il pas dans ce syncrétisme un invariant, une commune substance capable de transcender à son tour les particularités de chaque doctrine tout en définissant, de façon indiscutée, l'essence même de toute action éducative ?

Chapitre VIII

DE L'INVARIANT À LA SYNTHÈSE :
LE NATURALISME ÉDUCATIF

L'« alternance » et la culture de l'instinctif :
une « anthropologie » institutionnelle

L'« alternance » met en exergue, nous l'avons vu, le corps et le travail manuel comme médias dans l'apprentissage d'un savoir-faire professionnel. Cette incorporation ou naturalisation de la connaissance intervient d'ailleurs dès le tout début du processus d'acquisition du savoir où « *dans un premier temps en alternance, le jeune découvre le métier... de façon brute, primaire* » ou non cultivée, pourrait-on dire. Plus profondément encore, la valorisation du savoir concret et de la connaissance empirique en Maison familiale importe avec elle toute une imagerie sensorielle. Celle-ci s'appuie d'abord, historiquement et idéologiquement, sur une nature paysanne des plus riches. Ainsi, comme aime à le souligner ce responsable national des Maisons familiales :

> « [...] dès le plus jeune âge, bien qu'étant isolé, le fils de paysan vit une expérience très riche. Plus que son camarade de la ville qui voit une foule de choses sans voir, il connaît le monde qui l'entoure, il suit le rythme des saisons, observe avec précision la vie des animaux, le développement des plantes, toutes ces choses lui parlent et il parle avec elles, il sent la vie, lorsqu'on lui en donne la possibilité, il est capable d'exprimer tout un vécu riche d'enseignement.
> Ses talents ne sont ni la mémoire, ni la compréhension abstraite. Il a besoin de voir pour comprendre, voir avec ses mains, avec tout son être. Ses dons d'observation sont développés quand on lui demande de raisonner à partir d'une situation vécue, il peut s'exprimer, analyser, anticiper, pour peu qu'on l'aide dans ces domaines. » (Chartier, 1978, p. 35.)

Actuellement, il est dit, entre autres, des stages en « alternance » qu'ils permettent aux élèves par « *l'intelligence de la main*[1] » de « *tâter* », de « *toucher* » du métier et, pour les plus avancés, ceux de BTA, de « *sentir parfaitement les affaires* ». C'est bien parce que « *le travail manuel n'est pas un travail inintelligent* » que peut se justifier la référence dépréciative faite aux jeunes urbains qui « *n'ont pas touché, n'ont pas exercé manuellement, n'ont jamais touché un outil* ». Évoquons encore celle qui sera faite, comme nous le verrons plus loin, aux autres enseignements qui proposent dans leurs stages une « *pseudo alternance* » où « *ça se passe sans rien toucher de la matière* ». À cette connaissance faite sens, s'ajoute l'imagerie affective d'une sensibilité juvénile qui, notamment en matière d'orientation et de choix professionnels, se décline en termes de « *passions* », d'« *envies* », de « *désirs* » et autres « *rêves* ».

L'élève en Maison familiale serait donc cet être de nature que révèle une certaine « anthropologie » – au sens, étymologique du terme, d'un discours sur l'homme – institutionnelle. Toutefois, cette nature n'est certes pas réductible à une quelconque animalité[2]. Elle est humaine. C'est-à-dire qu'elle parle d'une intériorité qui, au-delà du strict régime de l'affectif ou de l'instinctif, relève soit de la spiritualité, selon la référence à la thématique personnaliste[3], soit du moi (Ulmann, 1982, p. 29), selon la version pédagogique et scientifique de l'École nouvelle. Un moi qui, finalement, traduit une nature « désenchantée », telle que la connaît la science et, plus particulièrement, la psychologie[4] qui reste omniprésente dans la doctrine de l'École nouvelle prônant sans cesse la « culture des tendances instinctives » (Bloch, *op. cit.*) de l'enfant.

---

1. Expression qui, rapportée à la doctrine du « réalisme personnaliste » (Mounier, *op. cit.*, p. 19-34), intègre dialectiquement l'esprit et la matière (la nature faite corps).
2. Il ne faut pas bien sûr prendre au pied de la lettre ce qui n'est qu'une métaphore naturaliste. Ainsi ce responsable institutionnel qui illustre les vertus de l'« alternance » – le sens de l'effort acquis très tôt par l'élève grâce aux stages – par « *l'expression des paysans qui disaient qu'il ne faut pas atteler le poulain trop tard !* » : dicton ou « formule » de sagesse populaire qui en tant que telle, c'est-à-dire considérée en rhétorique comme un cas de l'argument d'autorité (Reboul, 1998, p. 68-69), est évidemment bien plus ici la légitimation d'un travail d'encadrement institutionnel pédagogique qu'une référence à une quelconque animalité de l'élève.
3. Qui se caractérise, entre autres, « par le souci de ne pas séparer la transcendance spirituelle de la personne de son existence incorporée dans la nature » (Loubet del Bayle, *op. cit.*, p. 354). C'est encore cette même ontologie personnaliste qui est à l'œuvre dans la « critique de l'utopie démocratique qui dépouillait l'individu de ses qualités sensibles, le réduisait à l'état abstrait de citoyen » (*ibid.*, p. 208).
4. Qu'elle soit expérimentale (Binet), génétique (Piaget) ou différentielle (Claparède), la psychologie reste cette science positive de la soumission aux faits qui autorise le glissement ou la transformation des sensations naturelles en affectif et en sensible, c'est-à-dire en données empiriques (expérimentales) faites pour des lois scientifiques.

Le naturalisme en Maison familiale est donc ici culture de l'instinctif. Il vise à définir un être, l'élève. La nature ou l'essence de celui-ci, nature qui est placée sous le signe de l'affectivité et de la sensibilité, recèle certes les potentialités de son accomplissement mais nécessite néanmoins un traitement éducatif[5] selon la légitimation savante de toute une ingénierie psycho-pédagogique. Le compromis entre nature – contre laquelle on ne saurait aller[6] – et culture repose en Maison familiale sur un postulat « anthropologique » qui, intrinsèquement, ménage l'ouverture vers une nature domestiquée et appréhendée à travers la raison savante. Plus exactement, c'est bien plus à partir de la légitimité scientifique de la pédagogie de l'action et de l'immanence que se définit la nature de son objet, l'élève, que l'inverse.

Éducation et communauté de vie : unité et lien d'un « corps » institutionnel

L'affectif, qui caractérise en Maison familiale la nature de l'élève, prévaut aussi comme régime dans les relations humaines qui s'instaurent au sein de la communauté éducative. Les modalités d'encadrement qui s'y développent se veulent avant tout basées sur des rapports sensoriels où les « moniteurs » sont « à l'écoute » de l'élève, savent « tendre l'oreille ». Plus globalement, ces métaphores naturalistes s'inscrivent dans celle, familiale ou familialiste, où les relations humaines au sein d'une même lignée s'appréhendent sur le mode de la proximité affective et de l'intimité. C'est ainsi que l'on parle volontiers de « la chaleur de la Maison où il y a un cœur, un foyer, un climat de relations proches, où l'on se sent bien, où les uns et les autres montrent une certaine affectivité » dans « cette possibilité d'échange relativement naturel ».

L'affectif communautaire révèle en fait ici une « volonté organique ». Une volonté qui, déclinant le lien social, communautaire, selon une sociabilité spontanée, « chaude », sentimentale, authentique,

---

5. On se souvient que le compromis entre les « grandeurs » « industrielle » et « inspirée » se réalise à travers une « régulation » ou un « management » institutionnel très rationalisé et instrumenté des tendances intérieures et créatrices de l'élève. Plans d'étude et autres fiches pédagogiques rappellent qu'être acteur de sa formation suppose un scénario pédagogique, tout comme le choix d'orientations professionnelles nécessite un certain désenchantement et une rationalisation des passions et autres affects juvéniles par l'obligation, en Maison familiale, d'effectuer des stages variés.

6. Selon le naturalisme de l'« éducation nouvelle », « il s'agit dans tous les cas de proposer à l'éducation de mener l'enfant vers les fins auxquelles sa nature le destine et de s'adapter à sa nature propre pour le conduire à ses fins. [...]. Les réalités et les vocations de la nature enfantine commandent à l'entreprise éducative d'accomplir celles-ci et d'observer celles-là. » (Ulmann, 1987, p. 179.)

bref naturelle, s'oppose traditionnellement[7] à celle « réflexive », calculatrice (la mentalité plus « *business* » du citadin), « froide » et artificielle qui typifie communément les sociétés modernes contractuelles[8]. C'est bien, à travers le lien, l'unité d'un corps social que promeut l'affectivité communautaire éducative des Maisons familiales, où « la force de l'appartenance à la communauté résulte de ce que celle-ci, répondant à des motivations plus profondes que la simple volonté ou l'intérêt, réussit à submerger la volonté individuelle. [...]. Cette appartenance engage à la fois le cœur et l'esprit. » (Nisbet, 1984, p. 70.) C'est ainsi qu'il faut :

> « [...] considérer chaque personne non comme un individu dans un groupe social mais comme un membre d'un groupe social, d'une famille, d'une communauté, en interactions réciproques. » (Précédent directeur de l'Union nationale des Maisons familiales rurales, *Le bulletin DGER*, *op. cit.*, p. 29.)

Cette célébration institutionnelle de l'unité, unité qui émane d'une pensée affective et donc naturaliste du social, se retrouve bien évidemment au sein même de l'action éducative des Maisons familiales, notamment dans son projet de formation de la personne globale. Une éducation de la personne globale à laquelle participe, nous l'avons vu, l'apprentissage de l'élève à la vie sociale selon les règles de l'altruisme et de la solidarité qui, en Maison familiale, résonnent d'une « volonté tout organique ». Celle-ci s'exprime dans « *le mode de vie à l'intérieur de la Maison [où] c'est la vie de société, de groupe* », où l'« *on forme un groupe soudé* » et où « *il faut savoir apprendre à respecter les autres, à savoir vivre en commun, s'aider* » car « *vivre en groupe c'est développer de nouvelles solidarités, des moments forts de solidarités* ». Toutefois, il faut noter ce que la présente harmonie communautaire doit à la présence d'organes régulateurs que sont les « moniteurs ». Complétant la conception organiciste de la vie collective à l'intérieur de l'institution, ils sont pour les élèves les « *référents* », les « *accompagnateurs* », les « *coordonnateurs* », les « *catalyseurs* » qui « *régulent* » selon ce que nous avons appelé un « encadrement tutoral total ». Enfin, bien plus loin s'éprouve en Maison familiale l'unité d'une communauté éducative quand celle-ci rassemble en son sein les familles elles-mêmes. Si « *par nature l'association en Maison familiale est familiale* », c'est bien parce qu'« *il y a à associer le rôle des familles d'abord comme partenaires de l'éducation* ». Des « *familles actrices de la formation de leurs enfants* » et dont l'engagement produit,

---

7. Selon la typologie dualiste Communauté/Société qui, depuis la pensée grecque antique jusqu'aux fondateurs de la sociologie (en passant par les philosophes sociaux), n'a cessé de poser la Question sociale (Simon, 1991).

8. S'inscrit dans cette dénonciation la « révolution personnaliste » des années trente et son « affirmation que la société est une réalité naturelle dans laquelle s'enracine nécessairement l'existence humaine et non le fruit d'un hypothétique contrat social » (Loubet del Bayle, *op. cit.*, p. 369).

au total, son effet retour sur l'éducation des parents eux-mêmes et contribue, par là, à l'enrichissement collectif d'une communauté éducative.

La communauté de sentiments (l'esprit collectif) et la coopération dans la tâche éducative (l'action collective d'une « famille éducative ») ne sauraient maintenant constituer à elles seules l'unité du corps social considéré. Il faut qu'intervienne le troisième pilier de l'ordre communautaire organique : le fait territorial[9]. Est ainsi fortement valorisée en Maison familiale la spatialité réduite d'une « Maison » qui, au-delà de toute considération strictement physique, offre à ses « habitants » les conditions d'une singularisation et d'une chaleur des rapports sociaux. Une spatialité qui permet en fait la maîtrise et l'harmonie symboliques d'un ordre social familial localisé, circonscrit. La Maison, nous dit-on, « *d'abord c'est quelque chose de proche, que l'on maîtrise aussi* », « *c'est la famille parce que c'est des petites structures* », « *ça garde un caractère familial du fait de la taille* ». L'identification d'un espace naturel, d'un territoire à un lien communautaire affectif, fondé sur des sentiments communs, se déploie aussi en dehors des murs de l'institution. Elle embrasse, toujours dans cette même « volonté organique », un « *milieu* » rural. Terme récurrent dans les discours institutionnels, le « *milieu* », autant par référence au « mythe fondateur » des Maisons familiales qu'à travers l'évocation d'une réalité actuelle, désigne une commune humanité que rassemblent d'ailleurs bien plus des actions, des valeurs ou des sentiments collectifs, qu'une stricte matérialité topographique : « *rurale c'est la notion de milieu* », « *c'est la promotion de l'individu par le milieu* » ; c'est pourquoi « *la Maison familiale est très engagée dans un milieu et chez nous c'est vraiment parti du milieu, de l'initiative des familles* » ; il faut bien comprendre que « *le milieu rural ça découle d'un intérêt par rapport aux familles du milieu agricole à l'époque et les Maisons familiales ont germé dans ce terreau-là qui est spécifique, où les acteurs avaient à prendre des responsabilités* ». Le « *milieu* » serait en fin de compte une aire symbolique qui rassemble et désigne une mentalité – ou psychologie collective – célébrant les vertus d'une forte sociabilité rurale et du (bon) sens pratique et moral des paysans. Des paysans qui « épanouis en pleine nature, ont une conception de la vie autrement plus réelle » (Granereau, *op. cit.*, p. 185) que celle des citadins. La nature (le rural) se fait alors « curieu-

---

9. Le dernier élément d'un triptyque qui n'est pas sans rappeler l'idéal corporatiste organique ou la hiérarchie des communautés naturelles que légitimait, au XIXᵉ siècle, le catholicisme social (dont le SCIR de l'abbé Granereau) : la famille, le village et la communauté professionnelle. Et c'est cette même « communauté organique » que légitimait la pensée personnaliste dans sa critique virulente de « l'écrasement de l'homme et des corps sociaux naturels qui le protègent par un étatisme de plus en plus envahissant et centralisateur, [...] stérilisant [...] la vie sociale réelle et spontanée des communautés naturelles » (Loubet del Bayle, *op. cit.*, p. 205-206).

sement » culture (civilisation) et la culture (le monde urbain) se fait nature (sauvagerie) quand l'idéologie ruraliste permet actuellement de retourner le stigmate traditionnel d'un monde rural attardé en direction des « *banlieues violentes qui explosent* » désormais suspendues au messianisme rural : « *vous êtes les éclaireurs d'un nouveau mode de vie* ». Enfin, et toujours selon cette sorte d'« écologie humaine[10] », le culte du « *milieu* » se réitère dans la pratique de l'« alternance » où les stages effectués par l'élève sont des « *séjours en milieu de vie* », « *des observations du milieu de vie* », « *des observations concrètes d'un milieu donné* », « *prennent appui sur un milieu* ».

Au total, le naturalisme éducatif des Maisons familiales appréhende l'objet sur lequel s'exerce l'action pédagogique : l'élève. Traité sur le mode sensoriel et affectif, il est cet être de nature, bien que celle-ci soit en quelque sorte « désenchantée » parce que domestiquée par et pour une psycho-pédagogie[11]. Fonctionnant sur le même registre affectif, la communauté éducative révèle tout autant en Maison familiale son essence naturelle. L'unité et le lien social s'y déclinent selon une « volonté organique » qui rassemble une commune humanité, une famille éducative. Maintenant, à ignorer tout ce que doivent ces références naturalistes à leur capacité de justification et de légitimation d'une action et, au-delà, d'une identité institutionnelle ordonnée, on risque de commettre une grave méprise : prendre pour une essence ce qui n'est en fait qu'un principe de pensée analogique. Les présentes références naturalistes valent surtout comme autant d'*a priori* fondateurs indiscutés parce que naturels et ainsi transcendants. C'est bien au même titre que fonctionnent les autres doctrines, par ailleurs empreintes de naturalisme, faites institution : catholicisme social, personnalisme, humanisme, corporatisme agricole, ruralisme, familialisme et pédagogie de l'École nouvelle. Comme le note l'anthropologue Mary Douglas, « il doit y avoir une analogie qui fonde la structure formelle d'un ensemble de relations sociales essentielles par référence avec le monde naturel ou supranaturel, l'éternité ou n'importe quel champ qui ne soit pas considéré comme déterminé socialement. Dès que cette relation d'analogie est étendue à d'autres

---

10. Où la rencontre, l'accommodation, entre un public scolaire traditionnel et celui, croissant, issu des villes, présente ce risque de « *pollution* » de la « *pureté* » des jeunes ruraux scolarisés en Maison familiale.

11. Étayons encore ici notre propos sur une « conférence-débat » qui s'est tenue dans une Maison familiale. Le thème en était « Relations adolescents-adultes (le couple, l'amour et la famille ; l'éducation affective et sexuelle des jeunes) ». L'animation avec support audiovisuel était, quant à elle, assurée par le Centre de liaison des équipes de Recherche (CLER), « organisme agréé par le Ministère chargé de la famille et des Affaires Sociales », était-il précisé sur l'invitation, et particulièrement féru ce jour-là de psychologie enfantine.

ensembles de relations sociales, et, par effet retour, à l'ordre naturel lui-même, sa récurrence formelle lui permet d'être aisément reconnue et de tirer sa vérité d'elle-même » (*op. cit.*, p. 44). C'est donc le sceau de la légitimité par des principes naturalisateurs qui prévaut et transparaît dans le discours d'une institution sur elle-même. Une institution qui est fondée en nature et donc en raison. La nature en Maison familiale intègre une construction sociale forte qui vise la légitimation d'un ordre institutionnel. Elle est alors culturelle, participe du *nomos* – en mettant en jeu des stéréotypes sociaux, des lieux communs qui soutiennent une logique argumentative – bien plus que de la *physis* proprement dite. C'est dire, encore une fois, que cette nature culturelle ou culture naturalisée a pour l'institution une valeur justificatrice de son identité collective.

Du rapport nature/culture

Nous avons vu dans la précédente partie que l'« alternance » en Maison familiale ménage dans son acception technique le passage de la pratique à la théorie. Le primat accordé à une connaissance pratique ou empirique qui engage le corps, ses sens – et, par là, un instrument naturel dans l'apprentissage d'un savoir – n'omet pas de considérer le relais et la complémentarité pris par la « *didactique* ». Celle-ci n'est en fait rien d'autre que l'action d'une culture sur une nature. Une culture à base de théories psycho-pédagogiques que représente l'École nouvelle et dont le naturalisme apparent, puisqu'elles s'adressent aux affects, permet d'évacuer au moins symboliquement tout un contenu scolastique qui viendrait ruiner le *credo* institutionnel d'une pédagogie de l'action et de l'immanence. De ce point de vue, nature et culture ne s'opposent nullement mais s'acceptent comme couple complémentaire. La culture ne vaut ici que comme nature cultivée. Un chercheur-formateur au Centre national pédagogique des Maisons familiales a même poussé beaucoup plus loin la complémentarité. Il considère en effet le principe psychopédagogique de l'« alternance » comme « bien proche de la structure biologique, quand la démarche partant de l'expérience, va vers de nouvelles informations et revient au milieu de vie pour de nouvelles actions » (Legroux, 1979, p. 30).

Suivant la même idée, l'unité et le lien naturel d'un « corps » institutionnel se cultivent à partir de technologies sociales d'encadrement qui dirigent l'action collective d'une « communauté éducative » selon les directives d'une idéologie managériale. La fédération d'Ille-et-Vilaine a ainsi proposé à ses directeurs de base des stages de management qui, comme l'indique la brochure publicitaire :

« [...] s'inspirent [...] des travaux de Jacques Salomé, de l'Analyse Transactionnelle et de la Programmation Neurolinguistique afin de développer et proposer le concept et les outils du Management Relationnel. Ces stages utilisent le levier de la relation pour produire de l'énergie et de la motivation, dans tous les secteurs de la vie ».

Des technologies sociales, à forte résonance psychologique, qui concernent les modalités de gestion d'une communauté éducative et qui font du directeur de Maison familiale un manager :

« MANAGEMENT INTERNE

– Animer et dynamiser une équipe de 8 à 12 personnes comprenant des formateurs, du personnel administratif et de service, chaque personne devant adhérer au projet d'établissement. [...]
– Animer l'association et rendre compte de sa mission au CA.
– Élaborer un règlement intérieur.
– Organiser l'accueil des jeunes, des familles et de tous les visiteurs. » (Lettre de mission de l'Union nationale destinée aux directeurs de Maison familiale rurale.)

Cette acculturation planifiée à l'idéologie managériale descend enfin jusqu'aux « organes régulateurs » de la communauté organique éducative que sont les moniteurs :

« MANAGER SON GROUPE

Dans le respect de l'alternance et des valeurs fondamentales de la Maison familiale (l'élève en premier et la famille responsable de l'éducation de son jeune).
1. Enseignement : [...].
2. Animations : [...].
3. Relations partenaires [...]. » (Document interne d'une Maison familiale rurale.)

La « volonté organique » qui lie le « corps » institutionnel est donc bien ici aussi une nature cultivée.

Maintenant, au-delà de sa substance, de son fond théorique intrinsèque, l'idéologie naturaliste, avec donc en Maison familiale ses variantes pédagogique et communautaire, est susceptible d'importer avec elle une vision et une division du monde : « Les individus, quand ils sélectionnent parmi les analogies naturelles celles auxquelles ils vont donner foi, sélectionnent en même temps leurs alliés et leurs ennemis, ainsi que le schéma de leurs relations sociales futures » (Douglas, *op. cit.*, p. 56). Penser son action pédagogique et le type de relation sociale qui l'encadre sur le mode naturaliste, c'est peut-être aussi définir une identité institutionnelle dans son rapport symbolique avec le reste du monde éducatif. Un rapport qui serait en l'occurrence antinomique avec la culture prise dans son sens intellectualiste, scolastique, et qui expliquerait ce souci qu'ont les Maisons familiales de ne pas « faire trop scolaire » : « *trop ici* [en cours à la Maison familiale], *ils* [les élèves] *reprennent leurs manières d'être scolaires. Quelquefois, on se dit qu'au bout de 15 jours il est grand temps que ça se termine et qu'on les renvoie dans la nature!* » Qu'est-ce donc cette nature à laquelle il est grand temps de renvoyer l'élève, sinon le garde-fou d'une dérive scolastique et, par là, d'une assimilation de l'institution à l'« *enseignement traditionnel* »? Le naturalisme éducatif des Maisons familiales ne tiendrait-il pas aussi, en tant que contre-culture scolaire, d'une pensée relationnelle? C'est-à-dire une pensée qui construit une identité collective au regard d'une altérité empirique que constituent tous les autres enseignements par rapport auxquels l'institution a à se situer et dont elle aurait le sentiment de se distinguer?

Rapportées à la question des mécanismes de construction d'une identité collective en Maison familiale, les idéologies ou les catégories doctrinales de l'entendement institutionnel jouent donc bien ce rôle essentiel de fondement et de légitimation identitaires. Ciment idéologique des multiples facettes de l'entreprise éducative des Maisons familiales, la Personne, le Milieu rural, la Famille, la Communauté éducative, etc., représentent ces altérités doublement transcendantales. Ce sont autant d'*a priori* fondateurs – que l'histoire faite institution a cristallisé – à portée explicative et justificatrice plus ou moins universaliste et dans lesquels le collectif se reconnaît et s'affirme comme tel. C'est dire que l'idéologie n'a pas ici cette valence négative d'irrationalité (Boudon, *op. cit.*, p. 53-79) ou d'aveuglement, d'aliénation des consciences. C'est dire encore avec Edmond-Marc Lipiansky « qu'on ne saurait ramener l'idéologie à une volonté de mystification, que celle-ci relève d'un calcul politique ou de la défense d'intérêts économiques et sociaux; de même, elle ne peut être saisie comme l'erreur de visée d'un sujet face à un objet qu'il perçoit mal. Il y a bien plutôt correspondance entre la conscience individuelle (et sociale) et le discours idéologique; en celui-ci, le sujet se reconnaît, non pas seulement en raison de la sanction sociale qui l'accompagne, mais parce qu'il y trouve une forme dans laquelle il peut couler son identité et la signifier » (1978, p. 63). L'idéologie est fondamentalement positive tant elle intervient au niveau existentiel de l'identité d'un groupe et contribue à créer la commune humanité dont il se revendique. Et c'est cette même lecture interne de l'élaboration d'une identité collective, lecture qui prend au sérieux le niveau existentiel de ladite identité, que devra pratiquer l'analyste lorsqu'il aura à rapporter la production d'un discours collectif à la participation et au positionnement de ses tenants dans un univers peuplé d'Autruis, c'est-à-dire ici d'institutions scolaires concurrentes réunies au sein du champ de l'enseignement agricole. La rencontre avec l'Autre, rencontre même symbolique en termes de jugement et d'évaluation à distance, induit nécessairement un rapport existentiel de distinction où, là encore, les idéologies s'imposent comme le fondement positif d'une identité collective en soutenant des prétentions indissociablement distinctives et normatives pour ce qui est bien ou mal, légitime ou illégitime en matière d'éducation. Toutefois, à ne voir entre les Maisons familiales et ces idéologies qu'une simple connivence intellectuelle ou un fond théorique commun, une homologie purement substantielle qui légitime une pratique éducative, l'on risque de situer d'emblée les Maisons familiales hors du monde social et de l'histoire. Cette statique sociale d'une affinité de pur contenu doctrinal entre les Maisons familiales et des idéologies masque l'existence d'un rapport relationnel entre l'institution et des univers sociaux auxquels elle a, nous venons de le voir, historiquement emprunté des systèmes d'idées. Autrement dit, les idées circulent entre des émetteurs et des récepteurs, ces derniers étant alors disposés ou non à les accueillir selon ce que Raymond Boudon nomme des « effets de situation » (*op. cit.*, p. 105-135). Il semblerait bien que les Maisons familiales étaient toutes prédisposées à souscrire à différentes idéologies qui, en fait, soutiennent chez elles autant un contenu éducatif qu'une forme éducative susceptible de mieux marquer ce rapport existentiel de distinction qu'entretiendrait l'institution avec les autres participants au champ de l'enseignement agricole.

QUATRIÈME PARTIE

Stratégie et culture de la différence

S i, selon Durkheim, les changements en matière d'enseignement sont « en rapport avec un point de repère fixe qui les détermine : c'est l'état de la société au moment considéré » (1969, p. 16), il fut impératif pour notre propos de faire de « la société », non pas une abstraction, mais bien l'expression d'un ensemble de propositions idéologiques qui sont clairement attribuables à des groupes sociaux et à des institutions plus formalisées. Des groupes et des institutions qui, historiquement, ont constitué la « société » des Maisons familiales rurales et dont l'« état », qui inclut bien sûr les rapports entre toutes les instances scolaires réunies au sein d'un même champ social, a directement interféré avec les mécanismes de construction d'une identité collective en Maison familiale.

Chapitre IX

L'HISTOIRE FAITE INSTITUTION
OU LA SÉLECTION DE CONTRE-IDÉOLOGIES

Il est un trait commun aux différentes idéologies qui, historiquement, ont participé en Maison familiale rurale à l'élaboration d'une pensée éducative et d'une identité collective. Leur rencontre avec l'institution n'est nullement fortuite pour peu que l'on s'attache à voir dans chacune d'entre elles non seulement un fond, un contenu théorique ou doctrinal spécifique, mais aussi une forme, une configuration particulière relative à leur positionnement dans des champs de relations sociales.

Il en a été ainsi de la JAC et, plus fondamentalement, du catholicisme social. Fidèle à une éthique de transformation d'un milieu donné selon une politique de « démocratie-participation[1] », la première proposa à ses militants une sorte de personnalisme communautaire qui, ajusté au contexte historique de mutation globale du monde agricole, se posait comme troisième voie face aux « méfaits du capitalisme » et aux « pesanteurs du collectivisme » (Houée, *art. cit.*, p. 14) totalitaire. Quelques décennies auparavant, reconnaissant le rôle premier des corps intermédiaires dans l'instauration de l'ordre social, *Rerum Novarum* ouvrait déjà le passage pour « une troisième voie entre le libéralisme et le socialisme » (Mayeur, *op. cit.*, p. 493-494). Cette pensée politique du « ni droite, ni gauche » s'inspirait alors directement de la dialectique personnaliste qui, dans un modèle de représentation ternaire de l'espace social considéré, proclamait l'impérieuse « nécessité de se désolidariser de toutes les compromissions politiques de droite

---

1. Qui invite à la création de corps intermédiaires permettant, au sein du mouvement ainsi que dans la société civile, une participation gestionnaire et une représentation populaire de la base au sommet de l'organisation sociale (Durupt, *op. cit.*, p. 35-52 et 395-400).

comme de gauche » (Loubet Del Bayle, *op. cit.*, p. 139). La « révolution personnaliste » (*ibid.*, p. 337-354) ne concevait l'avènement de la « personne », c'est-à-dire cette liberté créatrice de l'homme, qu'en rupture avec les deux erreurs symétriques que constituaient les matérialismes capitaliste et collectiviste. L'éthique de la JAC, fortement teintée de personnalisme, s'inscrivait donc comme troisième voie ou comme contre-idéologie au sein d'un champ politico-religieux.

Il en va à peu près de même pour cette autre idéologie qu'est le ruralisme. Après avoir été, originellement, de dignes représentantes d'un corporatisme agricole anti-étatique, les Maisons familiales rurales souscrivent désormais pleinement à un ruralisme qui, dans l'opposition binaire urbain/rural, révèle une authentique contre-idéologie : celle qui seule est capable de retourner en un messianisme de la ruralité le traditionnel regard misérabiliste (pour ne pas dire autre chose) porté sur les campagnes depuis la ville.

Quant au familialisme développé en Maison familiale, qu'il soit « idéologique normatif[2] » ou « gestionnaire[3] », il est tout autant amené à fonctionner comme une contre-idéologie : maintenir le rôle premier des familles dans la gestion financière, politique, pédagogique et morale de leur institution, ceci à l'encontre d'une certaine dépossession éducative qui, comme nous allons le voir, est suspectée d'être pratiquée dans les autres enseignements. Plus globalement, un « familialisme institutionnel et stratégique », tel que le représente l'UNAF, désigne la réalité politique d'une défense des intérêts familiaux autant en terme de co-gestion avec l'État que de contre-pouvoir face à celui-ci.

Enfin, en se réclamant de l'École nouvelle, il est particulièrement évident que les Maisons familiales ont adhéré à une idéologie éducative qui s'affirme délibérément en rupture avec l'enseignement dit « traditionnel ». Celle-ci ne cesse en effet de promouvoir une pédagogie de l'action et de l'immanence qui vilipende les « savoirs standardisés », « dogmatiques », « étrangers », « livresques », « abstraits » et « encyclopédiques » de l'« école traditionnelle ».

Il y a donc bien de la part des Maisons familiales une sorte d'attirance pour nombre de doctrines dont le trait saillant réside dans leur forme oppositionnelle, antagonique qu'elles déploient à l'encontre des autres idéologies en place. Il y a plus fondamentalement en Maison familiale le choix historique et délibéré de la contre-culture éducative au sein du champ scolaire. L'institution ne peut d'ailleurs être guère

---

2. Dans le sens où la famille y est édifiée (ou parlée selon une rhétorique toute institutionnelle) en modèle axiologique éducatif (cf. la communauté éducative comme « seconde famille ») auquel il doit être fait allégeance (cf. offre et égalitarisme scolaires compensatoires, neutralité idéologique).

3. Selon l'affirmation de la responsabilité administrative et éducative des familles au sein de chaque établissement.

plus explicite lorsque, au-delà des méthodologies et des théories qu'elle emprunte à l'École nouvelle, elle y puise une contre-idéologie éducative qui l'autorise à s'ériger en « *anti-enseignement* » :

> « Une méthode pédagogique [en Maison familiale] qui illustre authentiquement Claparède et Dewey, Piaget et Cousinet et qui aboutit à un anti-enseignement [...]. L'idéal de l'enseignement c'est un anti-enseignement qui le réalise. » (Précédent directeur de l'Union nationale des Maisons familiales rurales, *art. cit.*, p. 45.)

Une fois posée cette passion institutionnelle pour l'hérésie idéologique, il reste à en rechercher les causes premières. Un tel souci d'opposition aux pratiques et doctrines dominantes, qui chacune, on l'aura compris, s'attache dans son « anthropologie » à une définition normative de l'Homme et de son devenir – par son éducation tant technique que morale – au sein d'un modèle de société donné, ne peut par essence naître et perdurer hors du monde social ou dans un système clos. Autrement dit, c'est bien à leur inscription dans un univers qui rassemble ou fait coexister des institutions fonctionnellement semblables que les Maisons familiales doivent leur quête permanente de la distinction, ceci selon un principe « vieux comme l'ethnologie » qui enseigne que : « à côté des différences dues à l'isolement, il y a celles, tout aussi importantes, dues à la proximité : désir de s'opposer, de se distinguer, d'être soi » (Lévi-Strauss, 1987, p. 17). Cette distinction, prise ici au sens existentiel du terme et qui traduit un véritable invariant culturel (Kilani, 1994, p. 19), ne saurait d'abord correctement se penser sans que l'on remonte jusqu'aux conditions objectives – c'est-à-dire jusqu'à l'état originel du champ de l'enseignement agricole – qui présidèrent à la naissance des Maisons familiales rurales (Sanselme, 2000a).

À la veille de la création de la première Maison familiale, son promoteur, l'abbé Granereau, dressait à sa façon l'état des lieux de la scolarisation paysanne :

> « De cinq ans plus âgé que moi, [...] sans autre instruction que l'école primaire et le certificat d'études, mon frère [...] aimait la terre, lui aussi. Mais à sa façon.
>
> Il voulait marcher avec son temps, avec le progrès, sans trop savoir ce qu'apportait ce progrès.
>
> Il voulait des récoltes qui demandaient peut-être plus de soins, mais rapportaient davantage, et finalement occasionnaient moins de fatigue que la grosse culture.
>
> Entre les deux générations, je vis très nettement arriver la cassure. Des heurts, bien douloureux parfois, se produisaient sans que personne ne puisse se trouver là pour apporter une solution à un conflit de plus en plus aigu, ni du côté de l'État, ni du côté de l'Église.

L'ÉTAT.

L'État, par ses instituteurs primaires, à part quelques magnifiques exceptions, ne savait guère que dire aux paysans : "Ton fils est intelligent; il ne faut pas le laisser au derrière des vaches... et il faut le pousser dans les études... il sera mieux que toi... Il se fera une belle situation." [...]

Partant dans les études, le jeune paysan devenait souvent orgueilleux de lui et regardait bien vite de haut ceux qui étaient assez "bêtes" pour rester à la terre. [...]

Ainsi le monde paysan était écrémé de ses meilleures intelligences et parfois de ses vrais chefs !

L'ÉGLISE.

L'Église, il est vrai, avait ses écoles libres. Face à l'État, elle menait la lutte autant qu'elle le pouvait pour sauvegarder l'éducation chrétienne des enfants.

Mais au point de vue paysan, qu'a-t-elle fait de plus que l'État? Ses écoles secondaires n'avaient-elles pas l'esprit aussi citadin?

Ne sont-ils pas nombreux ceux qui ont appris à déserter la terre dans nos écoles chrétiennes? [...].

D'un côté comme de l'autre, le monde paysan n'a pas eu le secours qui aurait pu lui éviter une crise terriblement douloureuse [...] dans la désunion des familles paysannes et dans la désertion de la terre. [...].

Quand une nation se désintéresse de l'instruction et de l'éducation de la grande masse de son peuple (un peuple ne peut pas être instruit et formé simplement par son école primaire) comment peut-elle prospérer? » (*Op. cit.*, p. 21-23.)

Si on laisse de côté la teneur très corporatiste et agrarienne d'un discours où la colère accompagne les affres d'une dépaysannisation par l'école, il est tout à fait juste, à l'époque, de limiter l'horizon scolaire d'un enfant de paysans aux bases (rudimentaires) d'un enseignement primaire élémentaire contrôlé soit par l'État, soit par l'Église. Quant à l'enseignement agricole proprement dit, tiraillé dans une lutte politique entre, d'une part, les républicains soucieux de conquérir les campagnes et, d'autre part, l'aristocratie foncière catholique qui s'est traditionnellement attachée la paysannerie, il demeure relégué, du moins dans l'apprentissage de ses savoirs les plus basiques, aux cours pratiques dispensés par les instituteurs des écoles primaires (Grignon, *art. cit.*, p. 80-83; Nicolas, 1993, p. 69). Un enseignement agricole qui s'occupe spécifiquement de la formation de praticiens n'existe en fait pas ou peu[4]. Néanmoins, même réduit à la portion congrue, il reste

---

4. Ce qui s'explique, notamment, par la quasi absence d'une formation en amont des agents d'encadrement de l'enseignement agricole que furent les instituteurs. Ainsi, dans les années 1830, « 7,8 % seulement des écoles normales disposent d'une véritable formation agricole » (Nicolas, *ibid.*, p. 71). Un siècle plus tard, Michel Boulet et René Mabit notent, quant à eux, qu'« en 1937, seuls 2 070 instituteurs et institu-

sous la coupe de l'Église ou de l'État, âprement disputé entre les agrariens de droite et la bourgeoisie républicaine (Boulet, *art. cit.*, p. 85-89).

C'est donc dans ce contexte politique et scolaire particulier qu'émergea en 1935 la première Maison familiale rurale. Dirigée par un prêtre, elle ne pouvait être publique. Née d'une initiative privée, elle restait en dehors de toute officialisation diocésaine :

> « En me voyant arriver avec ma soutane, les laïques me disaient :
> "Vous êtes confessionnel, vous ne pouvez être officiel."
> Je répondais : "Je ne suis pas confessionnel, je suis familial. Je bâtis sur les familles quelles qu'elles soient."
> M'entendant dire que je voulais réaliser mon école sur le terrain officiel, les catholiques me déclaraient : "Vous êtes neutre. Étant prêtre, vous ne pouvez pas l'accepter."
> Je répondais : "Je ne suis pas neutre, je suis familial, je fais prendre aux familles leurs responsabilités." » (Granereau, *op. cit.*, p. 217.)

On comprend dès lors que, coincées d'entrée entre l'école de l'État et celle de l'Église, les Maisons familiales, nouvel entrant dans un espace déjà bien contrôlé à défaut d'être bien rempli par un public scolaire, aient historiquement souscrit aux contre-idéologies (minoritaires ou dominées) disponibles dans les différents champs – pédagogique, religieux/catholicisme social, familialiste et ruraliste – auxquels l'institution s'est connectée. Les Maisons familiales ont donc eu toutes les dispositions à la subversion en occupant moins « une position du juste milieu » (*ibid.*, p. 217) que cette position subalterne au sein d'un espace social préalablement structuré autour de deux piliers idéologiques institutionnalisés : les enseignements agricoles public et diocésain. La pertinence des champs environnant les Maisons familiales tient ainsi, pour l'institution, au fait qu'ils lui ont fourni idéologiquement les fondements ou les bases symboliques d'une différenciation. L'hérésie idéologique serait ici distinction et principe existentiel fondamental – dans un univers scolaire déjà peuplé d'institutions fonctionnellement identiques – de construction d'une identité collective institutionnelle. Une différenciation qui doit au moins autant à l'attirance pour le contenu substantiel (voir la partie précédente) d'idéologies qu'à l'incorporation de formes idéologiques (disponibles) minoritaires et donc contestataires des ordres établis dans les différents champs. En résumé, « aux nouveaux arrivants, individus ou institutions, […] le monde

---

trices se consacrent à l'enseignement post-scolaire sur environ 70 000 en poste en milieu rural. Ils sont responsables de 1 048 cours post-scolaires et 1 022 cours d'adultes rassemblant 26 000 personnes. Cette même année, ne sont délivrés que 475 certificats d'études agricoles et 285 brevets d'apprentissage agricole. Pour l'ensemble de l'enseignement agricole public, on estime le nombre des élèves à 12 300, dont 6 500 dans le premier degré, contre 3 000 en 1913. Cela représente au mieux une réelle formation pour 3 % des jeunes se destinant à l'agriculture » (*op. cit.*, p. 21-22).

social se présente toujours comme déjà symboliquement et pratiquement approprié par des agents, des instances et des groupes dotés eux-mêmes d'une position déterminée, et la réorganisation symbolique de la représentation de l'espace social, qui est l'une des conditions de sa réappropriation politique, doit tenir compte des contraintes que les systèmes d'interprétation concurrents exercent sur le travail de production idéologique » (Boltanski, *op. cit.*, p. 253-254). Il ne restait plus alors aux Maisons familiales qu'à déplacer et à retranscrire lesdites idéologies – qui se prêtent particulièrement bien à une conversion en thématique éducative, tant elles s'attachent dans leur « anthropologie » à une définition normative de l'Homme et de son devenir au sein d'un modèle de société « organique » – à l'intérieur du champ de l'enseignement agricole, ceci afin de permettre l'émergence d'une troisième voie scolaire distincte de celles traditionnellement offertes par les autres institutions. Telles furent les conditions historiques objectives qui amenèrent une institution à se définir bien moins comme « enseignement agricole » que comme « Maisons Familiales Rurales d'Éducation et d'Orientation » pratiquant l'« alternance ». Telles furent, plus fondamentalement, les conditions objectives qui présidèrent à la naissance d'un « Soi » institutionnel qui ne peut émerger, en tant que conscience réflexive et capacité discursive, que dans une relation à autrui. Une relation dont l'enjeu, pour les Maisons familiales, réside dans la possibilité même de leur « auto »- création puis, dans l'affirmation (dans la permanence) de leur « identité intégratrice » (Dubet, *op. cit.*, p. 112-114). Un enjeu existentiel qui est d'autant plus crucial pour l'institution qu'elle participe à un enseignement agricole unifié depuis les lois de 1960 puis de 1984, lois par lesquelles l'État a voulu un alignement de toutes les « familles » d'établissements agricoles sur une norme nationale de formations dispensées (filières, options, modules, etc.) et de diplômes délivrés.

C'est dire ici, au-delà de toute considération stratégique en termes de luttes et de domination sociales, que la constitution de l'identité collective des Maisons familiales se joue relationnellement, à l'intérieur d'un univers partagé que l'institution mobilise d'un point de vue existentiel afin de se penser elle-même tout en pensant autrui et le monde. La critique émise par les Maisons familiales à l'encontre des pratiques éducatives supposées de leurs « homologues fonctionnels », amène à présent à lire l'élaboration et la justification d'une identité collective à travers ce que nous appelons une « cosmologie institutionnelle » : un rapport au monde qui inclut dialectiquement le rapport à soi et aux autres institutions d'enseignement prises comme altérités « négatives ».

Chapitre X

LA « COSMOLOGIE » INSTITUTIONNELLE : DE LA CRITIQUE SOCIALE DES AUTRES ENSEIGNEMENTS À L'AFFIRMATION D'UNE CONTRE-CULTURE

Prise essentiellement, dans le cas présent, selon une acception « négative » ou discréditante, l'existence de la critique sociale suppose au moins deux principes, deux conditions concomitantes :
– premièrement, puisqu'elle est sociale, relationnelle, elle nécessite la co-présence d'êtres – ici collectifs et appelés altérités « négatives » – au sein d'un espace donné ;
– deuxièmement, à ce principe de co-présence s'ajoute celui de la reconnaissance de l'existence de ces altérités, c'est-à-dire leur perception en tant qu'« Autruis significatifs » (Mead, 1963) ou, du moins, d'Autruis qui comptent (même négativement) dans la définition de soi. Ce principe de reconnaissance et de désignation se déduit de celui, plus global et fondamental, de « non-indifférence », de « souci minimal » (Walzer, *op. cit.*, p. 17), d'intérêt ou d'« *illusio* » (Bourdieu, 1992, p. 91-92) pour ce qui importe. Autrement dit, la critique sociale suppose de la part de son entrepreneur[1] l'immersion sociale dans le jeu (le champ) afin d'en saisir l'intérêt. Les critiques émises par les Maisons familiales en direction de leurs « homologues » ne sont donc pas des critiques détachées, hors du monde. Elles participent d'un univers commun, partagé.

---

1. Pour reprendre l'expression de Howard S. Becker qui, par « entrepreneurs de morale », désigne ces « croisés » réformateurs des mœurs (1985, p. 171-188).

Savoir pratique/savoir scolaire face à la tradition et à l'impérialisme scolastiques[2]

Thème éducatif particulièrement cher aux Maisons familiales, le primat de l'expérience pratique offerte à l'élève pleinement acteur de sa formation se pose ici comme l'antithèse de l'intellectualisme dominant – on reconnaîtra là une des thématiques de l'« École nouvelle » dont la contre-idéologie scolaire inspire fortement les Maisons familiales – qui aurait cours dans l'enseignement traditionnel :

> « L'alternance telle que nous essayons de la mettre en œuvre dans les Maisons familiales, c'est comprendre et être conscient que l'apprentissage ne se fait pas à l'école uniquement. » (Directeur de Maison familiale rurale, ministère de l'Agriculture, 1985a, p. 25.)

> « L'alternance en Maison familiale c'est considérer que tout ne s'apprendra pas à l'école. Dans une alternance de type scolaire, on a tendance à penser que le stage c'est le lieu d'application ; on a appris à l'école et puis on va voir comment ça se passe pour vérifier. Dans le cadre de l'alternance en Maison familiale, on est convaincu que le milieu professionnel, l'expérience en vraie grandeur apprend des choses qu'on ne peut apprendre en restant toujours à l'école. » (Directeur de l'Union nationale des Maisons familiales rurales.)

> « Il y a une dizaine d'années, et même moins que ça, on a été sérieusement mis en cause parce qu'on était traité d'enseignement au rabais.
> – Qui vous traitait ainsi ?
> – C'était des enseignants qui n'avaient pas tout à fait bien réfléchi avant de parler ! Des enseignants qui étaient de l'Éducation Nationale, donc des gens qui pensent que le savoir ne peut s'acquérir qu'entre quatre murs, quoi. Bon, moi je trouve ça dommage. Moi je crois qu'il ne faut pas penser que les choses sont si précises et cadrées, que tout s'apprend sur les bancs de l'école. » (Directeur de Maison familiale rurale.)

L'affaire est donc entendue, « *tout ne s'apprend pas sur les bancs de l'école* » et encore moins par le forçage, le gavage des jeunes esprits :

> « L'alternance c'est moins monotone qu'à l'école. Il y a une coupure. Il y a des jeunes qui sont saturés des études et pour eux c'est très bien de sortir, de quitter que de la théorie. » (Président de Maison familiale rurale.)

> « Tout le monde n'aime peut-être pas l'alternance mais je crois que beaucoup de jeunes s'y retrouvent, les jeunes qui sont un petit peu saturés de l'enseignement traditionnel. C'est par là que c'est intéressant. » (Président de Maison familiale rurale.)

---

2. Nous reprendrons à chaque fois ici, dans l'ordre, les intitulés et les composantes des chapitres IV et V de notre seconde partie : « Le pouvoir des mots ».

« *Quitter que de la théorie* », là est bien la dénonciation d'un intellectualisme abstrait qui est censé caractériser l'« *enseignement traditionnel* » :

> « Moi j'ai un fils qui a fait sa formation à la Maison familiale. Il a suivi une formation générale et comme il n'aimait pas l'école traditionnelle, il n'était pas matheux, bon ben on l'a changé, on l'a mis à la Maison familiale et il s'y est très bien plu parce qu'on partait de choses beaucoup plus concrètes.
>
> Autrefois, on a eu des parents qui avaient deux filles (elles sont maintenant toutes les deux infirmières). Il y en avait une qui a pris la voie classique, les écoles traditionnelles, et l'autre n'avait sans doute pas le même QI, la même rapidité, elle était moins abstraite : alors elle est allée en Maison familiale. » (Président de Maison familiale rurale.)

Deux anecdotes exemplaires, déjà entendues, que viennent encore appuyer les propos de cet autre responsable de l'institution :

> « Moi je suis optimiste pour l'avenir des Maisons familiales avec l'alternance. On a besoin de formations conduites par l'alternance pour destiner des gens ensuite à des activités plutôt pratiques et manuelles. Qu'on arrête de créer des structures artificielles dans les lycées où là les jeunes sont coupés de la réalité! » (Directeur de Maison familiale rurale.)

« *Coupés de la réalité* », c'est-à-dire démunis de tout sens pratique. Une absence qui porte le discrédit ultime sur le non professionnalisme, sur la non préparation aux réalités professionnelles, pratiques, qu'induisent les autres enseignements :

> « On s'aperçoit qu'un jeune qui sort de l'enseignement traditionnel, qui a un examen (peu importe lequel, même un bac + 2, +3, tout ce qu'on voudra), quand il arrive sur le marché du travail il est complètement paumé. C'est vrai qu'il a appris beaucoup de choses théoriques, pas de problème, il est très fort. Mais en pratique, bah, ça ne se passe pas tout à fait pareil quand on arrive à l'entreprise. » (Président de Maison familiale rurale.)
>
> « Actuellement, il y a des BTS qui sont formés à temps plein et on a fait un sondage auprès d'entreprises, des entreprises qui sont unanimes pour dire que ces BTS ne sont pas adaptés, ne sont pas adaptés immédiatement à la conduite d'une équipe dans le sens où ils ne connaissent pas les gestes élémentaires, les gestes simples du manuel, du gars de terrain. Et vous concevez bien qu'il est difficile de donner des ordres alors que vous, vous ne savez pas trop comment manier l'outil, hein ; c'est gênant, quoi. » (Directeur de Maison familiale rurale.)
>
> « Le candidat de lycée d'État public ou privé peut intellectuellement. C'est-à-dire, scolairement, parlant il est beaucoup plus capable en matières générales, en discussion. Par contre, de les mettre à une table à dessin et de les faire travailler sur un plan [paysager], il leur manque cette façon de voir et de transposer sur le terrain. Et il leur manque pra-

tiquement tout en fin de compte ! Un candidat, un stagiaire de lycée public ou privé, qui n'a pas beaucoup de pratique, est incapable de transposer ; il n'aura pas touché la plante, il ne l'aura pas taillée. » (Président de Maison familiale rurale.)

Une critique qui vaut, de la même manière, pour le recrutement des enseignants et qui consacre la revanche du manuel sur l'intellectuel :

> « Le recrutement d'un enseignant en Maison familiale n'est pas toujours évident parce que la fonction est exigeante et il faut que la personne comprenne bien l'alternance telle qu'on la pratique. Bon, quelqu'un qui a été formé en milieu universitaire, c'est pas évident qu'il s'intègre et qu'il comprenne. Et il y a des gens qui ne justifient pas forcément la formation pédagogique [spécifique aux Maisons familiales]. Les ingénieurs, par exemple, acceptent difficilement notre formation pédagogique parce qu'ils pensent détenir un **savoir** [c'est l'enquêté qui souligne] et que ce serait suffisant pour enseigner chez nous. » (Directeur de Maison familiale rurale.)

> « Quand on veut être formateur, avoir un niveau d'ingénieur : OK, je veux bien. Mais il y a combien d'ingénieurs qui sont capables d'être à l'écoute des jeunes ? Et moi je pense que c'est une erreur. Quel que soit le niveau de formation avec lequel un formateur arrive en Maison familiale, même si un enseignant de niveau II arrivait chez nous, il passerait d'office par la formation pédagogique [de deux ans au Centre national de formation des Maisons familiales à Chaingy]. Quel que soit le niveau scolaire que le formateur a, il est obligé de passer par là. Il ne peut pas passer à côté. Et il y a certaines personnes qui ont une grosse tête et puis que l'animation, l'écoute du jeune, ça leur passe à côté. » (Directeur de Maison familiale rurale.)

Un ajustement aux réalités professionnelles face à la temporalité artificielle des stages

La dénonciation de la tradition et de l'impérialisme scolastiques aboutit donc, selon une succession logique, à la critique d'enseignements qui, en quelque sorte, nient leur spécificité : la formation professionnelle technique. Cette exclusion symbolique à l'œuvre dans le discours des Maisons familiales ne saurait toutefois se fonder pleinement sur le seul discrédit de l'intellectualisme qui est pratiqué ailleurs. C'est bien plus en mettant en balance une réalité commune que les Maisons familiales arrivent à éprouver (au double sens du terme) leurs adversaires. Cette réalité serait la part quantitative et qualitative dévolue aux stages des élèves en milieu professionnel. A une pratique « *en vraie grandeur* » va alors s'opposer la temporalité artificielle de la « *fausse* » ou « *pseudo alternance* » :

« L'alternance, on en parle à toutes les sauces mais il y a la pseudo, la fausse alternance. Moi je dis que des stages sporadiques, quinze jours-trois semaines de temps à autre, c'est bien, c'est pas inutile, mais ça ne vaut pas ces stages réguliers où le jeune est un véritable acteur et un élément de l'entreprise. Parce que nos gars, ce ne sont pas des stagiaires ; c'est plus que des stagiaires, ils sont bien des éléments de l'entreprise, ils vivent l'entreprise ces jeunes. Le stagiaire, vous savez ce que c'est, c'est quelqu'un qui est parachuté à un moment donné, qui se greffe ou qui ne se greffe pas et puis qui repart trois semaines après. C'est vraiment du ponctuel, quoi, des stages ponctuels. Tandis que nous, eh bien là, c'est la vraie alternance, c'est pas la pseudo. » (Directeur de Maison familiale rurale.)

« En collège, par exemple, les enfants font seulement trois jours de mini stages, à deux reprises peut-être, une reprise pour certains. Tandis qu'en Maison familiale, là ils ont l'occasion quand même d'essayer au moins cinq-six fois. C'est bien pour les stages que les jeunes choisissent la Maison familiale.
– Des stages qui existent aussi dans les autres écoles.
– Oui mais il y en a moins. Tandis que là, ils sont quinze jours à l'école et quinze jours en stage. C'est pour cela qu'ils sont venus. C'est la régularité de ce rythme 15/15. Dans un autre centre, il y a trois semaines tout d'un coup au mois de juin, par exemple, trois semaines vers Noël, mettons à deux reprises dans l'année. À deux reprises dans l'année on va trouver trois semaines de stage. Tandis que là c'est régulier. » (Enseignante en Maison familiale rurale.)

« Les stages, c'est mieux que rien si vous voulez. La pseudo alternance ça permet de prendre un peu la température dans une activité professionnelle donnée. Mais ça n'a pas la même portée qu'un jeune qui est en alternance comme nous la pratiquons. Un jeune qui est parachuté quinze jours, trois semaines à un moment donné (parce que c'est peut-être trois semaines dans l'année), mettez-vous à la place d'un chef d'entreprise qui reçoit ce jeune : il ne le connaît pas. Le temps que le jeune s'adapte aux habitudes, s'intègre, trouve ses marques, il faut quand même bien une bonne quinzaine. Enfin, arrivé à la fin du stage, s'il dure trois semaines supposons (je crois que c'est le maximum qui est pratiqué), eh bien c'est pratiquement fini. C'est trop court, beaucoup trop court ! Je crois que du papillonnage, un coup tiens nous revoilà pendant trois semaines, là, et puis l'année d'après je reviens quinze jours : c'est très insuffisant. » (Directeur de Maison familiale rurale.)

Le temps long et « *régulier* » des stages professionnels, temps nécessaire en Maison familiale à l'initiation du simple « *stagiaire* » à son statut supérieur de « *véritable élément de l'entreprise* », tranche ainsi avec celui, « *sporadique* », « *ponctuel* » et éphémère des « *papillonnages* » et autres « *parachutages* », qui caractérise négativement la pratique des concurrents. À cela s'ajoute la mise en cause de tout un décalage, et donc d'une artificialité, d'une temporalité professionnelle qui peut avoir cours ailleurs :

> « Les stagiaires des lycées ne peuvent pas voir le milieu [professionnel] parce qu'ils arrivent souvent à une saison bien particulière.
> – C'est-à-dire ?
> – Bon, ils arrivent en juillet-août. Juillet-août (je parle en termes d'entreprise paysagiste ou même en floriculture) ce sont les deux mois de point mort, où il n'y a aucune activité professionnelle. Et bien souvent, soit ils nous les envoient dans ces moments-là, donc ils ne peuvent rien apprendre, il n'y a rien à faire si ce n'est balayer ou ramasser et tondre ; ou alors ils nous les envoient dans des moments très lourds de charges de travail où on n'a pas forcément non plus de temps, trop de temps pour discuter avec eux. Donc c'est vrai qu'ils ne voient pas la vie de l'entreprise tout au long d'une année. » (Président de Maison familiale rurale.)

Au total, la critique met donc principalement en exergue une temporalité professionnelle réduite à la portion congrue chez les autres enseignements. Elle permet d'affirmer la dichotomie du « Eux/Nous » à travers celle de « *la pseudo alternance* », de « *la fausse alternance* », des « *stages* » comparés à « *l'alternance en vraie grandeur* ». Il est d'autre part intéressant de noter pour la suite que le déséquilibre quantitatif (et indissociablement qualitatif) ainsi stigmatisé fait l'objet de la part des Maisons familiales d'une évaluation relativement variable ; la « *pseudo alternance* » est ramenée tantôt à un, deux ou trois jours de stage, tantôt à deux ou trois semaines, voire cinq. L'important est que ce soit peu et que même ce « peu » s'avère qualitativement contestable :

> « L'alternance c'est prendre connaissance de professions en grandeur réelle et non pas en grandeur artificielle proposée par les collèges à l'heure actuelle ou bien par certains lycées qui font deux jours de regard extérieur en allant dans une entreprise et en voyant comment ça se passe sans rien toucher de la matière, simplement de visu, comme ça. Donc ce n'est pas une expérience réelle. Et il y a beaucoup de pseudo alternances aujourd'hui qui existent. On parle d'alternance dès que l'on fait des stages dans une entreprise. Bon, ça c'est pas l'alternance telle qu'elle est définie par les Maisons familiales. » (Directeur de la Fédération départementale des Maisons familiales rurales d'Ille-et-Vilaine.)

> « L'alternance n'est valable que pour les Maisons familiales et ça a toujours été le cas. L'alternance n'est valable que dans la mesure où il y a vraiment un lien étroit entre les phases d'observation, de mise en commun et ensuite d'acquisition complémentaire avec les moniteurs. Ce n'est pas une simple juxtaposition d'alternances, de séquences sans qu'il y ait des rapports entre les unes et les autres. Et c'est ce que l'on peut craindre quand on parle à tout bout de champ, maintenant, d'alternance. Par exemple, on parle de l'alternance dans des établissements

où il y a des nombres énormes de jeunes en formation ; il est évident que les formateurs ne pourront pas avoir une connaissance approfondie des milieux de vie des jeunes. Donc il n'y a pas le lien entre l'observation du milieu de vie et le reste. Et dans ce sens-là, on peut dire que ça devient de la juxtaposition de périodes successives sans qu'il y ait vraiment de lien entre les différentes phases. » (Précédent directeur de la Fédération départementale des Maisons familiales rurales d'Ille-et-Vilaine.)

L'ouverture des choix d'orientations professionnelles face à la rigidité, la sélectivité et l'exclusion scolaires

Fidèle à une conception duelle du monde de l'enseignement professionnel, la critique formulée ici n'est qu'une variation d'un thème récurrent : celui d'un ordre scolastique dominant qui est trop rigide et, surtout, extérieur aux intérêts particuliers – l'École nouvelle parle de valorisation des « intérêts intrinsèques » de l'enfant – de ceux qu'il « canalise ». Encore une fois, et selon une vision critique mais quelque peu naïve (?) des Maisons familiales, l'institution travaille à l'éviction symbolique de ses « homologues » du champ de l'enseignement professionnel, ceci en leur assignant, par exemple, le statut négatif de « machine à exclure » pré-programmée. Est ainsi dénoncé un système d'orientation scolaire qui se moque de toute préoccupation véritablement professionnelle :

> « Tout notre système éducatif français est pensé de façon taylorienne, pensé par des filières. Alors il existe des passerelles, la passerelle c'est ce qu'on a en petits pointillés ; on le voit bien, c'est au-dessus du vide et elle est destinée à quelques rares initiés. Chez nous ce qui compte, c'est de bien prendre appui sur une motivation et de faire évoluer cette motivation pour ne pas en être prisonnier. Et tout le système français, il est conçu à la fois comme une raffinerie, une distillation par étapes, comme une canalisation, comme des tuyaux dans lesquels l'élève est prisonnier. Ce qui est intéressant, c'est de poser la question aux élèves et non pas d'organiser les choses comme des filières. Et le drame de l'enseignement professionnel, c'est bien celui-là. C'est qu'on a pris les jeunes à quatorze ans en les mettant dans un secteur et en ne leur laissant pratiquement pas la possibilité d'en sortir jusqu'au bout. Alors là, là on a quelque chose qui est extrêmement dommageable : c'est que sur une idée, fausse ou vraie, quelquefois même c'est une orientation qui a été donnée de l'extérieur (y compris dans un certain nombre de cas de filières à remplir), un jeune à quatorze ou quinze ans est orienté (c'est pas lui qui choisit) vers un secteur d'où il ne pourra plus sortir. D'où l'importance pour les Maisons familiales de pouvoir enchaîner des étapes successives d'orientation qui ne sont pas organisées sous forme de filières. Et je vois mal, sauf bouleversement du système éducatif de notre pays, comment la machine à exclure et à répondre qu'imparfaite-

ment à la demande de beaucoup de jeunes et de familles va s'arrêter. » (Directeur de l'Union nationale des Maisons familiales rurales.)

Émise depuis les hauteurs de l'instance fédérative nationale des Maisons familiales, c'est-à-dire peut-être depuis une vue plus globale du champ de l'enseignement agricole, la critique s'adresse plus ici à un système administratif et politique qu'aux établissements que ce dernier contrôle. L'ennemi c'est donc le système, cette réalité « fourre-tout » sur laquelle on n'a souvent que peu de prise. Plus pragmatique est par contre la critique qui, cette fois-ci, est formulée depuis les Maisons familiales de base. Participant, elles, à une réalité *in situ*, ces dernières ne se privent pas de montrer directement du doigt les autres enseignements – et, par là, se « trompent » peut-être d'ennemi – dans leur rigidité et leur sélectivité en matière d'orientation professionnelle :

> « Dans l'alternance, il n'y a rien de caché, tout est bien clair. Les jeunes cadrent bien avec le métier qu'ils ont choisi. Ce n'est pas une chose qu'ils font parce qu'ils ont été obligés comme c'est le cas ailleurs ». (Président de Maison familiale rurale.)

> « Les Maisons familiales forment à toutes les professions. Je dirais même que chez nous, on a un jeune qui a été ordonné prêtre il y a deux ans. Je crois même qu'il y en a un qui est médecin. Vous en avez qui ont eu beaucoup de mal dans l'enseignement traditionnel, qui n'ont pas pu trouver leur voie et qui, en Maison familiale, reprennent le goût aux études parce que c'est complètement différent et c'est surtout pas fermé, c'est pas rigide. » (Président de Maison familiale rurale.)

> « L'alternance ça permet de voir exactement ce que l'élève veut faire et puis il décide en essayant ce qu'il veut faire. Moi je connais des jeunes dans d'autres institutions, dans des lycées ; je vois quelqu'un qui est en première année de BEP qui dit "ah ben c'est pas ça que je veux faire !" Mais on est arrivé au mois de janvier-février ou mars et c'est trop tard. Il n'y a plus qu'à redoubler une première année de BEP faute d'avoir pu essayer autre chose. » (Enseignante en Maison familiale rurale.)

Un suivi personnalisé face à un savoir théorique non réflexif, dogmatique dispensé dans un enseignement de masse

L'encadrement pédagogique personnalisé de chaque élève, dernier élément du savoir-faire technique des Maisons familiales rurales, s'oppose, pour sa part, à l'objectivité distante des autres enseignements dits « *traditionnels* ». L'on a vu que :

> « Le formateur chez nous n'est pas un enseignant de type traditionnel où on dispense un savoir. Le terme d'ailleurs c'est "moniteur" et la notion de moniteur c'est celui qui accompagne l'élève dans la manière d'acquérir son propre savoir. L'établissement ne veut pas se limiter purement à dispenser un savoir, des connaissances. » (Directeur de Maison familiale rurale.)

> « Dans les Maisons familiales, il y a des enseignants pratiques qu'on a appelés dès l'origine "moniteurs" et non "professeurs". C'est quand même différent. Le moniteur conduit chaque jeune pour l'aider à rechercher, à acquérir par lui-même des choses. Alors que le professeur transmet sa science. » (Précédent directeur de la Fédération départementale des Maisons familiales rurales d'Ille-et-Vilaine.)

Bien au-delà d'une stricte antinomie nominale, l'opposition « *moniteur* »/« *professeur* » révèle donc la critique de savoirs scolaires distanciés, non réflexifs et dogmatiques. Ceux-ci émanent du « *professeur qui transmet sa science* » à « *des cerveaux* », nous dit-on encore. Remarquons que cette métonymie de l'organe appuie symboliquement, une fois de plus, le choix de la contre-culture scolaire et annonce aussi, par l'image organiciste du cerveau – partie la plus noble de l'organisme – commandant au reste du corps humain, la critique des fonctions de sélection et de reproduction sociales dont s'acquitterait l'enseignement traditionnel. Cette critique d'une mise à distance pédagogique, qui ne serait rien d'autre qu'une mise en respect selon un principe d'« Autorité pédagogique » (Bourdieu et Passeron, *op. cit.*, p. 134-136), se voit, de plus, confortée par le contexte supposé néfaste d'un enseignement de masse :

> « Le suivi de chaque jeune ne peut bien se faire qu'avec un petit groupe d'élèves, notion qu'on a de tout temps développée en Maison familiale. Les classes de quarante élèves, ça n'a jamais existé en Maison familiale. » (Directeur de Maison familiale rurale.)

> « Nous, ce que l'on souhaite, c'est d'avoir des groupes de quinze-vingt personnes. C'est beaucoup plus facile pour faire des cours et pour suivre chacun. Si on avait trente-cinq élèves, comme ça se fait ailleurs, ça serait difficile. » (Enseignante en Maison familiale rurale.)

L'engagement et la prise de responsabilités chez l'élève face à l'assistanat et à l'impérialisme scolastique

Toujours selon la critique récurrente de l'objectivité distante, de l'extériorité de l'« *enseignement traditionnel* », est dénoncée ici l'école de la passivité qui fabrique des « *consommateurs de savoirs* » :

> « [...] un alternant ne peut être remis à l'école dans son acception habituelle, c'est-à-dire ramené à l'état d'élève, mais situé comme un acteur d'une formation permanente. [...]. L'alternance oblige à une autre organisation de l'enseignement, tant dans les programmations que dans les procédures didactiques. Peut-être conduit-elle le formateur à passer de l'enseignement à l'animation pédagogique, et le formé, du statut de consommateur de savoirs à celui de producteur de savoirs. » (Responsable-formateur au Centre national de formation pédagogique des Maisons familiales rurales, *op. cit.*, p. 325.)

Une dénonciation de l'école de la passivité ou de la facilité dans le sens où celle-ci se cantonne à sa stricte fonction scolastique ; elle évacue ainsi de son enseignement toute dimension morale inhérente à la formation humaine dont, en Maison familiale, l'apprentissage à la prise de responsabilités :

> « Notre volonté de défense de l'internat c'est aussi pour que ça réunisse les conditions que le jeune se prenne au moins en charge. C'est-à-dire qu'on n'est pas exclusivement consommateur de télé, de machin... » (Directeur de la Fédération régionale des Maisons familiales rurales de Bretagne.)

> « Les élèves participent aux activités domestiques en internat. Par exemple, ils servent les plats, entretiennent le parc, nettoient leur chambre. On les responsabilise. On n'en fait pas des assistés ! Dans d'autres centres, on peut prendre l'exemple [du lycée agricole] du Rheu, il y a des enseignants qui vont seulement enseigner. Il y a une cantine et les jeunes ne vont pas du tout intervenir pour les services. Ils vont se faire servir ! Chez nous c'est le contraire. Ça c'est anti-éducatif de se faire servir ! » (Président de Maison familiale rurale.)

> « Les jeunes qui nous arrivent sont perturbés, ils n'ont pas de repères. Ils manquent de repères par exemple sur le plan professionnel. Et c'est pourquoi les stages en alternance les aident. C'est vrai qu'au collège ils n'ont pas été habitués à se prendre en charge dans un milieu de vie. Le milieu scolaire n'est pas porteur pour ça. C'est caractéristique d'entendre encore la semaine dernière un père de famille dire : "moi j'ai deux filles dans la même. J'ai la fille quand elle est en stage en alternance et la fille quand elle reprend ses habitudes de collège. C'est deux filles différentes." Alors là, nous, notre objectif, c'est de faire en sorte que les jeunes se prennent en charge. On n'a pas pour objectif de leur inculquer une idéologie [de la consommation passive ?]. » (Directeur de Maison familiale rurale.)

Une chose qui est évidemment impossible dans les autres établissements qui ne sont pas faits pour ça :

> « Nous sommes tout simplement disponibles et à l'écoute des jeunes. Et nous leur montrons qu'ils sont capables de faire beaucoup de choses dont ils ne se croient pas capables, c'est cela la grande différence avec un enseignant du collège. » (Enseignant en Maison familiale rurale, *Le Lien des MFR*, n° 277, décembre 1996, p. 15.)

> « Les familles qui viennent en Maison familiale ont un souci éducatif par rapport à leurs enfants. C'est savoir que la Maison familiale ne se préoccupe pas seulement de les préparer à un examen, de leur donner une formation, mais aussi de petit à petit leur permettre de développer leur personnalité et de devenir des adultes, de devenir responsable. Et donc les moniteurs ont naturellement un souci éducatif à avoir et non pas simplement de transmettre des connaissances comme ça se fait généralement. » (Directeur de l'Union nationale des Maisons familiales rurales.)

Communauté de vie et « seconde famille » face à l'anonymat

La Maison familiale, dont le communautarisme se décline en termes de sociabilité, de solidarité et d'affectivité de la « seconde famille » organisée autour des élèves et des moniteurs, se veut être l'école du sens social et civique. Une dimension d'une axiologie éducative absente, selon l'institution, de la pratique éducative des autres écoles que l'attachement aux savoirs abstraits conduit à la désingularisation et à la sécheresse des rapports sociaux :

> « L'accueil ici c'est être bien dans sa peau. Au niveau des relations interpersonnelles, le jeune se sent à l'aise, quoi, il n'est plus versé dans l'anonymat des grands établissements. » (Directeur de Maison familiale rurale.)

> « Je crois que nous, on peut se vanter d'être très proche des élèves, de mieux les comprendre que dans d'autres établissements qui n'ont pas une taille humaine. Avec les élèves, il faut tendre l'oreille, il faut écouter, être toujours à l'écoute. C'est pas des numéros ! Ce sont des êtres humains qui passent par des moments de joie, de peine. Ils ont besoin d'être écoutés, aidés. » (Directeur de Maison familiale rurale.)

> « Je crois que la taille de l'établissement y fait beaucoup dans la relation, la prise en compte de chaque jeune surtout durant l'internat où on vit avec eux. Je crois qu'un établissement de mille élèves, je crois que dans un système traditionnel (j'en parle pour avoir eu des enfants dans ce système-là) on n'est qu'un numéro. Sans parler d'internat, si par chance on est bien reconnu parce qu'on est un peu brillant, ça va. Dès lors que vous êtes dans la moyenne, vous passez pratiquement inaperçu dans la masse. » (Directeur de la Fédération départementale des Maisons familiales rurales d'Ille-et-Vilaine.)

Plus encore, c'est peut-être ici la dénonciation implicite du « modèle de l'intérêt général » (Derouet, *op. cit.*, p. 87-95), idéal démocratique de l'égalité des chances qui s'appuie sur l'organisation étatique standardisée de l'école, qu'opèrent les Maisons familiales à l'égard de leurs « homologues ». Disons, pour être plus juste, que ce n'est pas tant l'idéal de l'égalité des chances qui est mis à mal, bien au contraire, que ses effets (pervers) négatifs en termes de gestion technocratique d'un trop-plein d'élèves alors renvoyés à l'anonymat :

> « Dans des établissements qui ont des tailles beaucoup plus importantes que chez nous, où il y a une gestion qui est quasiment administrative et impersonnelle, là il est clair que l'éducation dans un milieu de vie chaleureux disparaît. Je crois que le problème de la taille est tout à fait essentiel. Quand il n'y a plus cette relation entre les formateurs et les élèves, qui va au-delà de la salle de cours, quand il n'y a plus cette possibilité d'échange relativement naturel, c'est sûr que le souci éducatif, civique, il peut difficilement être mis en valeur. » (Directeur de l'Union nationale des Maisons familiales rurales.)

« Je pense que le fait de la structure, de la taille de l'établissement fait que les choses se vivent différemment de l'administration de l'Éducation Nationale. Nous avons ici, nous, des jeunes qui viennent de gros établissements publics ou privés. Quand ils arrivent ici, ils sont surpris. Ils sont surpris par la taille de l'établissement, bien sûr, mais [aussi] par la vie à l'intérieur de l'établissement où tout le monde se connaît. Il est vrai que, quand on est peu nombreux, on se rencontre plus facilement. Il y a toute la fonction des moniteurs qui va dans ce sens-là, de vivre vraiment avec les jeunes. » (Directeur de Maison familiale rurale.)

Offre et égalitarisme scolaires compensatoires face à la sélection scolaire

Dans leur « idéologie du service », les Maisons familiales accordent une attention toute particulière à une offre et à un égalitarisme scolaires compensatoires de ce que nous avons appelé, chez les élèves, des misères. Antérieures à la venue en Maison familiale, ces misères, du moins leur dédain comme objet d'une possible thérapeutique scolaire, amènent l'institution à critiquer une logique de sélection et d'élimination qui caractériserait l'« *enseignement traditionnel* ». Celui-ci est en fait renvoyé, une fois de plus, à sa fonction instrumentale de reproduction d'un ordre social. Une fonction extérieure aux intérêts particuliers de l'élève et qui confirme l'accusation d'un enseignement déshumanisé :

« Ma conviction personnelle, et je crois que c'est celle de l'ensemble du conseil [d'administration de l'Union nationale], c'est que notre enseignement doit s'adresser aux jeunes. Si on s'adresse aux jeunes à quatorze, quinze ou seize ans, il n'y a personne d'autre, personne. Il y a les collèges, mais les collèges ne pourront pas dans leur forme actuelle répondre à la totalité des jeunes ou, s'ils y répondent, il y aura énormément de casse. C'est ce qui est en train de s'effectuer. » (Directeur de l'Union nationale des Maisons familiales rurales.)

« Il faut reconnaître que nos élèves sont des jeunes en panne scolaire pour la plupart, surtout ceux qui vont en CAP. Ce sont des jeunes qui sont en panne depuis l'enseignement traditionnel. Ils n'ont connu que ce système-là et on leur a fait entendre qu'ils n'auraient pas fait grand chose de leur vie parce qu'ils ne rentraient pas dans le moule de l'Éducation Nationale. Nous, on a pour mission de les réconcilier avec les études, de leur redonner goût à l'apprentissage des choses. » (Directeur de Maison familiale rurale.)

Variante de la sélection scolaire, la sélection sociale et culturelle que pratiquerait l'« *enseignement traditionnel* » est de la même manière dénoncée par les Maisons familiales rurales :

« La Maison familiale, c'est vouloir servir les jeunes, toutes les familles sans discrimination, au risque parfois de se faire critiquer par les autres enseignements d'"'enseignement au rabais". Mais je crois qu'il ne faut pas faire de sélection parmi les jeunes. Au niveau de l'association, on a fait un choix en disant que si la Maison familiale avait participé pendant un certain temps au développement du milieu local, il fallait qu'elle continue parce qu'elle ne voulait pas renier ses racines. On veut être au service de l'ensemble des familles, on ne veut pas faire de sélections. La Maison est très ouverte pour accueillir les jeunes et leur famille sans sélection, sans discrimination. » (Directeur de Maison familiale rurale.)

Enfin, la politique de sélection des autres enseignements se voit reprocher sa non considération des misères « psychiques » qui peuvent affecter certains élèves. Une telle critique est, par exemple, soutenue dans cette anecdote exemplaire déjà entendue :

> « On a eu un fils du directeur général de Ouest-France, Hutin, qui a fait sa formation en Maison familiale. Il était dyslexique et la raison, sans doute, c'était qu'il ne s'adaptait pas bien à l'enseignement classique. Et il s'est épanoui en Maison familiale. » (Précédent directeur de la Fédération départementale des Maisons familiales rurales d'Ille-et-Vilaine.)

La neutralité idéologique face à l'endoctrinement religieux

Nous avons vu, dans la deuxième partie, que la neutralité religieuse des Maisons familiales est bien plus une mise entre parenthèses scolaire de convictions privées et un relativisme éthique – susceptible de ne point heurter les croyances intimes du public scolarisé – qu'une mise à l'index de l'adhésion personnelle à telle ou telle doctrine confessionnelle. La critique vis-à-vis de l'« homologue » diocésain se veut alors indirecte et atténuée quand elle touche à la question de la « *tolérance* » et du relativisme doctrinaux :

> « Avec l'enseignement catholique, on est concurrent, c'est tout. De toute façon on est très tolérant. Il n'y a aucune obligation d'être catholique à la Maison familiale. On accepte tout le monde. On ne demande pas leur étiquette, même pas aux enseignants. » (Président de Maison familiale rurale.)

> « C'est vrai qu'on ne veut pas être taxé d'une tendance ou d'une autre. Autant on est musulman ou on est bouddhiste, ça ne me gêne pas du tout. Je crois qu'il faut respecter un petit peu… Je crois que les parents nous confient leurs jeunes pour donc une formation technique, professionnelle, une formation humaine sûrement, mais en aucun cas il n'a été question de les forger à la manière chrétienne. C'est pas dans le contrat. Il faut être réglo, quoi. » (Directeur de Maison familiale rurale.)

Maintenant, et cela vient d'être sous-entendu, la critique des Maisons familiales à l'égard de l'enseignement catholique devient beaucoup plus directe et acerbe lorsqu'elle s'attache au domaine de la formation morale. Évoluant sur un terrain mouvant, où la distinction ne va pas forcément de soi entre la formation morale proposée par les Maisons familiales et celle, supposée religieuse, distillée par le concurrent diocésain, l'éducation spirituelle doit en Maison familiale concilier une double exigence : celle d'une intervention (idéologiquement) non engagée. Autrement dit, il s'agit pour les Maisons familiales de concilier l'inconciliable : neutralité et éducation morale. En son temps, l'abbé Granereau avait eu recours à une justification familialiste qui parait aux critiques faites par les laïques et l'Église à l'encontre de son institution respectivement dénoncée comme étant trop confessionnelle ou trop neutre. Actuellement, l'institution déploie son discours critique autour d'une opinion commune ou représentation *doxique* immédiatement disponible, à savoir ici l'« *endoctrinement* » religieux qu'est supposé pratiquer l'enseignement catholique :

> « La Maison familiale se veut être un établissement non confessionnel. On ne cherche pas à se laisser accaparer par un mouvement, surtout catholique. On veut bien montrer aux jeunes qu'on n'est pas un mouvement d'Église en train de les endoctriner. » (Directeur de Maison familiale rurale.)

> « Le président ici n'est pas très ecclésiastique [rire de l'enquêté]! Je tiens justement à m'écarter, moi, de cette image d'enseignement avant tout privé. Avec le diocésain, non, aucun rapprochement. Je ne vois aucun rapprochement possible. Je pense que la vocation première des Maisons familiales vis-à-vis des jeunes et des familles est de représenter un système d'enseignement le plus proche possible de la réalité professionnelle. Le reste, bon, je ne pense pas qu'il y ait à avoir d'appartenance avec... Il n'y a pas de crucifix sur..., il n'y en a aucun là. Bien sûr, oui on croit aux valeurs de la famille, à savoir l'éducation familiale qu'on peut remplacer au moment de l'internat ici, qu'on peut parrainer. Mais toute cette valeur de famille ne dit pas valeur chrétienne.
> – C'est cette "valeur chrétienne" qui vous gêne chez eux?
> – Ce qui me gêne c'est l'idéologie profonde de ce qui peut être diocésain, par le crucifix dans toutes les salles de cours. Non, je dis qu'on n'a rien à voir avec cette mouvance. On n'est pas là pour endoctriner les gens qu'on forme. » (Président de Maison familiale rurale.)

Mais est-ce uniquement ici l'idéologie religieuse en elle-même, la substance confessionnelle qui heurte les Maisons familiales? N'est-ce pas aussi de l'autorité institutionnelle qui la représente, c'est-à-dire l'Église, dont cherchent à se démarquer les Maisons familiales? En effet, ignorer que l'Église, par les établissements d'enseignement agricole diocésains qu'elle affilie et contrôle, se pose comme concurrente scolaire directe des Maisons familiales, c'est s'interdire de comprendre le discours de neutralité religieuse que tient l'institution. Ceci d'autant

plus que les Maisons familiales participent de cette appellation générique relativement confuse d'enseignement privé :

> « On ne veut pas de cette image d'enseignement privé, donc qui peut
> être associée au diocésain et qui me "pompe" un petit peu. Non, non.
> – Qu'est-ce qui vous gêne dans cette association ?
> – C'est que l'appellation "enseignement privé" est commune. Bon d'ac-
> cord, enseignement privé parce qu'il n'est pas public. Automa-
> tiquement on est obligé de rentrer dans l'autre classification. Le diocé-
> sain, non, aucun rapprochement. » (Président de Maison familiale
> rurale.)

> « Depuis peu l'enseignement catholique s'est organisé et maintenant
> nous avons des directeurs régionaux de l'enseignement agricole privé.
> Pour le commun des mortels, le directeur régional de l'enseignement
> agricole privé, bien entendu, a sous sa coupe les Maisons familiales.
> Alors, arrêtons la confusion, changeons de titre et appelons : l'enseigne-
> ment agricole catholique, les Maisons familiales, et lorsqu'on parle de
> l'enseignement agricole privé c'est tout le monde. » (Directeur de la
> Fédération régionale des Maisons familiales rurales de Franche-Comté,
> *Le Lien des Responsables*, n° 116, mai 1988, p. 14.)

Une stratégie identitaire, donc, de démarcation et de non-assimila-
tion qui ne prend sens, on l'a dit, que dans un contexte de concurrence
scolaire qui, autrefois, fut guerre ouverte entre les deux enseignements
dans la région. En témoigne le *modus vivendi* qui fut proposé il y a
quelques décennies par « la Commission épiscopale du monde rural »
aux Maisons familiales « désireuses d'avoir la reconnaissance de la hiérarchie pour la qualité chrétienne de l'éducation qui y est donnée ». Un
accord qui tentait peut-être moins de régler la spirituelle question de
l'affiliation religieuse que celle, plus matérielle, du monopole de recrutement d'un public scolaire qui était essentiellement issu de la petite et
moyenne paysannerie et dont le clergé séculier – en particulier les
curés liés aux notables conservateurs – constituait traditionnellement
l'agent d'encadrement idéologique[3]. Toujours est-il qu'on ne peut que
constater l'habileté de l'Église à jouer avec la sensibilité religieuse de
ses fidèles, un jeu particulièrement pervers quand s'insinue la menace
de l'« excommunication » :

> « [...] Sur le plan religieux, les Maisons familiales se proposent de
> mettre à la disposition des familles et des jeunes le genre de formation
> qui correspond à leurs convictions. On ne peut donc parler à leur sujet
> de neutralité. [...]
> C'est ainsi que, même en régions peu chrétiennes, on ne s'en tiendra
> pas à un minimum de principes d'ordre moral naturel acceptable par

---

3. Un clergé qui, par ailleurs, sur son flanc gauche, avait déjà fort à faire face à la
   conquête du milieu rural par les valeurs républicaines laïques (Grignon, *art. cit.* ;
   Hervieu et Vial, *op. cit.*).

tous, mais on s'efforcera d'assurer une formation aussi complète que possible des jeunes chrétiens en tenant compte des convictions des familles usagères qui ne sont pas chrétiennes.

En régions chrétiennes, ces Maisons, sans être d'"'église" quant à leur gestion, seront purement et simplement chrétiennes, puisque les apprentis et les parents usagers le sont eux-mêmes.

[...] Quand les familles auront accepté les conditions prévues dans ce Modus vivendi pour les Maisons familiales qu'elles ont prises en charge, on ne refusera pas à celles-ci l'appellation "chrétienne" ». (*Modus Vivendi* proposé par la Commission épiscopale du monde rural).

La responsabilité administrative et éducative des familles face à la dépossession éducative et à la « consommation » passive

Élément essentiel de la morale éducative des Maisons familiales rurales, le « familialisme institutionnel » vise avant tout à restaurer la famille comme « centre de gravité éducatif » autour duquel l'école, qui reste traditionnellement une affaire de spécialistes (agents, lieux, temporalités), doit tourner et non l'inverse. Là encore, le discours dépréciatif des Maisons familiales participe à ce travail d'exclusion symbolique des autres enseignements du champ de l'éducation qui n'admet pas, ici, sa subordination au champ de l'éducation scolaire *stricto sensu*. Ainsi, et selon l'hypothèse majeure d'une idéologie éducative qui, historiquement, s'est construite en Maison familiale autour d'un « syncrétisme de contre » (-idéologies), l'institution tire à boulets rouges sur l'ordre éducatif établi qui sépare la famille de l'école. Plus encore que la simple séparation de deux ordres, c'est la confiscation et le monopole scolaires en matière d'éducation que fustige le réquisitoire des Maisons familiales, ceci toujours au nom de l'intérêt des familles :

« Le pari que font les Maisons familiales, c'est qu'à travers leur type de fonctionnement et leur pédagogie, elles rendent les familles actrices de la formation de leurs enfants. La famille, et je dirais directement, presqu'à son corps défendant, elle va se trouver engagée dans tout un tas de responsabilités qui sont peut-être au départ d'abord matérielles mais qui sont des responsabilités directes qu'elles n'avaient pas subies dans l'école classique. » (Directeur de l'Union nationale des Maisons familiales rurales.)

« En Maison familiale, les familles s'engagent dans le projet d'éducation et de formation de leur jeune. C'est la prise de responsabilité effective des familles. Elles s'impliquent. J'ai été président d'associations de parents d'élèves dans les établissements scolaires divers traditionnels [qu'ont fréquenté les enfants de l'enquêté] où des associations de parents d'élèves existent mais elles n'ont pratiquement pas de pouvoir et peu de moyens, et quand elles interviennent, on les évite ; si elles interviennent dans un sens qui ne plaît pas, on les évite. Alors ce n'est pas possible dans une Maison familiale où ce sont les familles qui sont juridiquement responsables et employeurs, alors que dans un [autre] établissement scolaire, les associations de parents d'élèves n'ont pas autorité sur le personnel. » (Précédent directeur de la Fédération départementale des Maisons familiales rurales d'Ille-et-Vilaine.)

Une « *école classique*[4] » qui est stigmatisée comme étant celle de la dépossession éducative et de la « *consommation* » passive :

« L'association de la Maison familiale n'a rien à voir avec une association de parents d'élèves, qui est en fait une association d'usagers. » (Administrateur à l'Union nationale des Maisons familiales rurales, *Le Lien des MFR*, n° 274, mars 1996, p. 5.)

« En entrant dans notre mouvement, les familles sont chez elles et à ce titre, elles sont invitées à participer à la vie de la MFR, à apporter leurs idées en étant présentes aux réunions, à s'engager dans le fonctionnement associatif pour être des acteurs et non des consommateurs. C'est un des secrets de notre réussite. » (Président de l'Union nationale des Maisons familiales rurales, *Le Lien des MFR*, n° 273, décembre 1995, p. 3.)

« La Maison familiale c'est l'accompagnement, l'engagement. C'est chaque famille qui accompagne son jeune dans un parcours de réussite.
– Concrètement, que signifie cet accompagnement ?
– Ça signifie "je ne suis pas consommateur, je suis engagé. Je ne suis pas consommateur d'un système"! C'est exigeant chez nous. S'engager c'est d'abord l'écoute.
– L'écoute…
L'écoute de son gamin, sinon "je consomme"! Je suis président de parents d'élèves [en dehors des Maisons familiales], je peux en causer, hein! Les familles [ne] sont [qu'] usagères. » (Directeur de la Fédération régionale des Maisons familiales rurales de Bretagne.)

Voici donc mis au jour les différents éléments critiques qui sont déployés dans le réquisitoire que tiennent les Maisons familiales à l'encontre de leurs « homologues ». Une critique dont nous pouvons dresser le tableau synoptique suivant :

Savoir-faire technique	Autres enseignements
– Savoir pratique/savoir scolaire	– Tradition et impérialisme scolastiques : forçage éducatif abstraction théorique absence de sens pratique non professionnalisme

4. « *Enseignement traditionnel* » ou « *école classique* » sont deux désignations d'altérités « négatives » qui marquent bien pour les Maisons Familiales le choix – contre la tradition et le classicisme – de l'hérésie scolaire au sein du champ de l'enseignement agricole.

– Un ajustement aux réalités professionnelles	– La temporalité artificielle des stages professionnels : temporalité réduite « sérialité » temporalité décalée
– L'ouverture des choix d'orientations professionnelles	– Rigidité, sélectivité et exclusion scolaires
– Un suivi personnalisé	– Un savoir théorique non réflexif, dogmatique dans un enseignement de masse
Savoir-être éthique	**Autres enseignements**
– L'engagement et la prise de responsabilités chez l'élève	– L'assistanat et l'impérialisme scolastique
– Communauté de vie et « seconde famille »	– Anonymat
– Offre et égalitarisme scolaires compensatoires	– Sélection scolaire
– Neutralité idéologique	– Endoctrinement religieux
– La responsabilité administrative et éducative des familles	– Dépossession éducative et « consommation » passive

Tableau des critiques émises depuis le modèle éducatif
des Maisons familiales rurales vers celui des autres enseignements.

Ramenée au mécanisme de construction d'une identité collective, la critique sociale relève bien pour les Maisons familiales de l'élaboration d'un « Soi » institutionnel. Sens critique et sens apologétique entrent bien dans le jeu dialectique de l'identité/altérité, un mode particulier mais habituel de création et de recréation culturelles (Walzer, *op. cit.*, p. 52-53) pour cette institution « exclusive » (Olson, 1987, p. 59-66). Dans la mesure où les Maisons familiales rurales se sont pensées préalablement[5], ou au moins en même temps qu'elles se mettaient au monde, comme une institution volontairement distincte des autres instances d'enseignement agricole, la critique sociale fut bien historiquement une élaboration culturelle. Elle participa en fait à la création d'un système conceptuel (« MFREO » + « alternance ») dont le « rendement identitaire », c'est-à-dire le pouvoir de légitimation de l'ordre institutionnel, doit aussi au travail négatif de liquidation symbolique des

---

5. Comme le laisse à penser la « Préparation de l'idée » ou l'assez long cheminement que fit dans la tête de l'abbé Granereau l'idée de créer la première Maison familiale. Une idée qui s'est d'abord construite, rappelons-le, sur une évaluation très critique des rapports de la paysannerie avec les enseignements alors dispensés et monopolisés tant par l'Église que par l'État, accusés, sans distinction, de dépaysannisation (*op. cit.*, p. 15-43).

autres enseignements agricoles ainsi ramenés à un « statut ontologique inférieur » (Berger et Luckmann, *op. cit.*, p. 157[6]). La critique sociale demeurera par la suite une affirmation culturelle et, plus fondamentalement, une condition d'émergence d'une réflexivité institutionnelle pour les Maisons familiales, ceci si l'on considère avec François Dubet que « la culture n'est pas seulement l'ensemble des valeurs et des normes qui soudent une société, elle n'est pas non plus qu'un stock de ressources symboliques de l'action ; elle est aussi une définition du sujet autorisant la critique sociale. [...]. En fait, c'est beaucoup moins le contenu même des valeurs mobilisées pour la critique qui importe que la perspective choisie par les acteurs interprétant ces valeurs du point de vue de la définition du sujet qu'elles permettent » (*op. cit.*, p. 132).

La critique sociale et l'émergence d'un « Soi » institutionnel, d'une identité réflexive (ou rapport à soi) qu'elle autorise, embrasse, bien évidemment, la construction d'une pensée, d'un rapport à autrui et, indissociablement, au monde. En effet, la critique sociale se déploie au regard d'un univers qui fut et qui reste éminemment problématique pour les Maisons familiales. Le champ de l'enseignement agricole, en tendant juridiquement et administrativement à rassembler ses composantes éducatives en un tout homogène[7], en un espace social relationnel circonscrit, crée cette unité, cette non distinction qui risque d'être ici synonyme d'inexistence identitaire et culturelle pour les Maisons familiales. Un peu à la manière de la pensée mythique qui casse l'univers en un système d'oppositions binaires (Lévi-Strauss, 1962 et 1992), ordonnancement du monde qui le rend alors intelligible[8], le discours critique des Maisons familiales traite par le « même » dualisme l'univers homogénéisé de l'enseignement agricole. En s'appuyant sur l'étendue conceptuelle d'une appellation (« MFREO ») et sur le pouvoir des mots[9] qu'elle contient, il permet à l'institution une mise en ordre symbolique d'un monde social. Nous avons vu que cette opéra-

---

6. Ce « statut », nous disent les deux auteurs, provient de la « légitimation négative » de l'ordre institutionnel ou de l'« annihilation [...] qui utilise une machinerie [conceptuelle] pour liquider conceptuellement tout ce qui se trouve *en dehors* d'un univers » (*ibid.*).

7. Selon l'appellation commune d'« enseignement agricole » que vient valider la tutelle étatique spécifique du ministère de l'Agriculture.

8. Et qui rappelle ici que classer c'est connaître, que construire en même temps des similitudes et des différences sur la base de rapprochements, de désignations et d'identifications (de ce qui importe), participe à ces opérations cognitives qui sont fondamentalement créatrices d'un monde social, d'une institution et de ses altérités (Douglas, *op. cit.*).

9. C'est ce même pouvoir des mots, pouvoir symbolique de distinction vis-à-vis du voisin, que relevait Yvonne Verdier à propos des nouvelles dénominations des plats de noces qui ont cours à Minot, dans le Châtillonnais, depuis la fin de la première guerre (1979, p. 277 et 284).

tion fut particulièrement nécessaire pour les Maisons familiales. Dernier entrant dans un univers (qui plus est concurrentiel) déjà ordonné[10], mais en un tout (par ailleurs adverse) indifférencié[11], elles ont dû penser un monde[12], le reconstruire subjectivement[13] selon une échelle de valeurs « indigènes » qui donne sens et efficience à leur savoir-faire en matière de formation agricole et, au-delà, à leur identité collective. Ce n'est donc que par un acte inaugural de mise en ordre dualiste d'un monde social que les Maisons familiales ont pu accéder à une existence au sein du champ de l'enseignement agricole. Un dualisme qui ne vise pas moins la mise à mort, même symbolique, de l'Autre, des « homologues », par leur déni de légitimité éducative au sein du champ considéré. Et ce n'est que par le travail subjectif de perpétuation de ce même ordre, par la critique récurrente de leurs « homologues », qu'elles continuent de ce point de vue d'exister. La création de la dualité ou de l'altérité, visible à travers le discours critique, est donc capitale pour les Maisons familiales. Elle vaut intrinsèquement en tant qu'élaboration d'une culture, d'une identité collective et d'une cohésion institutionnelle interne. Acte culturel, conventionnel ou artificiel, elle établit la solidité identitaire du groupe autour de croyances collectives qui s'imposent comme une *doxa* institutionnelle. La division en un « Eux/Nous » protège les Maisons familiales des affres véritablement existentielles de l'indivision étatique :

> « – Qu'est-ce qui pourrait menacer l'avenir des Maisons familiales ?
> – Les difficultés continueront, elles continueront et c'est normal. À la limite elles nous renforcent parce qu'à chaque fois elles nous interrogent sur qui on est, qu'est-ce qu'on veut et pourquoi on veut le faire. Donc à chaque fois elles obligent à reposer la question, les finalités. C'est un service extraordinaire. Le seul risque qu'il y aurait, mais alors là il est nul, c'est si un jour l'État disait : "il n'y a que les Maisons fami-

---

10. Qui n'est certes pas encore, à l'époque, institutionnalisé ou étatisé mais bien réparti et âprement disputé entre les « homologues » public et diocésain des Maisons familiales rurales.

11. A l'exception de la dénonciation de l'endoctrinement religieux, une critique qui en appuyant la neutralité idéologique supposée des Maisons familiales vise explicitement l'adversaire diocésain, les thèmes du jugement dépréciatif développés par l'institution ne renvoient jamais distinctement à l'« homologue » soit catholique, soit public.

12. En même temps qu'elles se pensaient elles-mêmes et se constituaient en un groupe social distinct et doté d'un discours de légitimation. La mise en ordre du monde est bien ici pour les Maisons familiales indissociablement une mise au monde de l'institution.

13. Ceci dans les limites, elles objectives, des conditions de reconnaissance de l'efficience d'un capital éducatif élaboré par l'institution : une reconnaissance par les parents d'élèves potentiellement clients des établissements, une reconnaissance par l'État qui, par la loi du 18 janvier 1929 sur l'apprentissage, assura en partie le financement des premières Maisons familiales.

liales qui marchent. C'est quelque chose d'extraordinaire. Allez-y! Allez-y! Faites ce que vous voulez". Là, ça serait un risque terrible. Ce jour-là, le jour où on n'aura plus en face de nous un certain nombre de résistances qui, nous, en permanence, nous amènent à nous poser des questions... » (Directeur de l'Union nationale des Maisons familiales rurales.)

La critique n'est donc pas pour les Maisons familiales une opération libre et gratuite. Elle est, d'une certaine manière, contrainte par le champ où « la distance objective minimale dans l'espace social peut coïncider avec la distance subjective maximale : cela, entre autres raisons, parce que plus "voisin" est ce qui menace le plus l'identité sociale, c'est-à-dire la différence [...]. Le propre de la logique du symbolique est de transformer en différences absolues, du tout ou rien, les différences infinitésimales [...]. » (Bourdieu, 1980, p. 238.) La critique est bien un acte de création de la différence par l'exclusion. Elle obéit à cette « fanatique surestimation des petites différences entre familiers et étrangers » (Erikson, 1972, p. 132), où tracer des frontières est bien plus important que le fait de mesurer réellement des « différences infinitésimales ». Il est de ce point de vue assez symptomatique que les Maisons familiales fassent, on s'en souvient, une évaluation très fluctuante de la temporalité professionnelle (le temps passé en stage) attribuée à la « *pseudo alternance* » que pratiqueraient leurs « homologues » : cela irait d'une journée à cinq semaines. Une évaluation qui peut révéler en partie toute la subjectivité, voire l'artificialité, d'une différence supposée. Il en va à peu près de même lorsque l'on confronte la critique d'un endoctrinement religieux, croyance qui soutient la neutralité idéologique promue par les Maisons familiales, au démenti factuel d'un enseignement catholique décléricalisé ou, du moins, soustrait au dogmatisme le plus visible (Bonvin, *art. cit.*, p. 95-108). Un enseignement catholique, qui plus est agricole, qui use finalement d'une rhétorique institutionnelle très semblable à celle des Maisons familiales :

« S'**ORIENTER**, c'est **CHOISIR**. [...] S'orienter, c'est décider, après réflexion, de ce qui apparaît être le meilleur pour soi-même. [...]. S'**ORIENTER**, c'est s'**OUVRIR** le champ des possibles. [...]. S'**ORIENTER**, c'est aussi **TROUVER LE SENS**, donner de la signification à ses choix. Nos établissements [...] proposent à leurs élèves de trouver progressivement un sens pour leur vie.

Soyez **ACTIFS** et **RESPONSABLES** dans cette période d'orientation.

[...] Au-delà de l'acquisition des connaissances, le projet éducatif vise à préparer les élèves à la Vie par l'apprentissage de la liberté, le sens des relations avec autrui, le développement de la personnalité et l'initiation aux responsabilités. [...]. L'ambition? Que cette réussite-là débouche sur le plein épanouissement de la personne, tant sur le plan humain, professionnel, familial que social ou civique.

> [...] Une telle démarche se construit jour après jour en collaboration avec les **parents**. **ÉDUQUER**. Dans cet acte fondamental, l'école prolonge la mission de la famille. Dans chacune des écoles, les élèves, parents et professeurs forment la **communauté éducative** qui se donne pour mission la réussite personnelle de chaque jeune.
>
> [...] **RÉUSSIR**. C'est permettre à chacun de réaliser son **PARCOURS DE FORMA-TION PERSONNALISÉ**. Au cœur de la préoccupation des éducateurs, **VOUS, L'ÉLÈVE. RÉUSSIR. C'est permettre à chaque élève de suivre son parcours de formation à un rythme qui lui est propre**, [...] chaque élève est pris tel qu'il est pour le conduire vers son **meilleur niveau possible**.
>
> [...] **La pédagogie employée vous plonge dans la réalité professionnelle** et privilégie une approche concrète des choses, **synthétique**, aiguisée par une relation étroite au terrain, au concret, à la réalité de la pratique. » (*Présence de l'enseignement agricole privé*, n° 89, décembre-janvier 1991, p. 3-7.)

Il y a en fait bien moins une mauvaise foi de la part des Maisons familiales dans l'ignorance du faible fondement objectif de leur différence, qu'une « imagination [qui] est dynamisme organisateur, et ce dynamisme organisateur est facteur d'homogénéité dans la représentation » (Durand, 1990, p. 26) subjective de leur relation aux autres.

Ce regard « ethnocentré » porté sur l'autre ainsi créé, est caractéristique de toutes les situations de contact culturel. Il est, selon Kilani reprenant l'expression de Sahlins, ce « malentendu [qui] est productif dans le sens où il confère signification aux choses, crée l'événement et fait l'histoire » (*op. cit.*, p. 125). Le capital d'imaginaire à l'œuvre dans la « cosmologie » des Maisons familiales rurales – où se connaître c'est connaître le monde en se le représentant à son image – n'est pas pure subjectivité. Si fictives soient-elles parfois dans leur prétendue originalité, les représentations institutionnelles d'un savoir-faire (et d'un savoir-être) éducatif et de son efficience en Maison familiale ne peuvent tout à fait s'extraire d'un univers qui relie et qui englobe des positions sociales tenues par différentes instances. Autrement dit, le caractère en partie imaginaire d'une élaboration identitaire institutionnelle n'en demeure pas moins objectif tant les Maisons familiales sont prises, comme nous le verrons encore plus en détail, dans un ordre social collectif qu'est le champ de l'enseignement agricole. Pour être plus précis, nous dirons que la définition de l'action éducative des Maisons familiales et, au-delà, celle de l'institution elle-même, ne sont pas exemptes de contraintes structurelles de forces inégales. C'est dire aussi, en passant, que le traitement par la théorie de la prophétie auto-réalisatrice (Thomas, 1923 ; Merton, 1965, p. 140-164) de toute subjectivité qui intervient dans le mécanisme de constitution de la réalité sociale, est, certes, d'une fécondité heuristique certaine et pondère les prétentions objectivistes d'une sociologie positiviste. Néanmoins, l'éclairage porté sur un imaginaire factuel tend, au pire, à devenir un principe explicatif total, et, au mieux, à laisser peut-être dans l'ombre une subjectivité au fondement beaucoup plus « réel » ou objectif. Une subjectivité qui, prise sous cet angle dernier, semble beaucoup mieux rendre compte du caractère construit du social en le restituant dans un double mouvement d'« intériorisation de l'extérieur » et d'« extériorisation de l'intérieur ». C'est pourquoi, et rejoignant en cela l'idée de la « dualité du structurel » que sous-tend la « théorie de la structuration » d'Anthony Giddens (1987), nous soulignons ici la double acception d'une subjectivité : à la fois imaginaire et fondée plus objectivement sur les contraintes d'un ordre social, d'un champ.

Outre donc son inscription dans un espace social qui comprend la co-présence objective d'institutions scolaires fonctionnellement et légalement homologues, le capital d'imaginaire des Maisons familiales est éminemment créateur ou plutôt recréateur du monde objectif qui lui a donné vie et l'anime. En effet, le champ de l'enseignement agricole met d'abord en présence des institutions scolaires qui, bien que se définissant comme différentes[14], se disputent sur un « commun débat » pédagogique (Reboul, *op. cit.*, p. 12), ont au moins en commun une « problématique dominante » (Boltanski, *op. cit.*, p. 254[15]) : la conception que l'acquisition de savoirs agricoles et leur certification par un diplôme passent essentiellement par une médiation scolaire institutionnalisée. À cette rupture ou confiscation par l'école d'un mode séculaire et endogène d'apprentissage familial du métier d'agriculteur, s'ajoute l'idée que la socialisation enfantine doit demeurer une éducation de type scolaire et donc l'affaire de spécialistes, c'est-à-dire d'agents, de lieux et de temporalités spécifiques. C'est d'ailleurs un tel consensus que validait le fondateur de la première Maison familiale dans la construction de son projet éducatif : « Aux écoles primaires, j'ai pris les bases de l'enseignement général, bien nécessaires malgré le CEP [...]. Aux écoles d'agriculture, j'ai pris l'alternance du travail intellectuel avec le travail manuel [...]. Aux cours par correspondance, j'ai pris les "études à la maison", afin d'habituer les jeunes paysans à travailler intellectuellement chez eux. » (Granereau, *op. cit.*, p. 48-49.) Plus globalement, la loi de 1984 sur l'enseignement agricole réunit, nous le ver-

---

14. Nous parlons ici au titre des Maisons familiales rurales, mais nous pouvons supposer qu'enseignements catholique et publique ont encore le sentiment de se distinguer, au moins idéologiquement.

15. L'auteur nous signifie que « pour accéder au champ de discussion, les nouvelles interprétations doivent à la fois reconnaître la validité des questions sur lesquelles repose la problématique dominante dans une conjoncture historique déterminée, ce qui équivaut à reconnaître, au moins implicitement, la validité de la problématique, lieu commun du système des positions concurrentes, tout en se distinguant, par un ensemble de traits pertinents, des interprétations existantes [...] » (*ibid.*).

rons, à travers la très consensuelle idéologie du service public les trois grandes familles de la formation agricole qui souscrivent toutes aux orientations de l'État. Il y a donc bien ici une « axiomatique fondamentale » du champ considéré ou une « complicité objective qui est sous-jacente à tous les antagonismes. On oublie que la lutte présuppose un accord entre les antagonistes sur ce qui mérite qu'on lutte et qui est refoulé dans le cela-va-de-soi, laissé à l'état de *doxa*, c'est-à-dire tout ce qui fait le champ lui-même, le jeu, les enjeux, tous les présupposés qu'on accepte tacitement, sans même le savoir, par le fait de jouer, d'entrer dans le jeu. Ceux qui participent à la lutte contribuent à la reproduction du jeu en contribuant, plus ou moins complètement selon les champs, à produire la croyance dans la valeur des enjeux. » (Bourdieu, 1984, p. 115.) Les représentations différenciatrices mobilisées par les Maisons familiales pour la construction de leur identité collective ne sont pas extérieures à la structuration de l'espace social dans lequel elles s'insèrent avec d'autres. Elles en sont constitutives parce qu'elles en assurent la perpétuation à travers leur adhésion à un enjeu commun du champ considéré. De ce point de vue, l'institution ne saurait être en dehors de l'histoire.

Au total, la construction de l'identité collective des Maisons familiales participe bien de cette dialectique attendue de l'identité/altérité. Cependant, qu'il s'agisse du rapport inaugural, historique, de l'institution à un espace donné qui lui a en quelque sorte imposé la sélection de contre-idéologies, ou qu'il s'agisse, à présent, d'une « cosmologie » institutionnelle bien établie et dans laquelle s'affirment une culture et une identité spécifiques à travers la critique sociale des autres enseignements, le profit d'un tel travail de différenciation demeure éminemment existentiel pour les Maisons familiales. Autrement dit, la distinction fonctionne ici sur le régime de la croyance, du sentiment d'appartenance et d'existence qui soutient la cohésion d'une identité institutionnelle (pour soi). La déclinaison des prétentions éducatives, hautement distinctives et normatives, des Maisons familiales ne vaut en fait ici que dans un jeu de représentations relativement solitaire car étranger à certaines exigences sociales. Celles-ci, que nous allons examiner, ne seraient pas plus réelles mais, peut-être, matériellement plus pressantes – principalement en termes de viabilité financière des établissements – lorsqu'elles émanent des instances ou groupes sociaux qui règlent l'accès aux profits matériel et symbolique qu'autorise le champ de l'enseignement agricole à ses participants. L'élaboration et le maintien de l'identité collective des Maisons familiales doivent alors aussi compter avec une activité institutionnelle plus instrumentale[16],

---

16. C'est-à-dire induite par des rapports marchands (vis-à-vis de la demande scolaire) et une logique contractuelle, juridique (vis-à-vis de l'État).

plus stratégique, plus économiquement finalisée dans son rapport à autrui. Un rapport qui toutefois suppose aussi une certaine activité communicationnelle, langagière, afin que puissent se parler et ainsi se rencontrer avec profit l'offre et la demande scolaires ainsi que l'offre scolaire et l'État. Le marché scolaire constitue, de ce point de vue, un véritable espace structurant pour la (re) présentation d'un « Soi » institutionnel en Maison familiale, où une communication réussie, c'est-à-dire rentable économiquement et symboliquement, nécessite un rapport réaménagé au monde et donc à soi-même.

CINQUIÈME PARTIE

À l'épreuve du marché scolaire : communauté ou société ?

Contre le monisme des approches culturelles et fonctionnelles de la socialisation, Claude Dubar a raison d'affirmer que l'interaction et la dualité des logiques d'action sont au cœur d'« une théorie sociologique de l'identité » (1996, p. 109-128). La constitution du « Soi », ici collectif, des Maisons familiales rurales serait en fait constamment prise entre deux processus : celui, d'une part, de légitimation interne qui tend vers l'idéal de la cohésion d'un ordre et d'une identité « communautaires »; celui, d'autre part, de dépendance juridique et économique vis-à-vis d'environnements et qui tire l'institution du côté d'un ordre « sociétaire ». Mais de quelle dépendance s'agit-il plus exactement lorsque l'institution s'insère dans un marché qui soumet ses participants à des normes (juridiques) et à des sanctions (économiques), qui transporte les logiques existentielles et en partie stratégiques d'élaboration de l'identité collective vers des exigences beaucoup plus pragmatiques et matérielles ? Voit-on, sous le poids des structures normatives du marché, l'écrasement de toute prétention à la conservation d'un particularisme identitaire ? Assiste-t-on au diktat de la logique de l'intérêt à maximiser ou de la stratégie du bon placement qui déterminerait totalement et emprisonnerait finalement la définition de l'identité institutionnelle ? Ou, d'une manière plus souple, ne doit-on pas tout autant considérer le rapport d'un collectif avec ses « environnements pertinents » (en termes de ressources/sanctions) comme une relation beaucoup plus ouverte et maîtrisable ? Une relation qui permettrait le maintien, l'expression et la reconnaissance d'une identité pour soi. Toujours est-il qu'il y a bien moins dans les normes et leurs exigences ce schéma simpliste d'une domination verticale et unilatérale, que cette relation à autrui – relation d'interprétation et de compréhension qui tend à transformer l'extériorité des environnements en une intériorité d'altérités dialectiquement constitutives d'un « Soi » institutionnel – qui passe par une « activité communicationnelle qui structure l'interaction entre des individus (et leur identité) au moyen de pratiques langagières » (*op. cit.*, p. 85). Des pratiques langagières qui, lorsqu'elles supportent une interaction à distance – sans co-présence physique et par des écrits interposés ici – entre des interlocuteurs non intimes, non familiers, impliquent alors un minimum d'anticipations normatives et obligent le dévoile-

ment d'un statut stable et compréhensible pour autrui, saisi comme
« les relations de rôle les plus complètement institutionnalisées, ou qui
comportent le plus grand nombre d'éléments institutionnalisés »
(Cicourel, 1979, p. 17). Autrement dit, et comme le note encore Aaron
Cicourel, « l'interaction sociale chez des gens qui ne se connaissent pas
est donc fondée sur des propriétés attachées aux activités de la vie
quotidienne les plus institutionnalisées » (*ibid.*, p. 16-17). C'est dire que
les normes qui commandent et régissent les rapports des Maisons
familiales au marché de l'enseignement agricole ne s'incarnent en
bonne partie qu'à travers les activités de négociation et de communication que déploie l'institution. Une médiation qui déplace l'exigence
d'une soumission passive aux normes du marché en exigences, plus
maîtrisables, d'entente commune et de communication réussie dans
une bonne « présentation de soi ». Une médiation qui, cependant, dans
la « conversation significative », détourne aussi les Maisons familiales
de leurs partenaires habituels, « communautaires », et, en même
temps, éloigne l'institution scolaire de sa réalité subjective primaire ou
de ses valeurs et croyances originelles. C'est bien cette infirmation du
« communautaire » par le « sociétaire » qui menace la cohérence et la
solidité de l'identité des Maisons familiales si celles-ci ne savent, par
un travail de compensation, restaurer ou reconfirmer une réalité subjective primaire. Ce retour réflexif, cette conversation interne,
s'éprouve notamment dans les rapports entretenus avec l'environnement « législatif » qui participe à l'ordre « sociétaire » : l'État.

Chapitre XI

L'ÉTAT : DU CONTRÔLE À L'HABILITATION

Il y aurait, pour les Maisons familiales, à faire face à une première contrainte structurelle qui est liée à la présence de l'instance législative qui régule le marché de l'enseignement agricole : l'État. Celui-ci déterminerait en quelque sorte, par une domination « rationnelle-légale », les possibilités et les limites du développement matériel des institutions d'enseignement présentes au sein du marché. Il assignerait les positions sociales et les statuts institutionnels respectifs tout en fixant les conditions d'accès aux profits matériels et symboliques qu'il autorise.

L'enseignement agricole au service de l'État : une constante historique

Formellement, l'État et la Région gèrent de concert la question de l'enseignement agricole. Cette cogestion, qui date de la loi du 22 juillet 1983 définissant les « schémas prévisionnels des formations », s'organise selon l'organigramme suivant :

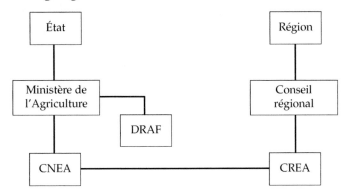

Les schémas prévisionnels des formations indiquent les besoins quantitatifs et qualitatifs de formation sur une période donnée : celle d'un Plan quinquennal. Ces schémas sont élaborés localement par les Conseils régionaux. Ajustant ce dispositif à l'enseignement agricole, la loi du 31 décembre 1984 a prévu la mise en place de Comités régionaux de l'enseignement agricole. Ces comités transmettent leur évaluation et leur avis au Conseil national de l'enseignement agricole, instance sur laquelle s'appuie le ministère de l'Agriculture afin d'établir « le schéma national qui détermine l'évolution souhaitable des flux d'entrée et de sortie d'élèves par filière et par niveau en se fondant [...] sur les besoins en formation du monde agricole et rural » (Boulet et Mabit, *op. cit.*, p. 50).

Ce partage des compétences révèle cependant assez rapidement certaines limites en ce qui concerne le pouvoir effectif délégué aux Régions. Premièrement, le ministre de l'Agriculture élabore un schéma prévisionnel national qui reste la traduction des options (déterminées par le Plan quinquennal) de la politique étatique. Or toute planification prend en compte, entre autres, des variables économiques, et toute intervention dans le système éducatif a des répercutions financières, qui plus est pour un enseignement technologique aux forts coûts d'équipement. Bref, comme le rappelait Louis Legrand à propos des « politiques de l'éducation », « une vraie réforme coûte » (1988, p. 40) et impose à l'État certains choix que dénonce ici celui que les Maisons familiales considèrent comme « *un fervent défenseur de l'enseignement agricole* » :

> « Le ministère de l'Agriculture a affirmé son intention de limiter à 2 % la hausse des effectifs de l'enseignement agricole. Aujourd'hui il y a un problème budgétaire. C'est vrai. Mais c'est surtout une question politique. C'est un leurre à mon avis, de croire que moins de crédits à l'enseignement agricole donnera plus à l'agriculture en général. » (Sénateur Albert Vectun [Rapporteur spécial du budget de l'enseignement agricole], *Le lien des MFR*, n° 277, décembre 1996, p. 4.)

Quant au CNEA, qui est censé recevoir et tenir compte des évaluations et des avis des CREA sur les schémas prévisionnels des formations, son action semble largement assujettie au contrôle régalien du ministère du Budget :

> « Près d'un an de discussions [...] et nous aboutissons à la proposition du Ministre [de l'Agriculture] de modifier le taux d'encadrement pour les CAPA-BEPA en le faisant passer de 1,45 à 1,77. Nous ignorions alors le chemin qu'il nous faudrait encore parcourir pour obtenir la simple réalisation de l'engagement du Ministre. Comme prévu en juin dernier, le Ministère soumet au CNEA un projet de décret modificatif conforme à l'engagement pris. Ce projet est largement approuvé par le CNEA [...]. Nous suivons alors le texte pas à pas, tout semble se dérouler nor-

malement quand, fin août, nous apprenons que notre projet vient d'être bloqué par le Ministère du Budget. » (Rapport d'activité[1] 1991 de l'Union nationale des Maisons familiales rurales sur la question du financement de fonctionnement et du coût de l'internat.)

Comme le précise, bien à propos, la loi du 31 décembre 1984 dans ses articles 12 et 3 (alinéa 5), il est ainsi vérifié que « l'État [...] émet un avis sur le projet régional de schéma prévisionnel des formations de l'enseignement agricole » et « [...] ne peut contracter que pour les formations qui correspondent aux besoins définis par le schéma prévisionnel national des formations de l'enseignement agricole et dans la limite des crédits inscrits à cet effet dans la loi de finances ». Enfin, les compositions des CREA et CNEA sont, elles aussi, très révélatrices du contrôle étatique : huit représentants de l'État contre trois des régions siègent à ces instances.

Selon la thèse fonctionnaliste et quelque peu « marxisante » de Claude Grignon (*art. cit.*, p. 78), il faudrait voir dans cette intervention étatique à la fois l'aboutissement et le prolongement de la domination symbolique de la paysannerie par l'intermédiaire de l'enseignement agricole. Postulant une domination unilatérale, totale, dont la fin dernière serait la conversion de l'agriculture française à l'économie capitaliste ainsi que son entrée dans la société de consommation, l'auteur annihile de ce fait toute capacité réelle et autonome de négociation-intervention de la paysannerie (et de l'enseignement agricole). Celle-ci serait cette « classe-objet » (Bourdieu, 1977), pour ne pas dire dupée, dans ce processus d'assimilation. Ainsi, si la diffusion par l'enseignement agricole du progrès technique en agriculture est censée répondre à une demande du milieu, cette demande n'est qu'artificielle. Elle est largement suscitée par cette « classe dominante » s'appuyant originellement sur une idéologie égalitaire et agrarienne républicaine afin de mieux servir ses intérêts politiques et économiques.

Dans un cadre d'analyse un peu moins péremptoire et mécaniste, Denis Segrestin (1985), parlant d'un « corporatisme d'État[2] », traite sur le mode d'une « dynamique croisée d'intérêts et de valeurs » la rencontre entre l'offre d'État et la demande du collectif de travail. Sont ainsi définis et pris comme modalité de régulation étatique du système trois axes d'intervention de l'État :
1. Composer ou endiguer des déficits structurels de main-d'œuvre dans des segments stratégiques du marché.

---

1. Un rapport qui est communiqué aux partenaires des Maisons familiales, aux associations de base du mouvement ainsi qu'au ministère de l'Agriculture.
2. C'est-à-dire l'institutionnalisation des systèmes professionnels ainsi soustraits à la logique des échanges privés pour entrer dans celle d'une régulation étatique du système.

2. Affirmer des ambitions techniques et industrielles hors de la portée de l'entrepreneur ordinaire.

3. Imposer à une collectivité professionnelle des missions ou des contraintes spécifiques d'intérêt public.

Les lois successives sur l'enseignement agricole semblent montrer assez clairement que chacune de ces orientations s'applique à l'agriculture par l'intermédiaire de son enseignement.

Tout d'abord, le premier axe assigne à l'enseignement agricole, dès 1852, la mission d'orienter hors de l'agriculture une partie de son public. Plus précisément, quatre ans après le vote du décret du 3 octobre 1848 organisant l'enseignement professionnel de l'agriculture, les fermetures de l'INA (Institut national agronomique) et d'une école régionale ne font que traduire finalement les aspirations économiques des « capitalistes du Second Empire pour qui l'agriculture n'est que le fournisseur de main-d'œuvre et le lieu de prélèvement du capital nécessaire à la mise en place de grandes unités industrielles et commerciales » (Boulet et Mabit, *op. cit.*, p. 14). Un siècle plus tard, et selon une logique identique mais avec une modalité d'expulsion de l'agriculture toutefois différente[3], le Rapporteur des Affaires culturelles, familiales et sociales à l'Assemblée Nationale situait ainsi l'enseignement agricole lors de son discours du 28 avril 1960 :

> « Nous assistons à des mutations entre différents secteurs économiques, mutations qui sont des phénomènes mondiaux et qui ne touchent pas seulement des peuples où l'agriculture est en difficulté mais également ceux où elle est prospère comme les Pays-Bas ou le Danemark. En prévision de reconversions possibles les parents conseillent à l'enfant de ne pas se spécialiser prématurément dans la discipline agricole. Il faut donc que l'enseignement qui sera dispensé à l'enfant lui permette toujours une réorientation. »

Pris dans un contexte de dépeuplement des campagnes françaises dû aux effets conjugués d'une « politique agricole des structures » (1952-1962) qui encourage l'exode agricole (Groussard, *art. cit.*) et d'une industrie en pleine expansion qui opère un fort prélèvement de main-d'œuvre au sein de la population rurale, ce discours inaugurait une des orientations majeures de la loi du 2 août 1960 qui institutionnalisait l'enseignement agricole. Plus de 25 ans après, François Guillaume, ministre de l'Agriculture, déclarait lors de l'inauguration de l'année scolaire 1987-1988 que :

---

3. Disons qu'au frein économique du développement de l'enseignement agricole succède une politique scolaire d'homogénéisation en matière d'enseignements dispensés et de diplômes délivrés qui s'alignent fortement sur la norme généraliste de l'Éducation nationale.

> « les jeunes formés par l'enseignement agricole doivent être qualifiés mais surtout requalifiables, adaptés mais également réadaptables dans des secteurs économiques éventuellement différents de ceux que vise de manière privilégiée notre enseignement. » (*BIMA*, n° 1197, 17 septembre 1987, p. 4.)

Bien que le secteur de l'industrie ne soit plus aussi demandeur que par le passé, l'enseignement agricole travaille toujours à « l'orientation » de son public dans cette direction (Gollac et Laulhé, 1987, p. 90) en même temps qu'il entretient la nouvelle mystique du « tertiaire rural ».

Le second axe d'intervention de l'État est, lui, une constante historique. Il vise à faire de l'enseignement agricole un des moteurs de la modernisation et du développement de l'agriculture française. Celle-ci, dès 1960 et selon les mots du Premier ministre de l'époque, Michel Debré, « demande à être rentable, elle demande à pouvoir profiter du progrès scientifique et technique » (Boulet et Mabit, *op. cit.*, p. 26) grâce à la technicisation de son enseignement. Reprenant et confirmant le *credo* moderniste et scientiste inscrit en fait depuis un siècle dans les lois et décrets successifs qui ont régi l'enseignement agricole, l'article premier de la loi du 9 juillet 1984 « portant rénovation de l'enseignement agricole » marque bien la volonté du législateur qui est :

> « d'élever, par des filières organisées de façon appropriée, le niveau des connaissances et des aptitudes de l'ensemble des agriculteurs et des membres des professions para-agricoles et d'accroître leur niveau scientifique et technique pour leur permettre de maîtriser les nouvelles technologies, notamment dans leur application à la chaîne alimentaire ».

Enfin, quant au troisième axe, qui peut intégrer le second si l'on admet que le développement de l'agriculture est un facteur possible d'expansion de l'économie globale, il attribue à l'enseignement agricole une double fonction : celle, d'une part, quasi séculaire, de veiller à la parité d'éducation – avec tout ce que cela a comporté de « conscientisation » politique des campagnes – entre urbains et ruraux tout en luttant, préoccupation plus récente[4], contre l'échec scolaire ; celle, d'autre part, de s'engager activement dans la politique (?) nationale d'animation et de développement rural.

Tel doit donc être l'enseignement agricole, ce serviteur des intérêts de l'État, institutionnalisé par la loi du 2 août 1960. Néanmoins, et afin de ne pas verser dans le fonctionnalisme du pire où l'enseignement agricole serait en quelque sorte le Cheval de Troie de l'appareil d'État, il convient de mettre au jour ici l'activité de négociation ou, du moins,

---

4. Et rejoignant en cela le processus de démocratisation scolaire qui, de 1958 à 1963, s'engage à tous les niveaux de l'enseignement secondaire général et technique en France (Prost, 1986 ; Terrail, 1984).

de communication qui médiatise quelque peu la rencontre entre l'offre d'État et la demande d'un collectif qu'incarnent les Maisons familiales. La politique étatique en matière d'enseignement agricole ne peut être véritablement réduite à un coup de force législatif.

De l'entente communicationnelle au réaménagement de l'identité de l'institution : le cas d'une demande d'ouverture d'une classe de BTA

Le rapport des Maisons familiales rurales à l'instance régulatrice du marché de l'enseignement agricole, l'État, ne saurait donc, selon nous, se réduire à cette sorte de domination verticale et cloisonnée dans laquelle le ministère de l'Agriculture édicterait ses lois, veillerait à leur application sans qu'il n'y ait jamais aucune interférence entre le législateur et l'administré. Les lois ne sont, en la matière, que des cadres normatifs très généraux, qui posent les premiers termes, tout aussi généraux, d'un « contrat[5] ». Il reste par la suite aux Maisons familiales à faire valoir certains droits ou à proposer certaines modifications de leur organisation, tant pédagogique qu'administrative, auprès de l'autorité compétente qui, en outre, demeure la principale ressource financière des établissements. Autrement dit, nécessité économique oblige, la rencontre entre l'institution scolaire et son ministère de tutelle a bien lieu. Une rencontre qui est forte, au moins pour les Maisons familiales, d'une intention de négociation et donc d'une exigence d'entente, de définition commune de ce qui mérite d'être discuté. Il s'agit donc pour des interlocuteurs relativement étrangers l'un à l'autre de se soumettre à cet impératif d'entente commune, de partager un univers de discours afin que la communication ait lieu sur un contexte pertinent, sensé. Bref, la coopération reste assujettie à la convention, concept qui « [...] peut se substituer à des notions aussi familières au sociologue que celles de norme, de règle, de représentation collective, de coutume et d'habitude. Toutes ces notions renvoient à des idées et des formes de pensée commune qui sous-tendent les activités de coopération d'un groupe de personnes » (Becker, 1988, p. 55).

Pour ce faire, les Maisons familiales doivent ici présenter leurs requêtes en des termes écrits qui soient communicables à un tiers non familier (avec la culture Maison familiale), l'État. Cette épreuve, dans l'attente d'une sanction positive ou négative, va amener l'institution vers un niveau de généralisation de ses arguments, ceci afin, répétons-le, que l'entente puisse se faire entre les interlocuteurs. Autrement dit,

---

5. Selon le vocable même du premier article de la loi de 1984 où il est précisé que « les établissements d'enseignement et de formation professionnelle agricoles privés dont l'association ou l'organisme responsable a passé contrat avec l'État participent au service public d'éducation et de formation ».

la compréhension mutuelle, qui est susceptible de s'instaurer, ne doit pas être altérée par des références strictement particularistes ou « indigènes ». Telle est la condition afin que puisse se dégager clairement, pour une évaluation, un intérêt commun. Cette généralisation de l'argumentation, qui procède d'une logique de la justification (Boltanski et Thévenot, *op. cit.*), va nécessiter de la part des Maisons familiales une nouvelle formulation de leur identité. Pour les besoins d'une communication réussie et susceptible, par la suite, d'être financièrement rentable, l'institution devra effectuer, outre une montée en généralité, un tri parmi les catégories ordinaires (voir Deuxième partie) qui définissent le mieux son action éducative et, par là, son identité proprement « communautaire » (pour soi). C'est là encore, nous dit Goffman, « une façon de "socialiser" une représentation, de l'aménager, de la modifier pour l'adapter au niveau d'intellection et aux attentes de la société dans laquelle elle se déroule » (1973, p. 40). Les Maisons familiales vont donc éprouver (au double sens du terme) leur identité collective dans ces occasions particulières où s'instaurent, face à l'État, des interactions qui, certes, se font à distance, par revendications écrites interposées, mais dans lesquelles se déploie cependant une identité institutionnelle non moins réelle à travers un discours justifié qui se rapporte au contexte de l'énonciation. C'est en fait sur la base de schémas de typification qu'interagissent « les deux processus qui concourent à la production des identités – le processus biographique (identité pour soi) et le processus relationnel, systémique, communicationnel (identité pour autrui) », schémas de typification que sont « ces catégories particulières servant à identifier les autres et à s'identifier soi-même » (Dubar, *op. cit.*, p. 117).

Le premier document que nous étudions – et qui supporte l'interaction à distance entre une Maison familiale et son ministère de tutelle – est un dossier (de sept pages dont trois en annexes), relié, dactylographié et dont la couverture plastifiée est illustrée par une iconographie paysagiste. Il correspond à la première demande d'ouverture d'un Brevet de technicien agricole – « Secteur Production Horticole – "Connaissance et gestion de l'entreprise" » qui est adressée par une Maison familiale à la DRAF. Ce dossier a été réalisé par le directeur de l'établissement qui a bénéficié cependant du soutien logistique – pour la mobilisation de données chiffrées notamment – de la fédération départementale des Maisons familiales rurales d'Ille-et-Vilaine.

Ici, deux arguments principaux s'entrecroisent et étayent la requête de l'institution : sa technicité et l'existence de marchés, de demandes qu'elle se doit de satisfaire.

Ainsi, nous pouvons d'abord lire que « La Maison familiale vise l'élévation de niveau » pour « une plus grande maîtrise de l'outil de production ». Elle se propose, par sa nouvelle formation, d'accompagner l'évolution de « l'activité Horticole d'aujourd'hui [qui] nécessite la mise en œuvre de moyens spécifiques performants ». Cette évolution ou tendance serait d'ailleurs bien confirmée par « les professionnels de l'horticulture région Bretagne adhérents à la FNPHP (Fédération Nationale des Producteurs de l'Horticulture et des Pépinières) et réunis le 13 octobre 1988 [qui] ont à nouveau unanimement souhaité l'élévation des niveaux de formation par la mise en place de sections BTA et BTS. (Courrier du Président de la FNPHP en annexes[6]) ». L'offre scolaire de formation répondrait donc ici à une demande (certifiée) du milieu professionnel, lui-même assujetti aux lois du marché de la consommation dans lequel, est-il précisé, « l'évolution rapide des techniques et des goûts des consommateurs exige de la part des horticulteurs des facultés d'adaptation importantes et une remise en cause fréquente ». À cette technicité accrue de l'outil de production s'ajoute aussi celle requise pour le management d'une entreprise : « par ailleurs, [l'activité horticole] elle emploie des méthodes précises semblables à celles utilisées dans le secteur industriel en matière d'organisation du travail de production (analyse des tâches, planning…) […]. Pour faire face à cette technicité qui ne cesse de s'accroître, il faudra former des hommes compétents capables de conduire l'entreprise dont ils auront la charge. » C'est pourquoi le projet de formation déposé par la Maison familiale vise, nous dit-on, à « permettre l'accession à des postes de responsables. Par cette formation, la Maison familiale souhaite permettre aux candidats du BTA d'atteindre des postes à responsabilité dans les entreprises. »

Exigence d'une technicité accrue, tant dans l'exécution des tâches productives (horticoles) que managériales, il est donc fait de nécessité vertu de répondre à une demande professionnelle mais, aussi, scolaire. L'élève en Maison familiale se décline ou s'appréhende ici en mesures chiffrées. Ainsi, dans l'« historique de l'établissement » (une demi-page) est notifié que « débutant à 13 élèves en option Agriculture-élevage, l'effectif grossit au fil des années pour atteindre 75 élèves en 1971 ». La « situation actuelle de l'établissement » montre dans l'intégralité (une demi-page) de son inventaire que :

---

6. Est en effet jointe au dossier une lettre manuscrite (à l'en-tête du FNPHP et du syndicat central des horticulteurs et pépiniéristes d'Ille-et-Vilaine) qui est adressée au directeur de la Maison familiale. Une lettre qui émane du président du syndicat horticole et qui appuie la demande d'ouverture d'une classe de BTA par ces mots : « je ne puis qu'approuver cette initiative, sachant que, actuellement, il semblerait que le personnel qualifié soit encore capable de trouver du travail dans plusieurs établissements. Les techniques sont telles que le niveau de recrutement va obligatoirement remonter ».

« À la rentrée 1989, la Maison familiale comprend :
– 1 classe de 4ᵉ préparatoire :   22 élèves
– 1 classe de 3ᵉ préparatoire :   26 élèves
– 1 classe de CAPA 3-Option/employé Horticole :   25 élèves
– 1 classe de BEPA 1-Option/Horticulture :   25 élèves
– 1 classe de BEPA 2-Option/Horticulture :   <u>30 élèves</u>

                                            Total : 128 élèves. »

De la même manière, c'est-à-dire chiffres en tête, les « raisons de cette orientation » (un peu plus d'une page) soulignent que « chaque année 30 à 40 % de l'effectif BEPA poursuit ses études vers un BTA. Cette tendance se confirme d'année en année et pourrait atteindre de plus grandes proportions si les établissements préparant cette formation étaient plus proches ».

Enfin, la compétence technique du personnel enseignant n'est pas, elle non plus, en reste. Les « moyens humains » proposés pour le projet indiquent que :

« L'équipe enseignante comprend actuellement 6 personnes :
– Niveau II : 1 personne.
– Niveau III : 2 personnes.
– Niveau IV : 3 personnes.
Ainsi que le montre cette présentation, l'Association a recruté, à la rentrée 1988 une personne de niveau II. Ceci prouve la conviction et la détermination des responsables de la Maison familiale de vouloir élever le niveau de formation. »

La présentation ici des niveaux certifiés des compétences des enseignants vaut tout autant comme une preuve objective (mesurable, tangible) supplémentaire qui alimente ce souci de la performance technique.

Si des justifications, souvent quantifiées donc, en termes de performances techniques accomplies (ou à accomplir) et de marchés, de demandes à satisfaire, constituent la clef de voûte du présent dossier, des évocations, certes minoritaires, rappellent tout de même que la Maison familiale est une « Association », c'est-à-dire un collectif juridique fort de sa responsabilité et de ses droits administratifs[7]. Un col-

---

7. En annexe du dossier figure un extrait du procès verbal de la séance du conseil d'administration de la Maison familiale qui fait état de la délibération (dans les règles de la représentation démocratique) de ses membres, ainsi que la « demande d'avenant au contrat » adressée au ministère de l'Agriculture où il est notifié qu'« afin de répondre aux souhaits des familles, des professionnels et des jeunes, notre Association désire mettre en place UN BREVET DE TECHNICIEN AGRICOLE [...] ».

lectif dans lequel, précise-t-on, « les familles et les jeunes ont pris conscience de la nécessité d'atteindre un meilleur niveau ». Enfin, très succinctes sont les deux seules phrases qui mentionnent l'intérêt de la formation pratique, « de l'expérience acquise grâce à l'alternance », ainsi que celui des « moyens matériels nouveaux » dont dispose l'établissement et à partir desquels « les élèves pourront ainsi appliquer et compléter leurs connaissances pratiques acquises en stage ».

Le deuxième document fait suite au rejet par le ministère de la première demande d'ouverture du BTA effectuée par la Maison familiale. Plus volumineux (17 pages dont 4 en annexes) que le précédent, il est aussi plus didactique, voire presque « scolaire » dans sa forme qui comprend, outre une introduction et une conclusion, trois grandes parties distinctes qui, elles-mêmes, sont subdivisées en sous-parties numérotées.

Dans cette seconde version, la technicité demeure l'un des principaux arguments avancés par la Maison familiale. Toutefois, l'accent est davantage mis sur la performance pédagogique potentielle de l'établissement. Un exposé détaillé (en annexes) des « modules » d'enseignement complète une liste exhaustive (2 pages) qui décrit l'infrastructure, les équipements (*in situ*) dont dispose la Maison familiale afin de conduire la formation demandée : « bloc pédagogique », « ateliers », « travaux pratiques » soutiennent matériellement le projet et s'ajoutent aux « nombreuses visites d'études » permettant l'ouverture professionnelle sur des technologies extérieures.

La préoccupation de marchés ou de demandes à satisfaire est tout aussi présente. Mais cette participation à un intérêt général intègre cette fois-ci une volonté très affirmée de dominer son sujet en transportant une réalité locale, la Maison familiale et son projet de formation, au cœur de la globalité d'un système socio-économique et de ses rouages.

Maîtriser son sujet, c'est ici faire preuve d'une connaissance à grande échelle des tendances du marché économique de l'horticulture :

> « L'horticulture est source d'emplois. Actuellement 6 000 actifs travaillent dans la filière en Bretagne, se répartissant en 3 activités : la production florale, la production de pépinières et l'activité jardins espaces verts. [...]. On dénombre 460 entreprises de jardins pour les 4 départements bretons dont une centaine environ en Ille-et-Vilaine. Cette densité d'entreprise se traduit par une concurrence assez vive d'où la nécessité pour les responsables (chef d'entreprise) d'exceller dans le travail, d'innover, de s'adapter aux données nouvelles du marché et de gérer aux mieux l'entreprise. Cette adaptation permanente et les qualités de gestionnaire seront facilitées par le niveau des études suivies. L'innovation et le développement dans l'entreprise reposent sur le capital humain qu'il faut enrichir.

> Aussi, dans cette perspective, l'association de la Maison familiale [...] souhaite mettre en place un BREVET de TECHNICIEN AGRICOLE "JARDINS ESPACES VERTS" à la rentrée 1990. »

Toujours dans la perspective de ce transport de connaissances à l'échelle de la globalité d'un système, dominer son sujet c'est aussi montrer, chiffres à l'appui, que la Maison familiale est susceptible d'accompagner une politique régionale et départementale de développement des loisirs :

> « Dans le domaine du loisir, les parcs et les terrains de golf en prévision annoncent des jours prometteurs aux professionnels de la nature. Avec la montée fulgurante des adeptes du golf (54 000 en 1983 et 110 000 en 1988), les projets fusent de tous côtés. En décembre 1987, on dénombrait 25 projets (création ou agrandissement) en Bretagne, dont 7 en Ille-et-Vilaine. À ce jour, 4 sont en cours ou terminés. Par ailleurs, des parcs de loisirs sont annoncés : 3 seraient prévus dans la région rennaise et 1 à Fougères. Dans sa session budgétaire de mars 1987, le Conseil Régional a décidé d'allouer annuellement 1,5 million de francs pour aider à la réalisation de golfs publics.
>
> Le Conseil Général d'Ille-et-Vilaine, dans son budget 1985, a voté une enveloppe de 500 000 F afin de subventionner les études d'aménagement d'espaces verts dans les communes jusqu'à 50 % de leur montant. Jamais encore les instances régionales et départementales n'avaient alloué de telles subventions ; nous pouvons donc penser qu'une volonté politique nouvelle tend à s'instaurer pour une meilleure qualité de la vie. De même lors de leurs assises régionales, le 27 novembre 1988, les jeunes Chambres économiques de Bretagne ont mis l'accent sur l'impérative nécessité d'agrémenter les places, les rues des bourgs et villes afin de susciter l'attrait des entreprises et des touristes. Toutes ces créations (ou projets) et ces orientations politiques traduisent une volonté d'améliorer l'environnement et le loisir et sont de bon augure pour les entreprises paysagistes. »

Tout autant au fait de l'organisation de la profession horticole, l'établissement se « décentre » (de lui-même) une fois de plus en indiquant son inscription au cœur d'un réseau de professionnels qu'il connaît bien :

> « Depuis longtemps la Maison familiale a tissé des liens avec les organisations professionnelles agricoles. Celles-ci interviennent régulièrement dans des domaines précis.
>
> Le centre fiscal de la chambre d'agriculture pour la TVA ; l'ADASEA pour l'installation et les aides ; les organismes bancaires pour les emprunts et placements ; les AMA pour la sécurité ; la prévention et la MSA... la protection sociale et le GNIS pour la sélection des gazons.

Outre cette coopération technique avec le milieu professionnel, c'est aussi un appui certifié, un label, qu'obtient la Maison familiale par la lettre (dactylographiée, à en-tête et reproduite en annexe du dossier) du président de la Chambre d'Agriculture d'Ille-et-Vilaine qui intercède en faveur du projet pédagogique de l'établissement auprès du président de l'APCA[8].

Enfin, la connaissance et l'insertion dans des marchés et des réseaux doivent faire de la Maison familiale un établissement performant et fiable parce que sachant maîtriser le présent, « la conjoncture actuelle », en y réfléchissant collectivement quand « toutes les parties concernées par le système d'éducation s'interrogent ». Au présent maîtrisé répond un avenir planifié par une « anticipation », une « prévisibilité de l'avenir » où, affirme-t-on, « choisir aujourd'hui et se déterminer pour une filière de formation alors que demain se dessine en inconnues et incertitudes, n'est certes pas aisé. Il se dégage pourtant que le pari fait sur les hommes et leur capacité à s'adapter et à maîtriser les évolutions sera déterminant pour l'avenir de la société et de l'économie. Dans cette perspective, la formation constitue un élément stratégique de premier ordre pour l'avenir. »

Au total, c'est autant la maîtrise d'une technicité pédagogique que celle, pratique, stratégique et cognitive, d'un système (d'un marché) socio-économique global et de ses fluctuations dans le temps, qui nourrissent l'argumentation de ce deuxième dossier.

Ayant essuyé un nouveau refus de la part du ministère, la Maison familiale présente un troisième dossier et obtient finalement gain de cause.

Les arguments déployés ici ne diffèrent guère, dans le fond, de la version précédente. Le primat de la demande de marchés à satisfaire ainsi que l'accent porté sur le (haut) niveau de technicité de l'action de formation envisagée, s'entrecroisent et constituent le *primum mobile* de la requête. Il est toutefois important de noter que le document intègre à présent dans sa forme argumentative une profusion de tableaux chiffrés.

Ainsi, il est fait état dans un tableau de l'« évolution des offres d'emplois BTA (plan national) » sur la période 1984-1990. À ces indicateurs chiffrés, et par là objectifs, d'un marché de l'emploi et de sa demande à satisfaire, s'ajoutent ceux, statistiques, de cet autre tableau montrant pour la période 1981-1990 les augmentations de la « surface engazonnée et paysagée en hectare », du « nombre d'arbres » et de « haies en kilomètres » qui agrémentent la commune d'implantation de la Maison familiale. C'est donc bien aussi un marché, celui de la consommation, qui vient soutenir l'inscription de l'établissement dans les jeux pertinents de l'offre et de la demande ; un marché qui serait

---

8. Assemblée permanente des chambres d'agriculture.

particulièrement porteur selon l'évaluation faite à partir d'un nouveau tableau et dont les chiffres indiquent la pleine croissance de l'« évolution des permis de construire accordés à usage d'habitation ».

Ces mesures et cette maîtrise cognitive d'un système ou d'environnements qui englobent la Maison familiale, introduisent une double justification dans le discours de l'institution. La première, d'une part, s'appuie, nous l'avons vu, sur l'existence démontrée, quantifiée, de marchés de l'emploi et de la consommation, marchés où les chiffres révèlent que « actuellement, 9 personnes assurent le travail pour 70 % de la surface totale car 30 % sont confiés à des entreprises privées. Il existe donc une réelle embauche qui devrait croître encore dans les années à venir » ; un diagnostic qui est par ailleurs soutenu par l'opinion rapportée (mais autorisée) des organisations professionnelles (« Les remarques de la profession », 1 page) et autres sociétés horticoles. Une seconde justification, qui reprend l'état prolifique d'un marché de la consommation, invoque, d'autre part, l'intérêt général d'un bien vivre et d'un bien-être de la population. Un intérêt général auquel, est-il précisé, « Saint-Grégoire [commune d'implantation de la Maison familiale] est très sensibilisée par cette importante nécessité d'agrémenter et d'embellir les espaces communaux. Les élus, la population manifestent "un goût du vert", source d'équilibre, de santé… et source d'esthétique ».

Il est donc fait de « nécessité » vertu pour la Maison familiale de répondre à ces marchés où l'économique ne dispense pas, bien sûr, d'être attentif à l'écologique. Une réponse qui donne à voir toute la technicité (et, par là, la crédibilité) de l'établissement comme en témoignent encore, notamment, ces autres tableaux qui présentent les différents modules et heures de formation dispensés ainsi que les niveaux certifiés (appellation détaillée des diplômes à l'appui) de qualification de chaque enseignant. Ici on joue la transparence et la règle (technocratique) ministérielle de l'exigence des niveaux de formation requis pour enseigner.

Au total, les arguments qui prévalent dans ces trois dossiers successifs reposent éminemment sur des logiques « marchande[9] » et « industrielle[10] » de justification. Il s'agit avant toute chose de vendre

---

9. Pour reprendre la terminologie des « économies de la grandeur » (Boltanski et Thévenot, *op. cit.*). Le monde « marchand » est celui où le lien social est assuré par la convoitise partagée envers des biens rares. La « grandeur » des personnes dépend de leur capacité à s'assurer la possession de biens désirés par les autres. Dans un monde marchand, les êtres qui importent sont les acheteurs (les clients) et les vendeurs qui se rencontrent sur un marché constituant la « figure harmonieuse de l'ordre naturel » dudit monde. Une de leurs principales qualités est l'opportunisme qui, afin de tirer le meilleur parti de tout, suppose une certaine attention aux désirs des autres.

10. Voir la définition de ce « monde » dans notre deuxième partie.

un produit, un bien éducatif, afin de satisfaire ce qui est évalué par la Maison familiale comme étant la demande (le désir) de multiples marchés (scolaire, économique, professionnel, de la consommation, etc.). La maîtrise technique des outils de formation, l'efficacité certifiée des agents de formation ainsi que les connaissances stables (du présent) et anticipatrices (de l'avenir) des environnements (les différents secteurs de la demande de formation) sont autant de justifications « industrielles » qui s'accordent à la circulation « marchande » d'un bien éducatif. D'autre part, c'est toujours selon une mesure chiffrée (un appareillage statistique) que s'appréhende et se justifie « industriellement » l'objectivité des environnements « marchands ».

L'efficacité « marchande » de la Maison familiale se renforce par ailleurs d'une justification d'ordre « civique [11] ». Il est ainsi nécessaire de permettre à tous – les professionnels en quête de collaborateurs compétents, les consommateurs à la recherche d'un bien-être écologique – de s'enrichir, de concourir à la réalisation « civique » des volontés générales (dont la volonté du politique) par la mise sur le marché de jeunes diplômés performants : mieux produire avec tous et pour le besoin de tous. Ici aussi, le bien (-être) public se mesure, s'évalue quantitativement, dans une logique « industrielle », et se voit en même temps confirmé par des opinions collectives. Identifiable par des organisations et sigles professionnels reconnus, cette légitimité de l'« opinion [12] » amène avec elle une « grandeur » de renom qui intègre surtout la publicité de vente, le marketing développé sur un produit éducatif ainsi cautionné officiellement. Ce dernier marché d'estime, comme mesure de la valeur dudit produit, suppose enfin l'inscription de la Maison familiale au cœur d'un réseau (principalement des professionnels de l'horticulture) où se nouent des liens « domestiques [13] ».

Ce sont donc principalement quatre « grandeurs » qui s'assemblent ici et constituent la trame justificatrice d'une requête qui est présentée par la Maison familiale auprès de son instance ministérielle de tutelle (voir organigramme page suivante).

---

11. Voir la définition de ce « monde » dans notre deuxième partie.
12. Le monde « de l'opinion » est celui où la position de chacun dépend de l'opinion exprimée par les autres. Dans ce monde, les gens importants seront des personnalités connues. Leur valeur (le renom) est celle de la reconnaissance publique. Le contenu des relations est fait d'influence et d'identification à un nom.
13. Voir la définition de ce « monde » dans notre deuxième partie.

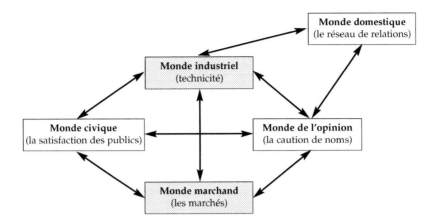

Nous sommes donc assez loin des savoir-faire techniques et savoir-être éthiques dont les différents éléments[14] totalisaient jusqu'à présent l'« alternance » éducative des Maisons familiales :
– pédagogie de l'action et de l'immanence ;
– pédagogie de la proximité et de l'accompagnement éducatifs ;
– éducation de la personne globale ;
– relation totale.

Seules la culture d'entreprise et l'idéologie du service[15] rappellent les impératifs « industriel » et « civique » évoqués dans ce fait éducatif total qu'est l'« alternance ». Autrement dit, il est clair que nous avons là, dans cette tractation marchande avec l'État qui achète, par subventions interposées, l'ouverture et l'agrément (le contrôle) d'un BTA, une version publique et communicationnelle de l'identité collective des Maisons familiales. Une version qui n'en est pas moins assumée par l'institution[16], bien qu'elle tranche quelque peu avec une formulation plus intime, voire affective lorsqu'elle est centrée sur l'élève, d'un « Soi communautaire ». C'est stratégiquement que les Maisons familiales ont opté ici pour la performance, l'efficacité technique et la logique de marchés à satisfaire afin d'ajuster (finalement avec succès) leurs demandes au pragmatisme technocratique de l'État : telle est l'évaluation de l'intérêt commun et de ce qui mérite d'être discuté entre les deux interlocuteurs. L'identité collective des Maisons familiales rurales

---

14. Voir les tableaux qui ouvrent le chapitre VI.
15. Une idéologie qui, toutefois, dans le dossier de demande d'ouverture d'un BTA, n'intègre pas la préoccupation majeure de répondre aux familles en termes d'offre et d'égalitarisme scolaires compensatoires, de neutralité idéologique et d'attribution aux parents de réelles responsabilités administrative et éducative au sein de l'établissement.
16. Puisqu'elle est aussi proposée aux familles dans *Le Lien des MFR* ainsi qu'à la clientèle scolaire potentielle dans des dépliants publicitaires que nous étudierons plus loin.

apparaît ainsi sous un nouveau jour. Cet écart qualitatif entre le « communautaire » et le « sociétaire » marque pour les Maisons familiales la dualité de logiques d'action : la première, plus « intime », décline techniquement et moralement l'« alternance » en une pédagogie qui s'éprouve au sein d'une communauté éducative ; la seconde, plus pragmatique, tournée vers l'extérieur (l'État) et ancrée dans une logique de marché de la formation professionnelle, se plie aux exigences « sociétaires » d'une gestion technocratique de l'institution. Plus qu'une dualité, c'est semble-t-il ici, face aux exigences normatives de l'État, une incompatibilité qui désunit deux logiques d'action. Le pragmatisme « sociétaire » l'emporte sur l'intimité « communautaire » et sa relative quiétude, ceci au point de l'effacer. Néanmoins, une telle asymétrie, qui finalement consacrerait la domination administrative de l'État[17] sur le marché de l'enseignement agricole, doit être relativisée. Il y aurait en retour, pour les Maisons familiales, cette possibilité d'une reconnaissance sociale de leur action éducative. En participant désormais au « service public d'éducation et de formation », l'institution scolaire – qui a dû pour cela s'aligner sur les normes juridiques et administratives étatiques – bénéficie d'un label officiel qui certifie sa compétence éducative. Cette habilitation réelle, ce gain de crédibilité susceptible de rassurer – ne serait-ce qu'en retournant le stigmate d'un « *enseignement au rabais* » – une clientèle scolaire potentielle, n'interdit pas par ailleurs ce que nous appellerons une « habilitation supposée ». Celle-ci signifierait pour les Maisons familiales cette libre interprétation et (re) traduction des normes étatiques en valeurs croisées, communes, ou supposées telles. Ce serait dans cet espace de liberté que les Maisons familiales travailleraient à compenser l'écart entre les versions « communautaire » et « sociétaire » de leur identité collective.

De l'habilitation réelle à l'habilitation supposée : les valeurs croisées du « service public »

L'État et les institutions d'enseignement agricole ne se sont rencontrés et ne se rencontrent que parce que le premier a su aussi « féconder » les attentes stratégiques – en termes d'intérêts matériels, c'est-à-dire financiers – et les aspirations culturelles – en termes de valeurs et d'identité collective – des secondes. Nous posons ainsi l'hypothèse que pour les Maisons familiales rurales, l'État est aussi susceptible d'incarner une altérité « législative » habilitante et positivement

---

17. Une domination qui relève moins d'un arbitraire technocratique brutalement imposé que d'une continuité dans l'incitation, même forte, à s'adapter aux réalités incontournables du marché de la formation professionnelle. C'est dire, encore une fois, que l'option du « sociétaire » est tout autant assumée par les Maisons familiales que celle, originelle, du « communautaire » dans leur entreprise globale de formation.

constitutive de l'identité de l'institution. Autrement dit, en reconnaissant officiellement un droit d'existence aux Maisons familiales et, à travers cela, une certaine validité à leur entreprise éducative, l'État participe à l'élaboration – autant par confirmation que par redéfinition – de l'identité collective de l'institution. L'asymétrie d'une subordination juridique et administrative ne doit pas occulter la possibilité d'une symétrie dans les valeurs partagées.

En entrant par la loi de décembre 1984 dans le « service public d'éducation et de formation », les Maisons familiales rurales se voient officiellement reconnaître une capacité (éducative-technique) à former des professionnels agricoles. Elles répondent bien en cela au second axe d'intervention de l'État que nous avons défini précédemment. Toutefois, ce dernier est en fait moins regardant sur les moyens employés[18] que sur les taux de réussite aux examens nationaux et le respect du programme. Il serait ainsi plus juste de parler à propos du ministère de l'Agriculture d'une reconnaissance d'une capacité certificative technique des Maisons familiales :

> « La DRAF a un contrôle surtout sur notre façon d'attribuer… Parce que bon, [les élèves] ils sont toujours en contrôle certificatif puisque nous sommes dans une politique d'examens rénovés. Donc la DRAF a droit de regard sur notre façon d'enseigner sachant qu'à aucun moment elle ne va nous dire "c'est pas bien"! Je pense qu'ils sont intimement convaincus de nos qualités pédagogiques mais la DRAF suit un petit peu la…, tous ces examens, tous ces contrôles continus. » (Président de Maison familiale rurale.)

> « Il faut savoir que le ministère de l'Agriculture nous finance, nous verse des subventions qui sont calculées sur le nombre d'élèves. Partant de là, on doit fournir, on doit rendre des comptes, bien évidemment. Des comptes quant à la qualité de la pédagogie, c'est-à-dire fournir un dossier, des "états de rentrée" comme on appelle ça.
> – C'est à partir de ce dossier que le ministère exerce son contrôle pédagogique?
> – Son contrôle pédagogique, oui, pour voir la qualité de l'enseignement. Bon, à partir du moment où les gens ont le niveau pour enseigner et que le programme est bien suivi… » (Directeur de Maison familiale rurale.)

Il y aurait donc cette apparente souplesse du côté du contrôle étatique mais qui ne dit rien, pour l'instant, sur la manière dont les Maisons familiales perçoivent la reconnaissance officielle de leur capa-

---

18. Si parmi les directeurs locaux de Maison familiale interviewés, certains, en plus de dix ans de fonction, évoquent une seule venue d'un inspecteur du ministère de l'Agriculture dans les murs de leur établissement, d'autres n'ont jamais été confrontés à ce type de contrôle *in situ* somme toute exceptionnel.

cité certificative technique. Un premier sentiment, teinté d'inquiétude, peut alors se faire jour :

> « Moi je suis inquiet dans le sens où on entrave notre liberté pédagogique par le contrôle pédagogique en cours de formation instauré par le ministère de l'Agriculture. Sans remettre en cause le contrôle continu qui est un bon système parce que ça valorise l'acquisition des connaissances sur un parcours de formation, je déplore sa lourdeur sur le plan administratif. C'est un peu au détriment de la qualité de l'enseignement au niveau de la formation des hommes de demain. On veut former des gens avec une tête grosse. » (Directeur de Maison familiale rurale.)

> « Il y a eu des pressions à la conformité qui ont joué de façon très réelle à travers la rénovation des examens. Il est évident que mettre en œuvre du contrôle continu dans les formations, ça a posé un tas de problèmes pour être bien certain que les formations étaient de même niveau partout. Et là, il y a eu une pression administrative à la bureaucratie des affaires qui a été épouvantable ! Il a fallu multiplier les épreuves écrites parce qu'un écrit c'est plus facilement contrôlable qu'une épreuve orale en situation professionnelle. » (Directeur de l'Union nationale des Maisons familiales rurales.)

À première vue, la « *lourdeur administrative* » semble dans les jugements l'emporter sur la « *valorisation de l'acquisition des connaissances sur un parcours de formation* » qu'autorise le nouveau système certificatif du contrôle continu. Disons plutôt que cette « *pression administrative* » tend à tempérer les retombées positives d'une reconnaissance recherchée depuis la création de l'institution. Ainsi, dès 1939, le fondateur de la première Maison familiale caressait l'idée d'« Examens et [de] diplômes, nous les voulions pour nos élèves afin d'officialiser ainsi notre initiative d'ordre privé » (Granereau, *op. cit.*, p. 166). C'est bien là en fait que se situe l'essentiel. L'État, par son sceau, par un curieux processus d'étiquetage, de « labellisation » qui renverse le stigmate initial d'un « *enseignement au rabais* » en « une composante du service public d'éducation et de formation », apporte ici aux Maisons familiales une « structure de plausibilité » (Berger et Luckmann, *op. cit.*, p. 225-226) qui leur permet une « contre-définition » d'une identité longtemps stigmatisée. Les Maisons familiales sont à présent tout à fait aptes et dignes de certifier leur public :

> « On sent bien qu'[les gens du Ministère] ils reconnaissent maintenant que l'institution, que les Maisons familiales ont une part très importante dans la qualification des jeunes et la requalification pour leur vie professionnelle. » (Président de Maison familiale rurale.)

> « Les conditions d'entrée des élèves, les conditions d'inscription aux examens, bon, ce sont les mêmes examens que ceux du [de l'enseignement à] plein temps et donc il n'y a plus aucun problème là-dessus. »

(Directeur de la Fédération départementale des Maisons familiales rurales d'Ille-et-Vilaine.)

« La Maison c'est quand même un établissement scolaire reconnu par le ministère. Nous on prépare quand même tous les examens. C'est quand même une école de formation. Il n'y a pas que le mot "Famille" qui est là. Il y a aussi quand même le fait que l'on prépare aux examens officiels. On a des programmes à suivre, des examens. On est reconnu. Il y a ça aussi qui rentre en ligne de compte. » (Enseignante en Maison familiale rurale.)

« Aujourd'hui, il y a encore des choses un petit peu aberrantes, que les gens ont un petit peu de mal à comprendre : c'est que malgré le temps de formation qui est chez nous plus court (à prouver encore, à prouver), malgré le **temps de présence** [c'est l'enquête qui souligne] dans l'établissement qui est plus court, nos élèves réussissent pratiquement aussi bien que les autres au niveau examen. Et la loi de 84 ça a été quand même un point stratégique de pouvoir reconnaître cette formation par alternance et cette réussite dans le cadre d'un service qu'est le ministère, dans le cas d'un service public. On a des chiffres. On n'est pas plus mauvais que les autres aux examens! » (Directeur de Maison familiale rurale.)

Enfin, si les responsables institutionnels interviewés ne cessent, à grand renfort de « *quand même* », de se satisfaire d'une telle reconnaissance, ils ne manquent pas non plus d'apposer le sceau de l'État sur leurs dépliants publicitaires :

« Une autonomie reconnue.
Depuis le 31 décembre 1984, la loi reconnaît l'autonomie des Maisons familiales, elle engage les Associations à participer aux missions du service public : formation, animation et développement du milieu rural, coopération internationale […].
Des diplômes et un travail.
Les Maisons familiales préparent aux diplômes officiels du Ministère de l'Agriculture et de l'Éducation Nationale : CAP, BEPA, Bacs professionnels, BTS […]. » (*Réussir Autrement. Maisons familiales rurales.*)

« Réussir Autrement », certes, mais aussi avec l'aval, donc, du ministère comme gage d'une qualité certificative à destination d'un public scolaire potentiel. L'État, par une taxinomie légiférante – l'intégration des Maisons familiales au « service public d'éducation et de formation » – règle ici en partie le travail d'identification collective de l'institution.

Ainsi, face à une offre d'État construite sur une vision moderniste et scientiste d'une agriculture et de son enseignement soumis à des impératifs technocratiques, les Maisons familiales sont contraintes de s'aligner sur une exigence nationale en matière de contenu des savoirs techniques dispensés. Un programme[19] et des examens communs à l'ensemble des familles d'établissements de l'enseignement agricole ayant passé contrat avec le ministère de l'Agriculture : tel est l'effet structurant, objectif, d'une offre d'État sur la constitution et la présentation sur le marché d'une identité Maison familiale. Néanmoins, cette habilitation à la capacité certificative, à la fois contrainte et gage de légitimité pour les Maisons familiales, ne rend totalement compte d'une dynamique croisée d'intérêts entre l'État et l'institution. En effet, celle-ci ne lui accorde qu'une importance limitée dans la constitution de son idéologie éducative « communautaire » (voir deuxième partie). Bien plus fondamentale semble être la reconnaissance par la loi de 1984 d'une pratique pédagogique qui est pensée comme spécifique par les Maisons familiales : l'« alternance ». Hétérodoxie dans l'orthodoxie ou différence revendiquée et définie comme réelle (au sens du « théorème » de Thomas) par les acteurs institutionnels, toujours est-il que s'offre ici aux Maisons familiales la possibilité de présenter et de promouvoir au sein du champ de l'enseignement agricole un savoir-faire éducatif qu'elles considèrent comme spécifique :

> « Je crois qu'il fallait à tout prix que la formation par alternance soit reconnue. C'est long trente ans, trente-cinq ans de bagarre, des conventions qui sont sautées. C'est quand même la reconnaissance qu'on apprend pas seulement à l'école. » (Directeur de la Fédération régionale des Maisons familiales rurales de Bretagne.)

> « L'alternance a été reconnue comme un système avec toutes ses lettres de noblesse et puis donc ça continue sur la lancée ; on fait des formations alternées maintenant, on reconnaît que c'est un système qui a le droit au chapitre, quoi. Avant, c'est vrai, c'était considéré comme un enseignement au rabais » (Directeur de Maison familiale rurale.)

> « Cette fameuse loi de 84, ça a été quand même quelque chose d'important. Ca a été pour la première fois de reconnaître l'alternance en tant que formation, dans le cadre du ministère de l'Agriculture. Parce qu'avant, la Maison familiale c'était…, ben c'était la bête noire, quoi. En permanence, [c'était] "l'alternance ça vaut rien", l'alternance ceci, "enseignement au rabais". En fait, il a fallu attendre 84 pour qu'on reconnaisse que ça pouvait être une méthode de formation. » (Directeur de Maison familiale rurale.)

Plus encore que la reconnaissance de la composante ici technique du savoir-faire éducatif des Maisons familiales, c'est celle estimée d'une axiologie éducative tout aussi importante et spécifique. Une

---

19. Même si la récente « modularisation » des programmes laisse entrevoir des spécificités et une certaine autonomie en prévoyant l'existence de modules d'adaptation régionale (MAR) et d'initiative locale (MIL).

axiologie éducative qui, très largement empreinte de familialisme, tient à promouvoir un ensemble de familles « *responsables* » [20] :

> « Les Maisons familiales sont restées en dehors du service public par rapport à l'article 5 de la loi [de 1984]. Tout est sous la tutelle du ministère alors qu'à la Maison familiale, c'est l'association qui est reconnue. L'association, c'est important ça. En fait, ce sont les **parents** [c'est l'enquêté qui souligne] qui sont reconnus maître d'œuvre dans la formation de leurs enfants et dans le choix des formateurs. » (Directeur de Maison familiale rurale.)

> « La loi de 84, elle permet l'expression à un mouvement associatif. Donc tout le monde peut s'exprimer. Les familles peuvent s'engager, prendre des responsabilités. Donc il n'y a pas de secteur qui puisse empêcher les familles d'œuvrer à une œuvre éducative. Je pense que c'est la reconnaissance de l'association comme un partenaire et je crois que c'est…, oui, c'est cette reconnaissance, donc à travers l'association, de l'ensemble des familles. Moi je pense que, indépendamment de l'aspect financier qui est important, la reconnaissance de l'association, moi ça me paraît être absolument capital. » (Directeur de Maison familiale rurale.)

À la validation par l'État d'un familialisme « idéologique » (Chauvière, *art. cit.*) éducatif qui, en Maison familiale, situe principalement l'acte de formation au sein de la communauté institutionnelle organique, s'ajoute celle, supposée, d'un familialisme « institutionnel et gestionnaire » (*ibid.*). C'est la reconnaissance d'une assise juridique – d'une association loi 1901 à base familiale et à caractère éducatif – comme condition d'obtention d'une « visibilité sociale » (Boltanski, *op. cit.*, p. 233-235) qui est alors positivement évaluée :

> « La loi de 84 a été pour les Maisons familiales une étape tout à fait essentielle. Parce qu'elles ont été reconnues sans aucune ambiguïté tout en leur donnant les moyens de ne pas devenir conformes. Les Maisons familiales ont à résister à deux risques opposés : soit devenir des marginaux ; c'était le risque qu'on avait avant la loi de 84, c'était en permanence qu'on était marginalisé et critiqué d'enseignement au rabais. Soit de se conformer, de devenir complètement conforme. La loi de 84, elle garantit ça par au moins deux verrous importants, deux reconnaissances importantes. Une première, c'est que c'est l'association qui passe le contrat. Ce n'est pas l'Union des Maisons familiales qui est reconnue par le service public, c'est l'association locale, c'est le président de l'association. Ça c'est une première dans le système éducatif. Dans les lois

---

20. Surtout, semble-t-il, dans le contrôle serré du recrutement et du congédiement oligarchique du personnel enseignant. Les Maisons familiales ont toujours refusé le paiement de leurs enseignants par l'État, système qui, comme le soulignait le précédent directeur de l'Union nationale, risquerait de faire « échapper à l'autorité de l'association de base (qui crée et gère la Maison familiale) les enseignants » (Duffaure, 1985, p. 11-17).

sur l'éducation il n'y avait pas le représentant de l'association. Deuxième point qui est important, c'est une liberté totale qui nous a été conservée pour organiser nos équipes, et l'association est employeur. Par contre, s'il avait fallu que l'on rentre dans un fonctionnement à la fois de l'embauche du personnel par l'État (parce que c'est quand même ça pour l'enseignement privé [catholique], c'est ce qui s'est passé) et d'autre part, que ce personnel soit assimilé à un personnel enseignant, c'était la fin ! C'était la mise en conformité totale des Maisons familiales. Donc ça, c'est totalement préservé. » (Directeur de l'Union nationale des Maisons familiales rurales.)

Enfin, l'égalitarisme que promeut l'institution en matière de (seconde) chance scolaire, autre pilier idéologique qui soutient l'axiologie éducative des Maisons familiales, est aussi porté au jour à travers leur reconnaissance par la loi de 1984 :

> « La Maison familiale participe à un service public dans le sens que, sur un plan pédagogique, elle permet l'égalité des chances à tous les jeunes, ceci de façon particulière parce que de par le parcours individualisé, le suivi de chaque jeune. Je pense que oui, elle participe au service public. » (Directeur de Maison familiale rurale.)

> « Je pense que cette loi nous ouvre au service public dans la mesure où on accueille tous les jeunes, hein, sans discrimination, sans sélection. De ce côté-là, donc, je pense que la Maison familiale participe au service public parce qu'elle est ouverte à tous, sans discrimination. » (Directeur de Maison familiale rurale.)

L'idéologie du service développée par les Maisons familiales (voir Deuxième partie) se trouve ainsi consacrée par « le modèle de l'intérêt général aux sources de la définition du service public » (Derouet, *op. cit.*, p. 87-95). Le troisième axe d'intervention de l'État – imposer à une collectivité professionnelle des missions d'intérêt public – rencontre bien une des préoccupations quasi originelles [21] des Maisons familiales en matière d'objectif éducatif : le souci de démocratisation scolaire et d'égalité des chances affirmé au travers d'une offre et d'un égalitarisme scolaires compensatoires. Pourrait-il d'ailleurs en être autrement dans la mesure où l'État définit les besoins légitimes fondés sur une « opinion mobilisée », « conscience sociale du tolérable et de l'intolérable » (Bourdieu et Christin, 1990, p. 65-85) ?

Cette dernière remarque est particulièrement pertinente dans la perspective du rattachement, de l'assimilation pourrait-on dire, des Maisons familiales rurales au service public d'éducation et de formation mis en place par la loi de 1984 sur l'enseignement agricole. Si nous

---

21. Au sortir, du moins, de la seconde guerre mondiale où les visées élitistes des premières Maisons tendent à laisser la place à une « mystique de la prise de responsabilité » en même temps que l'institution laïcise sa volonté missionnaire (Bonniel, 1982, p. 20-85).

nous attachons aux conséquences qu'induit pour les Maisons familiales leur intégration au service public, outre la reconnaissance officielle de leur capacité certificative, on entrevoit déjà bien que cette entrée dans le service public se joue sur un certain croisement, un ajustement de valeurs entre l'institution et l'État. Celui-ci n'a-t-il pas su aussi mettre en œuvre une technique d'assimilation assez subtile ?

En effet, qu'y a-t-il derrière cette notion de « service public » ? Peut-être avant tout la polysémie et la fluidité sémantique finalement éminemment consensuelles, intégratives, d'une appellation qui légitime symboliquement, sur la base de représentations collectives *doxiques*, le contrôle étatique sur un enseignement privé :

> « La notion de service public, qu'est-ce que ça signifie ? Ca signifie qu'on est au service des gens qui viennent chez nous. On est au service d'un public. » (Directeur de Maison familiale rurale.)

> « Ah ben j'ai le sentiment de jouer, que l'établissement joue un rôle d'ordre public, d'intérêt public... D'intérêt public, oui, oui. Je crois que tous ces gens qu'on forme, et qui se concrétise par la préparation au CAP et au BEP puis au BTA, constituent bien là une démonstration concrète de notre utilité. On forme des professionnels, des actifs, hein, de demain. Si on entrait dans le service public on perdrait de toute façon tout pouvoir du choix des enseignants et du directeur.
> – Mais officiellement, vous êtes dans le service public...
> – Euh... oui, on est dans le service public, c'est vrai. » (Directeur de Maison familiale rurale.)

L'« *intérêt* » ou l'« *utilité* » publics, qui signifient être « *au service d'un public* » et qui peuvent aller jusqu'à faire oublier l'intégration à une logique d'État, sont autant d'extensions de la notion de « service public ». Une notion qui est somme toute très générale, qui permet entre l'État et les Maisons familiales le partage d'un bien lexical commun et opère, selon cette règle sémantique de l'élasticité[22] qui est un rapport de sens, la légitimation d'une domination (politique et juridique) étatique. C'est d'une manière identique que la participation des Maisons familiales au service public, problématique politique commune, est ainsi pensée et acceptée par les membres de l'institution comme un devoir, une « *mission* » à remplir :

> « Nous avons accepté la mission de service public, non pas pour remplir les cases prévues par l'Administration, mais pour apporter une réponse organisée aux besoins d'une population rurale. » (Président de l'Union nationale des Maisons familiales rurales, *Le Lien des Responsables*, n° 110, juillet 1987, p. 63.)

---

22. Règle que nous avons déjà mise en évidence (Deuxième partie) et qui joue inversement pour les Maisons familiales lorsqu'elles s'appliquent à intégrer élèves et familles à l'ordre institutionnel de la répartition des rôles et pouvoirs dans la division sociale du travail éducatif.

« Je vous dirai d'abord que la loi de 84, ce qui pour nous a été important, c'est une reconnaissance à parité avec les autres composantes [de l'enseignement agricole]. Et reconnaître aux Maisons familiales cette capacité à participer aux missions de service public, c'est les reconnaître avec parité avec les autres secteurs. Donc en cela c'était essentiel. De façon plus terre à terre, quand on est sollicité par un nombre de familles de plus en plus important, de jeunes qui se posent des questions par rapport à leur formation et qu'on essaie d'y répondre, je dirai le mieux qu'on peut y répondre, alors chacun des responsables de Maison familiale a intimement la conviction qu'il participe au service public. Alors on n'a pas en Maison familiale, je dirai, une philosophie, une religion du service public élaborée, mais les Maisons familiales ont la conviction d'y participer…
–… À l'utilité publique plutôt ?
– Voilà, à l'utilité publique davantage. » (Directeur de l'Union nationale des Maisons familiales rurales.)

Une « *mission* » qui, bien qu'orientée de préférence et au départ en direction d'« *une population rurale* », semble naturellement participer à l'effort national, collectif (« sociétaire »), d'éducation et de formation :

« "Public" ou pas, je m'en fous… Ou du moins, c'est pas tout à fait ça mon problème. On participe au service de formation de la nation, point à la ligne. » (Directeur de la Fédération régionale des Maisons familiales rurales de Bretagne.)

« On accomplit quand même une mission de service public en apportant une éducation aux jeunes et une formation professionnelle. La formation professionnelle aura certainement des incidences économiques à terme. Donc en ce sens, oui, les Maisons familiales ont une mission de service public et elles l'accomplissent bien. Une mission d'éducation, de formation et d'insertion. » (Président de Maison familiale rurale.)

Il est aisé de repérer ici toute l'efficacité politique et historique (Rosanvallon, 1990, p. 86-88) d'une idéologie du service public parvenant à transcender dans les esprits les plus réticents – même si « *on n'a pas en Maison familiale une philosophie, une religion du service public élaborée* » – les particularismes de l'institution au profit d'une homogénéité et d'une envergure nationale dans le projet éducatif. Cependant, ce travail idéologique n'aurait pu pleinement aboutir sans la reconnaissance officielle par l'État. Une reconnaissance juridique, accompagnée d'une dotation financière annuelle, mais qui, peut-être, autorise surtout, symboliquement, la pleine et entière participation des Maisons familiales au champ de l'enseignement agricole :

« La loi de 84 ? Moi je pense qu'on l'a plutôt vue comme une reconnaissance. » (Président de Maison familiale rurale.)

« La loi de 84, c'était une reconnaissance à part entière de l'ensemble du privé, confessionnel et Maisons familiales. Donc, de ce côté-là, on peut dire que la loi est bonne, elle a donné satisfaction. Les Maisons familiales co-participent et participent réellement au service public de l'éducation et de la formation. » (Directeur de la Fédération départementale des Maisons familiales rurales d'Ille-et-Vilaine.)

Consécration ou reconnaissance (et ratification) d'un plein droit de participation qui fut longtemps dénié ou minoré, les responsables en Maison familiale attribuent donc une valence toute positive à cette dimension symbolique. Plus encore, cette compréhension d'une reconnaissance officielle est celle d'une approbation supposée du ministère à l'égard de savoir-faire et de savoir-être éducatifs qui seraient spécifiques aux Maisons familiales. Autrement dit, il y aurait là une confirmation ou un encouragement implicite pour les Maisons familiales à pratiquer une culture de la différence éducative vis-à-vis des autres enseignements, ceci au risque de renforcer l'orientation de leur lutte symbolique sur le front de la concurrence entre établissements agricoles au détriment, peut-être, d'une vigilance de l'institution à l'égard d'une politique d'assimilation de l'État. En d'autres termes, l'État, dans son accompagnement ou dans sa gestion politique très consensuelle des représentations sociales des Maisons familiales, n'amènerait-il pas celles-ci à « baisser quelque peu leur garde » ?

Le processus de construction de l'identité collective des Maisons familiales ne peut donc se départir d'un cadre structurel étatique qui réglemente l'accès et le maintien de l'institution dans le marché de l'enseignement agricole. D'un côté le ministère de l'Agriculture exige des établissements une capacité certificative technique et, par là, un alignement contrôlé sur les normes nationales en matière de diplômes et d'examens préparés. Apparaît donc ici une dimension à la fois normative et politique du structurel : l'État, détenteur du pouvoir législatif, détermine l'efficience de la compétence éducative technique des Maisons familiales et assoit de la sorte sa domination. Cette domination peut être alors assimilable à une contrainte extérieure négative pour les Maisons familiales, notamment quand celles-ci se plaignent d'une certaine rigidité et d'une prégnance des contrôles administratifs. Toutefois, il s'agirait là plus d'une contrainte virtuelle que réelle. En effet, la fonctionnarisation des établissements, et celle surtout du personnel enseignant[23], reste pour l'instant dans le domaine du risque pour les Maisons familiales. Seule cette incertitude relativise l'accueil positif fait au service public par l'institution et génère une certaine distanciation vis-à-vis du modèle identitaire que leur propose l'État. Reconnaissance mais autonomie, là est toute l'ambivalence :

---

23. Derrière un éventuel nivellement identitaire, c'est une logique de recrutement exogène des enseignants et des directeurs qui constituerait pour les Maisons familiales le mauvais côté de la loi de 1984. Ce serait une faille dans un mécanisme de contrôle et de reproduction institutionnels internes aux Maisons familiales.

« Il faut à la fois concilier cette fonction de service public à laquelle nous répondons et cette possibilité du privé d'entreprendre, d'essayer, de risquer. Nous savons que l'initiative et la responsabilité octroyées à la base sont essentielles au fonctionnement des Maisons. Nous savons aussi que les Maisons ne peuvent exister sans la reconnaissance et l'aide de l'État. » (Précédent directeur de l'Union nationale des Maisons familiales rurales, extrait du discours prononcé lors du congrès du 40e anniversaire de la création des Maisons familiales rurales, Bordeaux, 1977.)

Il convient maintenant de pondérer cette hypostasie sociale et cette asymétrie en faveur du pouvoir étatique par au moins deux faits.

Premièrement, l'État, si présent soit-il dans la politique de gestion de l'enseignement agricole, ne demeure pas moins une instance de régulation globale et « externe ». Plus précisément, si l'État impose un cadre législatif qui définit l'action éducative et la formation profession-nelle – ou plutôt un idéal-type de formation – à suivre, l'intérêt du ministère se porte en fait bien plus sur la capacité certificative des éta-blissements. Libre champ est alors laissé aux Maisons familiales quant aux moyens pédagogiques (ceux de l'« alternance ») à mettre en œuvre et à organiser dans leur savoir-faire technique. La logique de l'offre d'État, dans laquelle s'inscrit le mouvement d'institutionnalisation d'un collectif de travail, est bien plus une affaire de réglementation externe et lointaine du marché professionnel ; elle n'appréhende que les dimensions « extérieures » de la réalité professionnelle. Beaucoup moins que le procès de travail, c'est surtout le marché qui intéresse l'État[24], ce qui permet une certaine autonomie du milieu professionnel et la mise en évidence « d'espaces vierges » (Segrestin, *op. cit.*, p. 33) dans ce modèle de régulation corporatiste. Cette liberté de manœuvre permet de présenter un savoir-faire éducatif acceptable, car reconnu par l'État, tout en offrant aux Maisons familiales la possibilité de jouer avec le contenu.

Deuxièmement, la régulation étatique est tout aussi contraignante qu'elle est habilitante pour les Maisons familiales. Selon une « dualité du structurel » (Giddens, *op. cit.*), de telles contraintes filtrent certes les formes possibles d'activités, mais elles sont aussi, et peut-être avant tout, des éléments qui habilitent l'action. Soupçonner ainsi, à travers l'intervention de l'État, une souplesse calculée car dissimulant un

---

24. Cette logique s'applique à des « mondes » très variés comme celui, par exemple, de l'art : « Les artistes et les agents économiques collaborent […] pour produire des objets et des manifestations qui seront commercialisés, vendus ou diffusés confor-mément à la législation en vigueur. L'État qui élabore et fait appliquer cette législa-tion ne témoigne par là aucun intérêt particulier aux œuvres d'art. Il se préoccupe simplement de créer les conditions d'une activité économique régulière, l'art étant un secteur du commerce parmi d'autres. » (Becker, *op. cit.*, p. 180.)

contrôle social sous la très consensuelle appartenance au service public qui est vécue comme une participation à l'intérêt public, n'évacue cependant pas pour les Maisons familiales la possibilité qui leur est offerte d'asseoir légitimement leur action éducative par leur reconnaissance officielle. Une action éducative technique qui est désormais reconnue par la capacité certificative à laquelle accède pleinement l'institution. Une action éducative empreinte de valeurs morales que la dimension sémantique, et fondamentale, de la loi de 1984 consacrerait à présent de la même manière.

L'acte juridique de l'État garantit bien aux Maisons familiales une reconnaissance identitaire. En parlant de reconnaissance, nous voulons en fait signifier deux choses.

Premièrement, cette reconnaissance participe du caractère réflexif de l'identité institutionnelle, fut-elle collective. Par le jeu ou la médiation symbolique des libres interprétations et retraductions des exigences « sociétaires » émanant des normes étatiques, les Maisons familiales réactivent un « Soi communautaire » jusqu'alors mis entre parenthèses. Par ce retour réflexif, c'est-à-dire cette conversation intérieure qu'autorise l'ouverture sémantique de la notion de « service public », l'institution confirme à nouveau son attachement à une réalité « communautaire » originelle ou primaire. Elle se reconnaît, se retrouve. Susceptible de menacer la cohérence et la solidité de l'identité collective des Maisons familiales, l'infirmation du « communautaire » par le « sociétaire » – c'est-à-dire ici le rapport contractuel à l'instance régulatrice du marché : l'État – se résout par ce travail compensatoire de libre interprétation des normes étatiques. L'alternative « Communauté ou Société ? » ne se pose donc pas véritablement pour les Maisons familiales. Il y aurait là, nous semble-t-il, matière à relativiser, sinon à réfuter, certains propos, pour le moins rapides, qui évoquent des « acteurs sociaux déchirés entre une sphère subjective et "morale" et les contraintes des organisations et de l'action instrumentale » (Dubet et Martuccelli, 1998, p. 237). A trop s'éloigner de l'observation empirique, on risque d'annuler tout démenti factuel d'une prétendue « tension entre le domaine socio-économique et la sphère socioculturelle, entre le marché et la culture » (*ibid.*, p. 298). On en arrive à cette généralisation abusive d'un « marché [qui] envahit moins tous les domaines de la vie sociale qu'il ne participe à un éclatement des principes d'organisation de la vie sociale. Désormais, nous dit-on alors, les institutions, et leur rôle majeur de socialisation, n'apportent plus de réponse directe à la domination économique. » (*Ibid.*)

Deuxièmement, l'État représente effectivement pour l'institution d'enseignement agricole un « Autrui significatif », une altérité « législative ». Il est cette ressource identitaire, cette référence intégrée et positive qui permet surtout aux Maisons familiales une véritable économie (de preuves) dans leur travail d'imposition d'une définition de soi au sein du marché scolaire. Tel serait le gain identitaire d'une consécration officielle qui, néanmoins, demeure encore ici largement virtuelle. Il faut à présent qu'elle s'éprouve dans la réalité marchande de la rencontre entre l'offre scolaire et la demande des familles.

Chapitre XII

LES FAMILLES : DE LA RESSOURCE ÉCONOMIQUE À LA RESSOURCE SYMBOLIQUE

Offre et demande scolaires :
entre l'incertitude d'une rencontre et un utilitarisme croisé

Les familles, clientes actuelles ou potentielles des établissements, représentent en quelque sorte la « *matière première* » de chaque Maison familiale, ceci pour reprendre l'expression d'un responsable institutionnel entendue lors d'une assemblée générale. La viabilité financière[1] de l'institution repose chaque année sur la quantité d'élèves recrutés. Devant le déficit financier prévu et annoncé d'une Maison familiale pour l'année scolaire à venir, l'on a pu ainsi assister, durant une assemblée générale, à cette très courte mais sans équivoque leçon d'arithmétique :

> « – [Le directeur] : Combien d'élèves pour combler le déficit ?
> – [Le président] : Quatorze. Un élève rapporte 20 000 F. »

Autre exemple de cette même propension au calcul « serré » :

> « J'ai un petit peu investi mes formateurs dans le domaine financier. Je
> leur ai demandé qu'ils se mettent au courant de la situation financière
> de la Maison, qu'ils comprennent un petit peu aussi quelquefois…

---

1. Le ministère de l'Agriculture, principal bailleur de fonds à hauteur de 44 % du budget de fonctionnement d'un établissement (complété par les subventions départementales, les taxes d'apprentissage et autres activités à hauteur de 38 %, ainsi que par la participation des familles à hauteur de 18 %), attribue aux Maisons familiales pour l'année 1997 une subvention de fonctionnement par élève et par an : 4e/3e : 13718 F/élève/an; CAP/BEP : 18678 F/élève/an; BTA/BTSA : 20420 F/élève/an (sources : Chambres d'Agriculture, supplément au n° 854, avril 1997, p. 10; Fédération départementale des Maisons familiales rurales d'Ille-et-Vilaine.)

l'analyse que fait le directeur par rapport au formateur. Un formateur, il a un élève qui fait des conneries, qui fait ci, qui fait ça. Faut savoir qu'un élève (il faut tout mettre dans la balance, il faut avoir aussi une vue commerciale, il faut être réaliste) c'est x mille francs, d'accord ? C'est, par exemple, 20 000 francs. La subvention plus ce que donnent les parents : c'est 20 000 francs. Cinq élèves, ça fait 100 000 francs. Ca fait combien de formateurs en face [à conserver ou à recruter] ? Alors ce n'est pas toujours facile de mettre un élève à la porte. » (Directeur de Maison familiale rurale.)

Le recrutement, en tant que source d'incertitude majeure, n'est d'ailleurs pas sans susciter quelques angoisses chez les directeurs quant à la pérennité de leur fonction. À mauvais recrutement, mauvais directeur. Il n'est donc pas étonnant que les Maisons familiales aient très tôt compris l'impérieuse nécessité d'aller au-devant des familles afin d'y promouvoir leur action éducative. Dès la mise en place du premier établissement en 1935, son fondateur, l'abbé Granereau, eut recours pour cela à différents relais médiatiques – presse écrite catholique, bulletin interne, conférences aux « Semaines Sociales » – ainsi qu'à la technique du démarchage à domicile. Ce prosélytisme fut au sortir de la seconde guerre mondiale particulièrement bien rôdé en Ille-et-Vilaine. En effet, les premiers promoteurs de Maisons familiales étaient pour la plupart issus de la JAC et militaient à l'époque au MFR ; ces deux mouvements d'action catholique représentaient à eux seuls dans la région un formidable réseau d'adhérents ou de sympathisants qui étaient autant de clients potentiels pour les Maisons familiales rurales naissantes. Par ailleurs, l'institution ne disposant pas en amont du système scolaire d'établissements tels qu'en possédaient ses concurrents dans l'enseignement primaire et secondaire, rendre visite aux familles, à leur domicile, s'avérait être une bonne stratégie de recrutement pour un enseignement de proximité géographique. L'actuel directeur d'une Maison familiale rurale du département rejoignit d'ailleurs l'institution, en tant qu'élève, à la suite d'une visite d'un directeur d'établissement au domicile familial. Utilisant actuellement une vaste palette de supports médiatiques (presse écrite, manifestations publiques, etc.), les Maisons familiales du département se sont aussi réparties géographiquement la tâche d'aller collecter auprès des mairies la liste de jeunes résidant dans la commune et dont l'âge laisse entrevoir une inscription potentielle dans les établissements. Il s'ensuit un envoi publicitaire aux familles concernées.

Dépendant ainsi des contraintes (financières) de la gestion avant de dépendre des caractéristiques des élèves eux-mêmes, les Maisons familiales rencontrent leur clientèle locale sur le mode utilitariste d'une offre allant au-devant de la demande scolaire. L'impératif de recrutement, nécessité fonctionnelle historique pour les Maisons familiales, est ici central afin de saisir la relation des établissements à la population. Autrement dit, l'accent doit être mis, dans une « perspective institutionnelle » (Briand et Chapoulie, *art. cit.*, p. 8), sur le rôle premier de l'école, de l'offre scolaire, dans la définition des comportements de scolarisation.

En outre, indissociable d'une situation de concurrence inhérente au marché de la formation, l'offre scolaire en Maison familiale s'adresse plus particulièrement à une fraction de sa clientèle hypothétique : « la population marginale scolarisable, celle qui n'est pas absolument destinée à aller dans tel établissement plutôt que dans tel autre : c'est précisément cette partie de la clientèle qui peut faire la prospérité ou consommer la ruine d'un établissement » (*ibid.*, p. 17). N'étant plus l'école de la petite et moyenne paysannerie (Brangeon et Jégouzo, *op. cit.* ; Cardi, 1978, p. 223-224[2]), les Maisons familiales, dès les années soixante-dix, se sont ouvertes à des formations professionnelles non agricoles en créant les Maisons de Métiers. Même si l'expérience a tourné court en Ille-et-Vilaine[3], l'institution a au niveau national commencé à former des « non héritiers agricoles » aux métiers du bâtiment et de l'alimentation, par exemple. Plus récemment, la loi d'orientation de l'éducation du 10 juillet 1989 a redéfini les cycles d'apprentissage : les classes présentes dans les établissements d'enseignement technique agricole correspondent au cycle d'orientation, au second cycle professionnel, au second cycle général et technologique et au premier cycle supérieur. Le cycle d'orientation comprend les classes de 4e et 3e préparatoires conduisant préférentiellement au second cycle professionnel, et les classes de 4e et 3e technologiques au second cycle général et technologique (Boulet et Mabit, *op. cit.*, p. 64-66). La captation par ce cycle d'orientation d'un public scolaire professionnellement indéterminé devient alors un enjeu fondamental pour les Maisons familiales. Les luttes et efforts déployés par l'institution afin, par exemple, de faire accepter par le ministère des projets (souvent refusés) de stages d'insertion professionnelle ou de remise à niveau destinés en priorité à un public de chômeurs et de « Rmistes », sont aussi de ce point de vue significatifs. Cette quête, vitale, d'une population un peu en marge du système scolaire traditionnel, s'illustre, ailleurs, par :

« **Un redressement exemplaire.**

En 1989, le conseil d'administration de la Maison familiale de Saint-Berthevin doit se rendre à l'évidence : les effectifs ne cessent de baisser,

---

2. Relevons aussi les 24,2 % d'enfants d'agriculteurs scolarisés en CAP ou BEP et BEPA en Maison familiale en 1995 contre encore 81 % en 1970 (Sources : enquête UNMFREO, 1995, ainsi que Bonniel, 1972, p. 19).
3. Où, semble-t-il, l'incursion des Maisons familiales dans un champ de formation contrôlé par les ministères du Travail et de l'Éducation Nationale fut une intrusion.

la situation n'est plus gérable et la Maison doit devoir fermer faute de nouvelles perspectives de formation.

Le Centre d'étude et d'action sociale de la Mayenne aide la Maison familiale à faire le point sur les besoins de formation de la région. Après une enquête minutieuse d'un an, suivie de près par l'équipe de la MFR et le Conseil d'Administration, il s'avère qu'il existe des besoins dans le traitement du chômage, qu'une action sérieuse d'orientation en 4ᵉ et 3ᵉ est judicieuse et que dans les entreprises, un besoin existe en formation générale pour les salariés.

La Maison familiale s'engage alors dans la formation d'adultes. [...]. Petit à petit, la Maison familiale a remonté la pente. [...]

Aujourd'hui, par la volonté interne de l'équipe et du Conseil d'Administration, la Maison familiale s'est redressée. » (*Le Lien des MFR*, n° 266, mars 1994, p. 11.)

Enfin, tout aussi significative est l'implantation timide et récente d'établissements en milieu urbain. Ouverte à la rentrée 1994, la Maison familiale urbaine de Rennes présente sur le marché de la formation[4] un CAP « maintenance des bâtiments de collectivités »; un CAP « propreté urbaine et gestion des déchets » a d'ailleurs vu le jour en 1996[5]. Ainsi, après être sortie du rural profond pour s'étendre au périurbain[6], l'offre scolaire en Maison familiale commence à rechercher un public qui est cette fois-ci spécifiquement urbain.

Cette mise en perspective des aspects matériels des faits d'organisation scolaire étant faite, bref, ayant souligné ici le primat de l'offre scolaire sur la demande et insisté sur la capacité de sanction de cette dernière quant à la viabilité économique de l'institution, il convient à présent de se pencher sur le contenu proprement éducatif qui est proposé par les Maisons familiales aux familles. Une offre scolaire, qui est pensée par l'institution comme étant spécifique, rencontre-t-elle une clientèle de parents et selon quelles modalités ? L'évolution positive

---

4. En tant que centre de formation d'apprentis (CFA) des Maisons familiales, cet établissement participe à l'effort de formation de 6100 apprentis (10 % du public global des Maisons familiales) par l'institution pour l'année 1998-1999. Cinq ans auparavant, en 1993, l'effectif de 2600 apprentis était presque deux fois et demi moindre (source : Union nationale des Maisons familiales).

5. Actuellement, ces deux axes de formation regroupent respectivement les sous-spécialités suivantes : « Agent d'entretien des régies d'HLM, des municipalités et collectivités, des complexes touristiques et sportifs » – « Salarié des entreprises polyvalentes du bâtiment » – « Employé de divers services techniques »/« Conducteur d'engins de nettoiement » – « Contrôleur de déchetterie » – « Employé de collecte de tri, de traitement et de nettoiement » – « Agent d'entretien de voirie » (source : fédération départementale des Maisons familiales rurales d'Ille-et-Vilaine pour l'année 1998-1999).

6. Rappelons qu'en 1995, les Maisons familiales recensent dans leur enquête nationale 20 % d'élèves habitant à moins de 10 km de la ville de plus de 20000 habitants la plus proche et 38 % de 20 à 50 km (source : Union nationale des Maisons familiales rurales).

des effectifs scolaires en Maison familiale[7] doit-elle à la présentation de leurs savoir-faire et savoir-être éducatifs?

Il y a quinze ans, Jacques Bonniel (1982, p. 58-75) avançait la typologie suivante à propos des stratégies scolaires des familles usagères des Maisons familiales :

1. Des stratégies de compensation, de rattrapage, de réorientation utilisant la Maison familiale comme une thérapie scolaire, voire psychologique, à la suite du « dégât » causé par le système scolaire traditionnel.

2. Des stratégies de gardiennage, de satisfaction à l'obligation scolaire où la Maison familiale est utilisée sur le mode de l'évitement de l'inculcation scolaire (symptomatique des réticences séculaires de la paysannerie face à l'école). L'agrarisme (pour les garçons) et le familialisme (pour les filles) y sont réactivés.

3. Des stratégies idéologiques ruralistes sinon agrariennes quand elles sont fortement empreintes de corporatisme paysan.

4. Des stratégies de formation professionnelle.

Par ailleurs, l'auteur établissait une typologie des parents qui les ordonnait selon une intentionnalité décroissante. Elle distinguait ainsi :

1. Les familles « investisseurs » participant activement à la création et à l'administration d'établissements. Membres d'une élite agricole locale (notamment en termes d'appartenance et de responsabilité au sein d'organisations professionnelles agricoles), ces familles conçoivent l'utilisation des Maisons familiales comme un élément d'une stratégie plus large d'occupation de fonctions ou de postes plus importants dans l'organisation de la paysannerie et du monde rural.

2. Les familles « adhérentes » qui rejoignent l'institution par un effet local, circonscrit, de publicité (au profit de l'institution) et de proximité sympathique. Moins actives en matière de participation à la gestion de l'établissement, ces familles s'acculturent progressivement à l'idéologie Maison familiale.

3. Les familles « usagers captifs » choisissant la Maison familiale comme solution de fortune aux échecs scolaires antérieurs. Elles adhèrent peu à l'idéologie Maison familiale.

---

7. 59 609 « élèves » pour la rentrée 1998, soit des progressions d'effectifs de 7,1 % par rapport à 1997 et de 53,6 % par rapport à 1988 (source : Union nationale des Maisons familiales rurales). Il semblerait toutefois que ces chiffres, ramenés aux seules formations initiales, doivent être revus à la baisse : + 636 élèves en formation initiale (pour 48 499 élèves) par rapport à 1997, soit une progression limitée à 1,4 %, alors que dans le même temps, le privé catholique [56 974 élèves], qui augmente ses effectifs de 667 élèves, progresse, quant à lui, de 1,3 %. Pour sa part, l'enseignement agricole public (71 821 élèves) enregistrait pour la rentrée 1998 une hausse de 2 % de ses effectifs par rapport à l'année précédente. (Source : ministère de l'Agriculture – DGER pour l'année 1998-1999).

Ajoutons à cela une sur-représentation de chefs d'exploitation agricole pour en conclure que : quand l'offre et la demande scolaires ne tendent pas à se confondre pour un motif de contrôle politique de l'institution par une population agricole « indigène » (cf. les familles « investisseurs »), elles se rencontrent alors principalement sur la base d'un projet de formation professionnelle agricole qui reste fortement associé aux idéologies familialiste et ruraliste, sinon agrarienne, communes au corporatisme paysan.

Qu'en est-il actuellement ? Un premier constat s'impose : tant dans le recrutement du public scolaire que dans les formations professionnelles proposées (voir les tableaux dans l'introduction), les Maisons familiales rurales ont perdu leur spécificité agricole. À titre de rappel, 26,8 % d'enfants de salariés de l'industrie y côtoient 17,7 % d'enfants d'exploitants agricoles. Et en Ille-et-Vilaine, moins de la moitié des établissements dispense des formations spécifiquement agricoles ; les autres sont soit couplés avec du « tertiaire rural », soit définitivement et exclusivement orientés dans ce dernier secteur. Il est alors raisonnable de penser qu'aujourd'hui, la rencontre de l'offre et de la demande scolaires en Maison familiale ne se fait plus autour d'une idéologie corporatiste agricole. La formation à la profession agricole *stricto sensu* n'est plus non plus ce qui lie l'institution à sa clientèle. Où se rencontrent donc de nos jours, et ceci de façon apparemment croissante, l'offre et la demande scolaires en Maison familiale ?

Voyons les résultats qui dévoilent les motifs d'inscription avoués par les élèves des Maisons familiales :

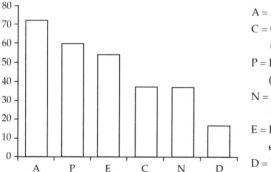

A = Alternance
C = Choix du métier (aide dans le...)
P = Projet professionnel (en lien avec le...)
N = Ne pas aller en cours tous les jours
E = Études (poursuivre des...) et qualification professionnelle
D = Devait changer d'établissement

Les motifs d'inscription – Enquête UNMFREO 1995.
(Éhantillon : 7 933 élèves de CAP-BEP.)

– *Alternance* : s'agit-il ici de l'expression d'un choix mesuré à l'aune d'une préférence pour la combinaison apprentissage pratique/apprentissage théorique ou est-il question d'un choix que l'on pourrait attribuer à l'acception plus fine et plus large[8] que confère l'institution à l'« alternance »? Rien n'étant précisé là-dessus, nous devons nous contenter du terme générique proposé par l'enquête. Remarquons cependant que l'« alternance » rallie la majorité des suffrages auprès des élèves.

– *Projet professionnel (en lien avec le...)* : s'il s'agit ici, pour l'élève, de mener à bien un plan de formation ajusté à un avenir professionnel planifié, notons alors que les Maisons familiales scolarisent un public qui, globalement, n'est que très moyennement[9] déterminé profession-nellement. On est assez loin du recrutement originel des « héritiers agricoles ».

– *Études (poursuivre des...) avec une qualification professionnelle* : venant juste après (–5 points), ce motif occupe le troisième rang derrière l'*alternance* (–17 points). Il semble indiquer un effet d'attirance pour l'accession (inespérée?) à un titre scolaire (CAP-BEP). Ce résultat s'accorderait en fait avec une certaine conception instrumentale (Sirota, 1988, p. 118-119 et 173; Terrail, *art. cit.*), utilitariste de la demande scolaire des familles populaires qui verraient dans les Maisons familiales l'école de la dernière chance.

– *Choix du métier (aide dans le...)* : ce quatrième motif d'inscription (37 %) confirmerait le fait évoqué plus haut : les Maisons familiales attirent à elles un public scolaire relativement indéterminé en termes d'orientation professionnelle. Cela justifierait leur « politique de la souplesse et de l'indétermination » ajustée à un souci de maintien (le plus longtemps possible) de ce public indéterminé au sein des établis-sements[10].

– *Ne pas aller en cours tous les jours* : doit-on y voir une critique plus ou moins directe de l'ensemble des pratiques éducatives imputées à l'en-seignement scolastique traditionnel? Si tel est le cas, cette justification en faveur d'une entrée en Maison familiale peut tout à fait incorporer la dénonciation des concurrents émise par l'institution à partir de la valorisation de son propre enseignement (voir Quatrième partie). Doit-on y voir, plus simplement, une reformulation du premier motif, soit l'alliance apprentissage pratique (à l'extérieur)/apprentissage théo-rique (en cours)? Toujours est-il que le motif avoué « ne plus aller en cours » occupe le quatrième rang, à égalité avec le *choix du métier* dans les justifications exprimées par les élèves.

– *Devait changer d'établissement* : malgré l'absence d'éclaircissements sur les raisons individuelles qui sont à l'origine de ce changement

---

8. Comme cela a été montré dans la Deuxième partie.
9. 59 % de l'échantillon « cite ce motif comme étant l'une des raisons qui les a motivés à entrer en Maisons familiales rurales » (selon la méthode de lecture statistique indi-quée par l'enquête elle-même).
10. Voir Chapitre IV.

d'établissement, l'hypothèse d'un « choix » par défaut, faisant suite à une élimination par sélection (sociale ou autres) opérée en amont du système scolaire, est très envisageable. Jacques Bonniel (1972, p. 22) relevait pour l'année 1970-1971 en Maison familiale 51 % d'élèves provenant directement de l'école primaire et 19 % de 6ᵉ et 5ᵉ « de transition » en CEG[11] : des indicateurs éloquents qui traduisent une forte relégation scolaire. En 1995, environ 75 % des élèves entrant en Maison familiale en 4ᵉ (classe qui totalise avec la 3ᵉ plus de 25 % des effectifs scolarisés) sortaient d'une 5ᵉ de l'enseignement général ; les autres ont fait une 4ᵉ au collège et redoublent leur classe en Maison familiale[12]. Pour ce qui est des élèves intégrant une première année de BEPA, 75 % d'entre eux provenaient d'une 3ᵉ de l'enseignement général. Des indices qui sont là aussi révélateurs de la situation d'un public scolaire qui est évincé très tôt de l'enseignement général de l'Éducation Nationale – donc d'un enseignement long – et qui se retrouve relégué dans les filières de l'enseignement technique court. Pouvons-nous ajouter qu'au sein de la « hiérarchie nobiliaire » de l'enseignement technique agricole, les Maisons familiales rurales n'occupent pas le sommet de la pyramide ? De toute façon, et cela n'est absolument pas nié par les dirigeants des établissements, bien au contraire[13], l'institution recrute un public qui est majoritairement en rupture de ban avec le système scolaire dominant. Les discours de l'institution relatent souvent la situation de jeunes « *en panne scolaire* ». Il resterait maintenant à expliquer les raisons d'un choix en faveur des Maisons familiales par rapport aux autres familles de l'enseignement agricole présentes sur le marché. Faute de plus amples informations sur le sujet, cela peut nous ramener vers une réponse plurielle, mobilisant les précédents motifs d'inscription évoqués par les élèves.

Cependant, s'il est question ici d'une orientation par défaut, qui fait suite à une élimination scolaire en amont du système, il est alors difficile de parler à propos de la population concernée d'une stratégie éducative. Autrement dit, le savoir-faire et le savoir-orienter des Maisons familiales seraient sans effets auprès d'une demande scolaire populaire pratiquant moins la stratégie éducative, la planification familiale rationnelle de la scolarité que la « navigation à vue » (Ballion, 1982, p. 113). En effet, on peut abonder dans le sens de spécialistes de la sociologie de l'éducation (Duru-Bellat et Henriot-Van Zanten, 1992, p. 114-115 et 160 ; Langouët et Léger, 1994, p. 49-72 et 111) qui relèvent, notamment chez les familles populaires confrontées tôt à l'élimination

---

11. Antichambre de l'enseignement professionnel dans ces Collèges d'enseignement général.

12. Source : *Le Lien des MFR*, n° 272, septembre 1995, p. 6.

13. Si l'on en juge d'après la valorisation institutionnelle d'une « offre et d'un égalitarisme scolaires compensatoires » (cf. Deuxième partie).

scolaire, un choix éducatif en termes semblables de navigation à vue. Une navigation qui se fait surtout en direction des rivages de l'enseignement privé qui est alors perçu comme une seconde chance, ceci selon des considérations beaucoup plus pragmatiques qu'idéologiques[14]. Cela rejoint en fait le type de clientèle décrite par Jacques Bonniel (cf. *supra*) sous l'appellation « usagers captifs ». Au total, il semble que nous ayons affaire en Maison familiale à un public scolaire constitué majoritairement de relégués mais dont seulement une minorité statistique évoque le motif « devait changer d'établissement ».

Qu'en conclure? Que l'enquête des Maisons familiales n'est pas fiable? Peut-être, du moins la désignation et le découpage des « motifs » sont critiquables. Que les sociologues de l'éducation ont laissé de côté dans leurs enquêtes les établissements techniques d'enseignement agricole et, qui plus est, les Maisons familiales? Oui. Que les Maisons familiales, enseignement qui est certes privé mais non confessionnel, sont plus qu'un simple réceptacle des échecs scolaires antérieurs pour des familles navigant à vue?

Toujours est-il que la rencontre en Maison familiale entre une offre et une demande scolaires demeure incertaine tant que des identifications ou des typifications ne sont pas clairement établies de part et d'autre. Pour les familles, les Maisons familiales seraient, parmi d'autres établissements, cet enseignement recours, cette seconde chance scolaire susceptible de répondre – qui plus est au sein d'un éventail particulièrement large et ainsi indéterminé de formations – à l'utilitarisme d'une demande de certification scolaire. Symétriquement, pour les Maisons familiales, une seule certitude[15] : celle, quelque peu utilitariste aussi, que la quête financièrement vitale d'une clientèle scolaire peut s'appuyer sur l'estimation relativement fiable d'un public majoritairement composé de relégués, c'est-à-dire de jeunes qui sont en rupture de ban avec le système traditionnel. Cela suppose par ailleurs le difficile compromis d'un enseignement qui ne soit alors pas trop scolaire mais qui réponde tout de même à la demande de certification des familles. Confrontées à un impératif de recrutement accentué par une forte concurrence sur le marché d'un

---

14. Une affirmation qui est cependant démentie par les résultats de la dernière « enquête éducation » de l'INSEE. Ils démontrent que le choix éducatif parental en faveur de l'enseignement privé tient bien plus fortement au « degré d'implication des familles dans la religion », et donc au système de valeurs, qu'à « une solution de rechange en cas d'échec dans le système public » (Héran, 1996, p. 17-39). Précisons toutefois que l'enquête admet uniquement sous le vocable « privé » les enseignements confessionnels. Elle exclut ainsi de ses investigations les Maisons familiales rurales.

15. Qui ne peut véritablement, objectivement, se fier à une enquête interne qui est avant tout faite par et pour l'institution et dont les résultats sont publiés dans *Le Lien des MFR*.

enseignement agricole qui ne l'est plus tout à fait, les Maisons familiales doivent aller au-devant de la demande scolaire, si difficile soit-elle à typifier. Quels éléments peuvent alors efficacement structurer une identité communicationnelle qui est présentée par l'institution aux familles, un tiers devenu beaucoup moins familier que par le passé ?

De la rencontre entre l'offre et la demande scolaires au réaménagement de l'identité institutionnelle : communication et marketing

Les plaquettes publicitaires diffusées par chaque établissement sont un matériau précieux afin de saisir la présentation d'une offre scolaire et, au-delà, l'image d'elles-mêmes que les Maisons familiales souhaitent transmettre à leur clientèle potentielle. Ces documents sont en quelque sorte les supports visuels d'une première impression à distance destinée aux familles. Une première impression qui est calculée, maîtrisée[16], contrôlée : de son succès dépendra l'engagement d'une interaction[17] qui, dans le meilleur des cas, se conclura par la rencontre définitive, et financièrement vitale pour l'institution, entre l'offre et la demande scolaires.

La présentation d'un savoir-faire technique prime incontestablement parmi l'ensemble des informations délivrées dans chaque plaquette.

L'« Alternance », immanquablement évoquée en gros titre dès la page de couverture des documents, constitue la figure de proue de l'édifice éducatif promu. Classiquement en Maison familiale, l'« Alternance » permet certes de « relier la théorie à la pratique, c'est la pédagogie de l'expérience développée depuis plus de 50 ans par les Maisons familiales ». Elle exprime bien la valorisation du geste manuel dans l'apprentissage professionnel. Ainsi, nombre de photographies d'élèves au travail – et en tenue vestimentaire appropriée à chaque corps de métier – ne manquent pas de souligner l'importance de l'acquisition d'un savoir pratique *in situ*. La conduite d'engins agricoles, l'entretien d'un massif de fleurs, les soins paramédicaux aux personnes (puériculture, gériatrie), ou encore le service hôtelier en salle et la préparation des repas en cuisine, etc., illustrent cela. Toutefois, l'acception de l'« alternance » se doit ici d'être explicitée par l'institution afin, peut-être, d'éviter le risque de sacrifier à la mode, c'est-à-dire à la banalisation d'une pratique de formation et d'une appellation sémanti-

---

16. Tant dans le fond que dans la forme où le format limité du support documentaire oblige un rendement maximum du rapport signifiant (texte, schémas, photographies)/signifié.

17. Sous la forme d'un premier entretien de l'élève et de ses parents passé avec le directeur de la Maison familiale.

quement limitées au couple théorie/pratique. Il convient surtout de grandir une pratique éducative en l'augmentant de rationalités – où il s'agit d'expliciter ses modalités et ses finalités – clairement identifiables par le public. Il est ainsi précisé que l'« Alternance » conjugue une « formation simultanée entre École et Entreprise ».

Arrêtons-nous d'abord sur l'« École ». L'« École » ou l'« établissement scolaire » est affaire d'enseignement. C'est-à-dire qu'on y dispense un savoir spécialisé, objet d'une classification technique et d'une évaluation rationnelle et administrativement codifiée : une liste exhaustive des « modules » et « options » offerts par l'établissement accompagne les modalités d'évaluation des examens. L'« École » est aussi affaire d'enseignement puisqu'elle est donc dotée d'une capacité certificative et qu'elle s'inscrit parfois dans sa propre fin, comme en témoignent les « Objectifs de la formation : Acquérir un diplôme » qui, organigramme à l'appui, ouvrent sur la possibilité d'une « Poursuite de formation ». Sur le plan de l'organisation technique de l'enseignement, la Maison familiale et l'« alternance » sont donc bien une école à part entière, c'est-à-dire crédible. Car c'est bien de cela dont il s'agit, de cette légitimité scolaire qui se donne à voir (et à apprécier techniquement), ne serait-ce qu'à travers l'apposition du label « un établissement reconnu par le Ministère de l'Agriculture[18] ». Outre cette garantie d'un alignement sur la norme nationale en matière de formations et de diplômes préparés, les termes d'« École » et d'« établissement scolaire », termes qui côtoient ou suppléent parfois à l'appellation traditionnelle « Maison familiale rurale », sont tout autant significatifs. Ils sont porteurs de cette crédibilité scolaire recherchée par l'institution :

> « – Sur votre dépliant publicitaire, on peut lire "Centre de formation", appellation qui devance celle de "Maison familiale rurale". Que signifie cet ajout à une appellation traditionnelle désormais connue puisqu'elle a plus de cinquante ans d'existence ?
> – Disons que c'est connu par ceux qui veulent connaître. Vous avez des gens qui connaissent les Maisons familiales. Vous avez des gens qui sont tout proches, qui ont des enfants en âge de venir chez nous, et qui, brutalement, s'aperçoivent après que leur jeune ait pris une orientation différente que, tiens, on existe. Alors qu'ils savent très bien que la Maison familiale existe ici. Ils le savent, mais bon, ils ne veulent pas savoir ce qui y est fait. "C'est pas pour nos jeunes !", à la limite. C'est ça aussi. Il y a une image qui a collé pendant très longtemps et qui, je pense, va s'estomper maintenant. Une image qui était "Maison familiale : enseignement au rabais, c'est fait pour ceux qui ne peuvent pas

---

18. « Donnant droit, précise-t-on, aux :
   – bourses d'études (4e au BEP) ;
   – allocations familiales ;
   – transport scolaire. »

suivre, c'est fait pour les élèves qui sont en échec scolaire", etc. Donc c'est tous ceux (je vais être fort) pour qui on disait "la Maison familiale : la poubelle de la formation".

– Puisque vous parlez de cette mauvaise image au passé, d'une "image qui s'estompe", on peut penser que l'appellation "Centre de formation" est moins nécessaire, d'autant plus que le contenu de ce dépliant montre clairement que ce sont bien des formations que votre établissement dispense.

– C'est vrai. Mais pour certains publics, "Maison familiale rurale" ne signifie pas que c'est un établissement scolaire. Si vous regardez toutes les autres formations, tous les autres établissements, ils ont tous soit le mot "école", soit le mot "collège", soit le mot "lycée". Dans l'idée, tout le monde sait ce que cela veut dire. Un lycée, c'est un lycée. Qui dit le mot "formation" dit qu'il y a de la scolarisation derrière, quoi. C'est ça que ça a voulu dire. Cette plaquette, c'est pour les gens qui ne savent pas ce que c'est, qui viennent voir et qui donc voient que c'est un centre de formation et que c'est en fait la Maison familiale rurale. » (Directeur de Maison familiale rurale.)

Neutraliser l'identité stigmatisée d'un « *enseignement au rabais* » ou d'une « *poubelle de la formation* » : tel serait le pouvoir de ces nouvelles appellations supplémentaires. Elles représentent une sorte de capital symbolique dont la conversion en capital économique, en potentialité accrue de recrutement scolaire, situe les Maisons familiales au cœur d'une stratégie marchande :

« Si on a mis "Institut de formation" à côté de "Maison familiale", c'est tout simplement parce que "Maison familiale" : est-ce que ça avait un impact suffisant sur le public scolaire ? Je crois que tout est là. C'est un complément de communication pour recruter un public. » (Président de Maison familiale rurale.)

« – Il existe une liste d'appellations autorisées pour les Maisons familiales. Quelles sont ces appellations ?
– Les appellations, c'est, par exemple, "Institut de formation". Ca, c'est admis par l'institution. "Institut de formation" parce que peut-être que dans le caractère "Maison familiale rurale", on ne voit… Pour le grand public aujourd'hui, on ne voit pas que c'est forcément un organisme de formation. » (Directeur de la Fédération départementale des Maisons familiales rurales d'Ille-et-Vilaine.)

« Pour faire passer le message, "Maison familiale" ce n'est pas évident, ça ne parle pas. Si bien qu'on ne renie pas notre logo mais on a tendance à mettre plus "Institut de formation par alternance" que "Maison familiale". C'est plus parlant.
– Plus parlant auprès de qui ?
– Ben par rapport aux familles potentielles. Parce que les gens, il y a un pourcentage infime de la population qui sait ce que ça veut dire. Pour le grand public ça ne veut pas dire grand-chose. » (Directeur de Maison familiale rurale.)

« L'appellation supplémentaire "Centre de formation par alternance", c'est pour bien montrer qu'on est un centre de formation, qu'on est une école, qu'on est aussi un établissement d'enseignement.
– Donc l'appellation traditionnelle "Maison familiale rurale" ne suffit pas.
– Oui, c'est vrai, ça ne suffit pas toujours pour montrer, pour communiquer. Mais ça, on en a discuté bien des fois entre nous. On arrive toujours à la même chose, c'est que finalement, "Maison familiale" : il faut qu'on reste comme c'était à l'origine. Mais ça ne dispense pas pour communiquer d'associer un autre terme. Nous, on a préféré "Centre de formation par alternance". Mais c'est vrai que pour le recrutement, quand même "Centre de formation" c'est mieux.
– Pourquoi "c'est mieux"?
– Parce que ça fait école, ça fait formation. » (Enseignante en Maison familiale rurale.)

De l'identité pour soi (« Maison familiale rurale ») à l'identité pour autrui (« École », « Institut », « Centre de formation »), c'est donc, à travers la juxtaposition de deux appellations, la dualité de deux logiques d'action qui s'exprime ici : celle, « communautaire », qui vise la cohésion interne d'une institution, d'une « Maison »; celle, « sociétaire », « marchande » et financièrement vitale, qui, tournée vers l'extérieur, vise le développement matériel, la croissance institutionnelle.

À cette identité communicationnelle, dirigée en Maison familiale vers la normalisation scolaire offrant à un public potentiel la garantie d'un enseignement fiable et performant ou la plausibilité d'un « sérieux éducatif et certificatif », s'articule une rationalité particulière de l'apprentissage pratique.

En Maison familiale, le lieu privilégié de la pratique c'est, nous dit-on, « l'entreprise » : « 15 jours à l'établissement/15 jours en entreprise ». Véritable modèle culturel, qui tend à supplanter celui quelque peu statique et corporatiste du « métier » (terme très peu usité dans les documents), la forme entrepreneuriale[19], qui se veut dynamique, allie dans ses représentations institutionnelles « technicité », « Polyvalence » et « responsabilités » professionnelles. En outre, si l'« alternance », précise-t-on, est « une formule en prise directe avec la vie active [...] pour être capable de rester réceptif à l'évolution de la profession », elle permet aussi à des jeunes que l'on sait « désorientés » (dans tous les sens du terme) de « s'orienter, choisir un secteur professionnel à partir des vécus en entreprise ». Enfin, son efficacité se mesure peut-être surtout en une certitude d'accès à l'emploi, une certitude que les « vécus » de la pratique en entreprise permettent de soutenir :

---

19. Qui n'est peut-être pas sans affinités avec le souci de liberté et d'indépendance d'une petite entreprise libérale, privée, jalouse de sa spécificité que seraient les Maisons familiales rurales.

> « **Réussir par l'alternance :**
> **Insertion professionnelle facilitée par l'expérience acquise en entreprise.** »

> « **L'emploi facilité**
> Les formations proposées par les Maisons familiales, en lien direct avec les entreprises, permettent à **tous les jeunes** de réussir de façon remarquable leur entrée dans le monde du travail. »

À côté du déploiement des arguments techniques et marchands (la bonne insertion dans le marché de l'emploi) qui, à l'aide d'une iconographie appropriée (organigrammes, photographies), vantent ou vendent la performance d'une « alternance » « école/entreprise », l'évocation d'une éducation plus morale en Maison familiale demeure relativement succincte. Il est dit ainsi que l'établissement offre « Un support culturel et sportif issu d'un projet pédagogique rénové visant l'épanouissement global de chaque jeune ». Que cherche exactement à développer chez le jeune cet « épanouissement global » que des modalités d'action éducative très (banalement) scolaires encadrent de la sorte :

> « – un CDI (centre de documentation et d'information)
> – une salle informatique
> – un terrain et une salle de sport
> – un foyer (billard, flipper, baby-foot…) géré par les jeunes. »

La « veillée », temps éducatif qui est pourtant, traditionnellement, hautement symbolique du projet éducatif moral des Maisons familiales, se résume quant à elle en une « animation en veillée (jeux, vidéo, sport…) ». Cette économie sémantique en termes de présentation d'un savoir-être éthique, d'une éducation morale en Maison familiale, vaut de la même manière dans la définition de l'internat : « Un internat mixte où chacun est acteur de la vie en collectivité. » Enfin, le familialisme, autre clef de voûte du système des Maisons familiales, semble réduit à la simple expression d'« une association gérée par les familles […] qui s'engagent à accompagner leur jeune dans son travail, s'intéressent à ses activités, à sa progression ».

Au regard de ces évocations peu prolixes, il apparaît comme étant évident que les Maisons familiales rurales préfèrent largement jouer la carte de la performance et de la fiabilité tant scolaires que professionnelles, plutôt que celle, simplement esquissée ici, de la moralisation de leur public. On peut alors se demander ce que valent véritablement les valeurs morales éducatives face au primat accordé à celles, apparemment plus pragmatiques, qui s'attachent à promouvoir l'efficacité technique d'une formation scolaire et professionnalisante.

Que valent les valeurs ?

Bien qu'elles ne soient pas expressément mobilisées par l'institution lors d'une première « présentation de soi » auprès d'une clientèle scolaire potentielle, les valeurs morales sont néanmoins une composante à part entière du projet et de l'action éducatifs des Maisons familiales rurales. Certes effacées devant les arguments très techniques (l'« alternance », l'« école », les « diplômes », l'« entreprise » et l'« insertion professionnelle ») qui soutiennent, de façon très pragmatique, la publicité d'une offre éducative, les valeurs morales en Maison familiale participent, diachroniquement, à une « socialisation secondaire » de la clientèle scolaire. Une fois celle-ci conquise, commence pour les Maisons familiales cette entreprise d'acculturation planifiée auprès des familles. Il s'agit là d'une seconde conquête qui, selon des modalités multiples et des logiques particulières, travaille à l'unification symbolique d'une identité « communautaire » pour soi autour d'une axiologie éducative spécifique.

Pour ce travail de l'intérieur, les Maisons familiales disposent d'un premier outil :

« UN GUIDE POUR RÉUSSIR ENSEMBLE

POUR QUI :
Ce guide a été conçu pour être remis à **chaque famille** inscrivant un jeune à la Maison familiale.

QUAND LE REMETTRE :
À la **première réunion de parents.** Il est nécessaire que d'emblée, le caractère familial de la MFR soit présenté aux familles.

QUI REMET LE DOCUMENT :
S'agissant de présenter l'Association, il est important que ce soit fait par le **Président** ou son représentant. […]

COMMENT :
Le « *Guide pour réussir ensemble* » est le document support pour présenter l'Association :
– *Ses buts, son origine, ses valeurs ;*
– *Comment y être actif ;*
– *Que peut-on attendre de la MFR ;*
– *Qu'attend la MFR des parents ;*

> *– Comment le mouvement est organisé.* »
> (« Guide pratique de l'administrateur-Fiche 17 : animer l'association familiale », *Le lien des responsables*, n° 155, octobre 1996, p. 12.)

Livret de 19 pages qui émane de l'Union nationale des Maisons familiales, le « Guide pour réussir ensemble » doit donc initier les nouvelles familles aux valeurs morales de leur institution. L'éducation de la personne globale, qui s'adresse à l'élève, y est ainsi déclinée selon trois axes majeurs que sont l'engagement et la prise de responsabilités, l'universalisme social et culturel et l'altruisme comme apprentissage à la vie sociale :

> « **Les buts de l'association**
> Dès le choix de la Maison familiale, les parents adhèrent à l'**Association de la Maison familiale** dont les buts sont les suivants : […]
> Une **éducation de la personne** dans ses dimensions humaines et spirituelles visant à :
> – l'épanouissement du jeune,
> – l'ouverture d'esprit, l'éveil aux autres et au monde,
> – l'apprentissage de la vie en groupe, de l'entraide, de la solidarité, de la tolérance. […]. Chacun doit pouvoir développer sa personnalité. La pédagogie mise en œuvre a pour but […] de proposer une éducation à la responsabilité personnelle, sociale et à la solidarité. […]. L'accueil en internat : la vie en groupe est une composante essentielle du Projet Éducatif. Chaque **Maison familiale** est conçue et organisée pour offrir, en formule résidentielle, confort et ambiance propices au travail et à l'épanouissement de chacun. C'est un lieu où se développent l'apprentissage de la **vie en groupe** et l'acquisition progressive d'une plus grande **autonomie**.
> – l'autonomie, la responsabilité. »

Autant de valeurs morales éducatives qui s'ancrent dans un humanisme personnaliste :

> « **Les Maisons familiales appuient leur action sur des convictions partagées par tous :**
> – LA PERSONNE
> – L'Homme est premier. Sa personnalité se construit à travers les actes de la vie ; nous voulons promouvoir une éducation qui :
> – fait confiance aux valeurs humaines,
> – prend en compte l'ensemble des dimensions de la personne,
> – responsabilise et rend l'Homme autonome et créateur de son avenir,
> – place la promotion de l'Homme au-dessus de toute exigence. »

D'autre part, fidèles à une pédagogie de l'action et de l'immanence qui doit, insiste-t-on, « aider le jeune à découvrir ses potentialités et à trouver un sens à sa vie » et « développer l'autonomie, la créativité », les Maisons familiales ne manquent pas de conjuguer la nécessaire « rigueur » d'un encadrement tutoral pédagogique au mode, plus affectif, d'un contrôle social familialiste qui est assuré par :

> « Une équipe
>
> L'animation de la Maison familiale est assurée par une **équipe** comprenant le plus souvent : un directeur, plusieurs moniteurs, maîtresse de maison, secrétaire. Leur mission est d'**aider le jeune à construire son avenir.** […].
>
> Les **moniteurs** assurent une **fonction globale.**
>
> – Proches des jeunes, ils accompagnent le projet de chacun en sachant être exigeants.
>
> – À l'écoute des familles, ils connaissent le jeune dans son milieu familial et professionnel.
>
> Leur action se caractérise par :
>
> – une autre manière d'enseigner,
>
> – une attitude d'écoute, des disponibilités d'accueil pour une relation vraie entre parents, jeunes, maîtres de stage, moniteurs,
>
> – le souci de guider chacun, d'entraîner le groupe en faisant preuve de rigueur dans la formation, mais en laissant la place à la prise de responsabilité. »

Enfin, l'axiologie éducative des Maisons familiales ne saurait être complète sans que le prosélytisme institutionnel ne fasse aux principaux intéressés, c'est-à-dire les familles, l'éloge d'un familialisme traditionnellement cultivé par les établissements :

> « **Les Maisons familiales rurales**
>
> 60 ANS D'EXPÉRIENCE
>
> – En **1935**, quelques familles du Lot-et-Garonne décident d'offrir à leurs enfants une formation adaptée à la vie rurale. Elles achètent, en 1937, une maison à Lauzun, le chef-lieu de canton : la première **Maison familiale** est née.
>
> – La formule a essaimé. Aujourd'hui, près de 1 000 associations de MFR, implantées dans 30 pays, travaillent à la formation des jeunes et **au développement du milieu**, dans un esprit de **solidarité** attaché aux **valeurs humaines et familiales.** »

À ce familialisme « idéologique normatif », qui fait des établissements, est-il précisé, « un lieu convivial où chacun se sent à l'aise pour que la Maison familiale soit aussi la Maison des Familles », s'ajoute celui, « gestionnaire », qui doit signifier ici aux nouveaux adhérents leur rôle de :

« LA FAMILLE RESPONSABLE

Les parents doivent pouvoir exercer l'ensemble de leurs responsabilités éducatives. La MFR :

– leur donne les moyens d'assumer pleinement leurs devoirs et droits [notamment en participant à "un conseil d'administration responsable"],
– les engage dans l'ensemble des activités d'éducation et de formation,
– leur permet d'exercer leur responsabilité pour réussir l'entrée des jeunes dans la vie active,
– assure la promotion de l'ensemble des familles au sein du mouvement familial. »

En tant qu'élaboration réfléchie à visée explicitement didactique, le « guide pour réussir ensemble » montre bien par son essence que, loin d'avoir affaire à des sujets naïfs[20] évoluant dans un monde immédiatement sensé ou familier, l'institution se doit d'acculturer son nouveau public à un corps de valeurs morales éducatives internes. Car c'est bien d'une technique d'acculturation, qui plus est planifiée, dont relève ici cet exposé exhaustif[21] et détaillé d'une axiologie éducative des Maisons familiales rurales. Une acculturation planifiée, organisée et instrumentée, où la polysémie du concept d'« alternance » et sa force consensuelle qu'il tire de ses épithètes (« MFREO ») tendent, nous semble-t-il, à s'inscrire dans cette logique où « un trait culturel, quelles que soient sa forme et sa fonction, sera d'autant mieux reçu et intégré qu'il pourra prendre une valeur sémantique en harmonie avec le champ des significations de la culture receveuse, c'est-à-dire qu'il sera réinterprété » (Bastide, 1971, p. 52). Il s'agit encore d'une acculturation planifiée des familles à la morale éducative des Maisons familiales quand celle-ci, pour réussir, doit s'assurer la collaboration et la participation des individus receveurs (*ibid.*, p. 67). Le « guide pour réussir ensemble » propose ainsi aux familles des espaces pour des « Notes personnelles » qui permettent aux intéressés une participation, au moins symbolique, au projet collectif éducatif. Dans ce même registre d'un appel à la collaboration, les Maisons familiales travaillent en partie de l'intérieur lorsqu'elles invitent les anciennes et nouvelles familles au débat autour de l'« alternance[22] ». Tout doit se passer

---

20. Du latin *nativus*, naturel ou natif.
21. Qui, toutefois, n'évoque pas parmi les éléments de l'axiologie éducative des Maisons familiales une « offre et un égalitarisme scolaires compensatoires » de différentes misères (voir « l'idéologie du service », Deuxième partie), ceci au risque, peut-être, d'alimenter l'image négative d'un « enseignement au rabais ».
22. À partir, par exemple, de la cassette vidéo « Paroles de jeunes », réalisée sur l'assemblée générale des Maisons familiales (Orléans, mai 1995), qui rassemble les témoignages d'une « alternance » vécue par les élèves et qui doit servir de « *Support à l'animation de réunions de parents* [...] après quelques semaines de formation à la

comme si le choix se faisait du dedans. L'institution sait pour cela fabriquer des leaders d'opinion, sorte de relais entre l'extériorité culturelle d'une demande scolaire et l'intériorité culturelle d'une offre. En témoignent, par exemple, les interviews de « parents qui parlent aux parents », paroles qui, retranscrites dans (et pour) *Le Lien des MFR*[23], évoquent une rupture avec un vécu scolaire antérieur et ne font que reprendre à leur compte, et ainsi consacrer, la morale institutionnelle ou instituée, c'est-à-dire autorisée :

> « – Quelle a été votre première réaction en découvrant la MFR ?
>
> – La formation n'a rien à voir avec l'enseignement classique. Au début, on trouvait que notre fille était très cool. C'est un rythme particulier. [...].
>
> – Qu'est-ce qui vous a motivé pour entrer dans l'association ?
>
> – C'est parti d'une réunion de parents au mois de décembre avec les familles et les enfants. Tous les parents se sont retrouvés autour d'une table avec les formateurs. Ce qui m'a étonné, c'est qu'on n'a pas parlé des notes ce jour-là, mais de l'ambiance, de l'organisation de la formation... De leur côté, les jeunes parlaient de leurs problèmes à des administrateurs et puis on s'est rassemblé. Les jeunes se sont présentés. Tout le monde a pris la parole. C'était nouveau comme manière de faire. [...].
>
> – Qu'est-ce qui vous intéresse dans la MFR ?
>
> – C'est la première fois que j'entre dans une association. Ce qui nous a décidés, c'est le président et l'esprit, c'est-à-dire l'idée qu'on peut se faire du service à rendre aux enfants. Notre fille était contente qu'on se mêle pour la première fois de la structure où elle était. [...].
>
> – Vous avez le sentiment d'en faire plus qu'auparavant ?
>
> – Oui parce qu'on est davantage sollicité. [...]. Il est sûr qu'on ne s'était pas investi comme cela auparavant. » (« Quand les parents s'engagent », *Le Lien des MFR*, n° 277, décembre 1996, p. 15.)

Si ce ne sont pas les familles qui créent identitairement les Maisons familiales mais bien l'inverse, le processus d'acculturation vaut de la même manière pour les élèves qui sont bien plus parlés par l'institution (avec la maîtrise syntaxique en plus) qu'ils ne parlent véritablement :

> « – Que pensez-vous de l'alternance ?
>
> – L'école ne me plaisait pas tellement car je suis un manuel. Je suis plus motivé par l'enseignement général depuis que je suis à la Maison familiale car j'ai compris qu'il était utile à mon métier.

Maison familiale et en stage ; [...]. Le débat peut se prolonger par des témoignages de jeunes et de familles qui sont entrés à la Maison familiale les années précédentes ». (« Guide pratique de l'administrateur-Fiche 15 : animer une association : Paroles de jeunes sur l'alternance », *Le lien des responsables*, n° 151, octobre 1995, p. 13).

23. Périodique auquel, rappelons-le, chaque famille est abonnée automatiquement par son adhésion à l'association.

L'alternance c'est bien car nous ne sommes pas toujours à l'école et la période en entreprise nous permet de découvrir les réalités du métier.

– Et l'internat ?

– Nous n'avons pas toujours suffisamment de liberté notamment en ce qui concerne les horaires. Cependant il y a une bonne entente dans le groupe.

– Quelles sont les relations avec les moniteurs ?

– Il y a une bonne entente entre nous. Après les cours, on peut discuter avec eux et nous avons la possibilité de les questionner si l'on n'a pas compris un cours.

Les moniteurs sont toujours disponibles pour nous aider.

– Les méthodes scolaires vous conviennent-elles ?

– Nous travaillons en groupe et cela permet de progresser plus facilement. » (« Page des jeunes : impressions sur la rentrée à la MFR de Franclens », *Le Lien des MFR*, n° 265, décembre 1993, p. 19.)

Loin de prétendre ici qu'il n'y aurait *a priori* aucune réciprocité des perspectives éducatives morales entre l'offre et la demande scolaires, force est de constater que ladite réciprocité n'est pas naturelle. Elle fait l'objet en Maison familiale d'un travail soutenu et instrumenté d'acculturation. Une acculturation qui intervient après coup auprès des familles, c'est-à-dire une fois celles-ci recrutées par les établissements sur des motifs beaucoup plus scolaires et professionnels. L'axiologie éducative des Maisons familiales constitue de ce point de vue la version privée de l'idéologie institutionnelle, celle qui se diffuse surtout *intra-muros*. Se poser ainsi la question de savoir ce que valent les valeurs morales éducatives en Maison familiale, c'est donc interroger l'institution sur sa capacité interne à se penser elle-même ou, mieux encore, à continuer à se parler à elle-même selon une rhétorique (« MFREO ») originelle susceptible d'assurer sa cohésion identitaire. Force symbolique de rappel d'un syncrétisme historique (voir Troisième partie) en Maison familiale, où la moralisation d'un public primait sur sa formation professionnelle (qui se passait largement de l'école), l'axiologie éducative de l'institution se justifie finalement par le maintien, très ritualisé[24], d'une identité collective. Une identité pour soi, « communautaire », où seules des valeurs morales qui sont pensées comme spécifiques, permettent d'afficher nominalement une différence face à une certaine banalisation de la pédagogie de l'« alternance » et à une homogénéisation des secteurs de formation dans l'enseignement agricole. La rentabilité d'une acculturation en direction des familles est donc éminemment symbolique et non matérielle. En effet, elle autorise, soixante ans après, les Maisons familiales à conti-

---

24. Dans ces célébrations collectives de l'institution que sont les assemblées générales, les thèmes d'années, les publications du *Lien des MFR*, etc.

nuer de célébrer leur appellation originelle et originale, ceci à côté des changements qui interviennent dans la sphère de l'activité institutionnelle proprement « sociétaire » et instrumentale[25] qui, elle, est devenue l'affaire des pédagogues, des managers et autres experts en marketing.

Au total, le marché de l'enseignement agricole représente bien par ses différentes composantes ce cadre structurel (juridico-normatif et économique) et cette épreuve avec lesquels doit s'accommoder la construction de l'identité collective des Maisons familiales rurales.

L'accommodation peut d'abord être ici synonyme de contrainte, voire de soumission, pour des établissements qui sont tenus, juridiquement parlant, de se conformer aux règles de la gestion administrative de l'État : alignement contrôlé sur les normes ministérielles nationales en matière de formations dispensées, de diplômes préparés et de niveau de qualification des enseignants recrutés. Cette domination est aussi la contrepartie d'un financement public vital, dont dépendent largement les Maisons familiales pour leur fonctionnement et leur développement (l'ouverture de nouvelles formations) soumis, lui aussi, à l'appréciation souveraine du ministère de l'Agriculture. Néanmoins, une telle domination ne doit pas masquer ce fait essentiel : le rapport de l'institution scolaire aux structures (à l'État et à la demande scolaire des familles) est un rapport médiatisé par des interactions à distance (écrites et à des fins promotionnelles). Des interactions où la présentation d'un Soi collectif par les Maisons familiales dénote leur capacité à la réflexivité – par le traitement interne et réfléchi des contraintes structurelles – et donc à l'autonomie dans l'anticipation des attentes normatives d'Autruis. Sélectionner parmi la globalité d'une identité collective les traits pertinents qui sont susceptibles de rencontrer le mieux les exigences principalement marchandes et techniques des environnements, c'est à la fois faire preuve de pragmatisme, d'un sens de la structure sociale, tout en s'obligeant à clarifier, à ordonner les éléments d'un « Soi » identitaire. Cette clarification, ce retour réflexif, est ce dialogue interne, structurant et constant, entre une identité pour soi et pour autrui. Cette parole institutionnelle, déjà rapportée, est de ce point de vue très significative :

> « – Qu'est-ce qui pourrait menacer l'avenir des Maisons familiales ?
> – Les difficultés continueront, elles continueront et c'est normal. À la limite elles nous renforcent parce qu'à chaque fois elles nous interrogent sur qui on est, qu'est-ce qu'on veut et pourquoi on veut le faire. Donc à chaque fois elles obligent à reposer la question, les finalités. C'est un service extraordinaire. Le seul risque qu'il y aurait, mais alors là il est nul, c'est si un jour l'État disait : "il n'y a que les Maisons fami-

---

25. « Qui relie, autour des processus de travail, les finalités économiques et les moyens techniques et organisationnelles pour les atteindre. » (Dubar, *op. cit.*, p. 85.)

liales qui marchent. C'est quelque chose d'extraordinaire. Allez-y! Allez-y! Faites ce que vous voulez." Là, ça serait un risque terrible. Ce jour-là, le jour où on n'aura plus en face de nous un certain nombre de résistances qui, nous, en permanence, nous amènent à nous poser des questions… » (Directeur de l'Union nationale des Maisons familiales rurales.)

S'il est évident que les Maisons familiales ne peuvent, financièrement parlant, se soustraire à cette relation marchande et « sociétaire » qu'elles entretiennent, stratégiquement, avec des autruis-ressources, cette rationalité instrumentale n'éloigne pas pour autant l'institution de la composante originelle « communautaire » de son identité collective. Peut-être contre toute attente, la seconde institutionnalisation[26] des Maisons familiales, celle qui oblige à la présentation stable des attributs techniques et marchands qui encodent un statut le plus immédiatement compréhensible pour des environnements non familiers, autorise l'institution à réactiver la version privée, « communautaire », de son identité. Si l'axiologie éducative des Maisons familiales (le « communautaire ») et les rapports juridico-marchands (le « sociétaire ») ne sont pas ici en tension ou en concurrence, c'est bien parce que la structure, si contraignante soit-elle, n'a pas véritablement d'existence en dehors des représentations des acteurs qui lui donnent sens, l'objectivent. Elle ne vaut réellement qu'au travers de médiations symboliques. Ainsi, la domination de l'État a fait, rappelons-le, l'objet d'un « contrat » négocié avec les Maisons familiales en 1984. Il serait tout à fait abusif de prétendre qu'elle s'exerce d'une manière unilatérale ou totalitaire, à l'insu des intérêts et des représentations sociales (Rosanvallon, *op. cit.*, p. 14) de ceux qui y sont confrontés. Nous avons ainsi souligné la fonction, plus ou moins latente, d'habilitation (à la capacité certificative), d'institution du social (*ibid.*), qu'exerce la norme étatique auprès des établissements qui peuvent désormais proclamer une certaine dignité scolaire et renverser l'ancien stigmate d'« *un enseignement au rabais* ». Dans ce même registre de la reconnaissance sociale officielle et, corrélativement, de l'économie d'un travail d'imposition d'une définition de soi, l'entrée des Maisons familiales dans un « service public d'éducation et de formation » met en évidence une dynamique croisée (réelle ou supposée) de valeurs que permettent, sur ce point, les ouvertures sémantiques de la loi de 1984. Pour les Maisons familiales, il y a là les possibilités d'une libre interprétation de la loi et, plus fondamentalement, d'une restauration de leur identité originelle ou primaire. Par ailleurs, nous avons repéré ces « espaces vierges », ces

---

26. Qui est aussi seconde dans le temps puisque la loi du 2 août 1960 inaugure l'institutionnalisation (au sens de l'instauration de règles administratives formelles) du rapport contractuel entre l'État et les Maisons familiales.

zones d'autonomie qu'autorise une réglementation du champ professionnel par l'État. Une réglementation qui est plutôt celle, relativement externe et lointaine, d'un marché et qui laisse alors aux Maisons familiales la possibilité d'organiser librement leur pédagogie de l'« alternance ». Sur le terrain des valeurs morales éducatives, ce sont ces mêmes « espaces vierges » que semble abandonner la demande à l'offre scolaire quand cette dernière répond d'abord à l'urgence des attentes des familles en termes de formations très scolaires (le diplôme) et professionnalisantes. Des espaces vierges dans lesquels l'institution travaille à l'acculturation de son public et réactive, du même coup, son axiologie éducative originelle ou primaire. C'est ainsi, dans cette conversation interne et « significative », qu'elle sauvegarde sa cohésion identitaire.

CONCLUSION

Les Maisons familiales au-delà et en deçà de la modernité

Arrivés au terme de cet ouvrage, un constat s'impose. Nous avons eu bien plus affaire ici à des « Maisons Familiales Rurales d'Éducation et d'Orientation » pratiquant l'« alternance » qu'à un enseignement agricole *stricto sensu*. La référence à l'agriculture ou au monde agricole est quasiment absente des discours institutionnels. Au mieux, elle est cette force symbolique de rappel du bon sens paysan et ce mythe fondateur – commémorant l'engagement militant des familles paysannes – qui servent à édifier la morale éducative des Maisons familiales sur une base historique. Au pire, tendant à assigner aux établissements une image obsolète et dévalorisante, l'image agricole « *peut nuire dans une publicité de communication* ». Au-delà de l'étiquette globalisante, extérieure et administrative, d'« enseignement agricole », soyons donc à l'écoute de ce qui vaut symboliquement pour un collectif. Apprécions plus finement la grille d'interprétation du monde que s'est construite l'institution et regardons évoluer une minorité – minorité statistique au sein du dispositif global de l'enseignement français – dans les courants de l'histoire.

Cette histoire a successivement adressé aux Maisons familiales nombre de messages que l'institution a su à chaque fois prendre en charge symboliquement puis convertir.

Il en a été ainsi de l'histoire structurale du champ de l'enseignement agricole et de ses transformations législatives (1960 et 1984) les plus significatives. Un enseignement agricole qui, rappelons-le, tend à s'aligner, au moins idéalement, sur les normes généralistes et scolastiques de l'Éducation nationale (Boulet et Mabit, *op. cit.*, p. 50-89) – principalement par les formations dispensées et les diplômes délivrés – et qui, de ce fait, gagne un peu de hauteur puisque n'étant plus réduit à la seule formation pratique et professionnelle. Valorisant, pour

271

sa part, un sens de la pratique professionnelle, l'« alternance » en Maison familiale détotalise dans un premier temps le couple pratique/théorie par une critique, souvent acerbe, des savoirs théoriques scolastiques que transmettent les enseignements concurrents. Cependant, la connaissance pratique ne peut se penser sans la présence de son altérité : la connaissance théorique qui, baptisée « *didactique* » en Maison familiale, retotalise l'« alternance » en un « *processus* », en une « *situation d'équilibre* » entre pratique et théorie. Cette dernière, longtemps en attente mais dont la présence était initialement prévue, dont la place était réservée dans le schéma dual de la pensée éducative des Maisons familiales, a pu par la suite émerger et pleinement intégrer et légitimer l'orientation scolastique de l'institution. Une institution devenue « *École* », « *Institut* » ou « *Centre de formation* » selon ses nouvelles épithètes (Cinquième partie) et qui a accompagné en cela, donc, les transformations de l'histoire structurale du champ de l'enseignement agricole.

Le processus a été identique en ce qui concerne l'intégration des Maisons familiales au service public d'éducation et de formation mis en place par l'État en 1984 (Cinquième partie). Une intégration qui fut et qui reste apparemment bien assumée par les Maisons familiales dans la mesure où celles-ci ont, ici aussi, prévu une « case » pour l'État dans leur grille d'interprétation du monde. Ce dernier s'y inscrit initialement en négatif. Sa présence était symboliquement incompatible avec une initiative privée d'éducation et de formation qui, marquée par son corporatisme agricole fondateur, s'est construite contre l'État et son école publique, et s'est voulue, dès le départ, autonome dans sa gestion (familialiste) administrative. C'est bien, historiquement, une clientèle de laissés-pour-compte du système scolaire public (mais aussi catholique) que les Maisons familiales ont cherché à satisfaire selon leur idéologie, toujours actuelle, du service éducatif. Une idéologie qui, face à la menace (devenue réalité) des « *pressions et de la lourdeur administratives* » des contrôles du ministère, consacre la responsabilité administrative et éducative des familles dont l'engagement au sein de l'institution, et c'est là le service qui leur est rendu, produit son effet retour puisque « *s'appuyer sur la famille, ça veut dire qu'on peut l'aider à progresser et à évoluer dans un sens positif et constructif si on lui donne des responsabilités* ». Si cette notion de service appuyait l'antinomie du couple « [initiative] privée/publique [gestion] », elle fut, en 1984, tout aussi apte à accueillir l'État par l'intermédiaire d'une intégration au service (du) public. Il suffisait que le législateur rejoigne l'œuvre éducative des Maisons familiales, qu'il la reconnaisse implicitement dans les nouveaux axes[1] de la politique scolaire agricole, pour que celles-ci

---

1. Nous pensons plus particulièrement à ce troisième axe d'intervention de l'État visant

totalisent symboliquement le couple « [initiative] privée/public [au service du] ».

Enfin, et toujours selon cette régulation structurale de l'histoire, les Maisons familiales justifient leur éventuelle reconversion (et leur avenir ?) en institutions scolaires urbaines. Là encore, l'univers urbain, même stigmatisé[2], n'a jamais été absent du système de représentations de l'institution. Elle s'est fondamentalement nourrie de cette altérité négative en dissociant l'humanité en deux parties antinomiques : l'une est faite de ruraux « *fraternellement proches* », « *chaleureux* », « *solidaires* » et qui sont dotés du « *bon sens* » ; l'autre, qui ne serait pas tout à fait humaine puisque rassemblant des personnes « *en mal de société* », comprend des urbains « *distants* », dont la mentalité « *business* » les rend prompts à l'« *entourloupe* » quand ce n'est pas « *la violence* » et « *l'irrespect* » qui dictent leur conduite. Toutefois, cette image-repoussoir de la ville ne saurait être définitive. Telle que l'envisage les Maisons familiales, la fonction salvatrice ou messianique de la ruralité est bien à même de retotaliser symboliquement une commune humanité autour des valeurs éducatives de l'institution.

Finalement, c'est bien à l'élaboration d'une grille d'interprétation totale du monde et de l'histoire que les Maisons familiales doivent leur force d'agrégation ou d'unification identitaire. Il y a, au travers de l'appellation « MFREO », ce pouvoir symbolique d'un collectif qui, pour corriger l'expression de Pierre Bourdieu (1987, p. 164), est un pouvoir de défaire et de refaire des choses avec des mots. Plus que des mots, ce sont, nous l'avons vu, de véritables concepts qui forment le système de légitimation de l'ordre institutionnel et qui construisent une identité collective mise à l'épreuve de ses altérités. Des concepts qui, en dernière instance, tirent essentiellement ce pouvoir de légitimation de leurs substrats idéologiques.

C'est dire ici toute la puissance de négociation et d'invention d'un sens du social dont savent faire preuve les Maisons familiales dans leur rapport à l'histoire du champ de l'enseignement agricole. Une histoire qui semble d'ailleurs de plus en plus indéterminée. Son sens, en effet, n'est jamais tout à fait épuisé tant que l'une au moins de ses composantes actives est particulièrement à même d'interroger et de décomposer symboliquement les grands universaux qui pendant longtemps y ont prévalu. C'est bien ce que nous venons d'observer avec les Maisons familiales. Serait-ce alors, là aussi, la fin des grands récits de légitimation de l'ordre social, des « mythes » institutionnalisant le pou-

---

à imposer à une collectivité professionnelle des missions ou des contraintes spécifiques d'intérêt public (voir Chapitre XI).

2. On se souviendra ici, entre autres, de la mentalité « *business* » et de la « *violence* » des jeunes urbains qui viennent « *polluer* » la « *pureté* » des jeunes ruraux (voir Chapitre VII).

voir et organisant le champ de l'enseignement agricole? Serait-ce le démantèlement d'un universalisme abstrait tout entier contenu dans les modèles de l'État (et du « service public ») et de l'Agriculture productiviste-moderniste ainsi que dans la notion même d'« enseignement agricole » qu'ils ont soutenue? Toujours est-il que l'on voit bien, dans cette capacité de médiation symbolique qui caractérise les Maisons familiales face aux structures, que la domination politique des grandes instances ou des autorités supérieures ne va plus tout à fait de soi. Du moins, c'est à une dissociation, à une non coïncidence évidente et parfaite entre la domination et ses discours idéologiques de légitimation à laquelle on assiste. De ce point de vue, les Maisons familiales sont au-delà de la modernité (Freitag, 1994, p. 63). La remise en cause du rapport de domination qui est ici systématiquement interrogé, examiné et critiqué par l'institution scolaire – qui est alors, pour le coup, en plein dans la modernité – relève bien moins en définitive, et selon les vues classiques sur l'enseignement agricole, d'une lutte des classes que d'une lutte des signes et des identités collectives particulières en quête de reconnaissance. Certes, l'État et les Maisons familiales ont en commun cet objectif ou cette axiomatique fondamentale d'un enseignement de l'« agriculture » et de sa certification scolaire. Bien sûr, le premier légifère à l'intention des secondes et exerce ainsi un contrôle juridique et administratif en contrepartie d'une forte (et vitale) dotation financière. Il est par ailleurs incontestable que l'État, par son sceau, habilite fortement l'institution, lui confère auprès du public cette crédibilité toute scolaire. Bref, l'État met encore en forme et en sens une partie de l'activité des Maisons familiales. Néanmoins, il ne représente pas – pas plus que l'idée d'« enseignement agricole » qu'il soutient historiquement depuis plus d'un siècle – le principe essentiel, ou du moins unique, qui organise l'identité de l'institution scolaire et oriente ses modalités de participation au champ de l'enseignement agricole. De telles modalités sont, par exemple, autant balisées par nombre de sphères idéologiques ou d'*a priori* fondateurs spécifiques tels que la Famille, la Personne, le (Milieu) Rural, l'Éducation (nouvelle) que fédère encore l'idée de Nature. De ce point de vue qui, il est vrai, ne concerne pas d'enjeux matériellement et directement vitaux pour les Maisons familiales et, finalement, n'intéresse que faiblement leur participation politique au sein du champ considéré, celles-ci se situent en plein dans la tradition. Elles sont, dirons-nous, en deçà de la modernité tant l'encadrement des pratiques sociales et éducatives internes à l'institution s'inscrit dans une régulation éminemment culturelle et, par là, traditionnelle. Curieux mixte, donc, que ce mini modèle sociétal – à la fois au-delà et en deçà de la modernité – qu'incarnent les Maisons familiales. Correspond-il à notre époque? Une telle synthèse de normes, où la tradition communautaire joue avec l'institutionnalisation juridique du champ scolaire, peut-elle constituer, rapportée à la société globale, le sésame d'un « mieux-vivre-ensemble » ? Gageons au moins qu'un modèle de ce genre devrait intéresser tout réformateur d'un système social, et *a fortiori* scolaire, que l'on se plaît à dire un peu trop rapidement en crise ou en perte de sens. Un modèle qui, contre la tyrannie que représente tout gouvernement universel et extérieur dans la distribution des biens sociaux, plaide pour l'« égalité complexe » (Walzer, *op. cit.*) au sein du champ de l'enseignement agricole, c'est-à-dire pour la reconnaissance de la pluralité culturelle et de la multiplicité des « principes de justice » (*ibid.*) qui l'accompagne.

ANNEXE MÉTHODOLOGIQUE

Ce sont les présidents et directeurs nationaux, régionaux, départementaux et locaux des Maisons familiales rurales qui font du discours institutionnel une parole autorisée, où le pouvoir[1] du porte-parole contribue à faire le groupe. Ces acteurs spécifiques maîtrisent et déclinent en effet publiquement l'appellation contrôlée « Maison familiale rurale d'éducation et d'orientation » en tant que principaux interlocuteurs des « mondes » auxquels participe l'institution. Sorte de leaders d'opinion, ils illustrent au mieux les dimensions sociales et culturelle d'une rhétorique institutionnelle qui impose au groupe ses « principes de vision et de division communs » (Bourdieu, 1982, p. 141). Ces spécialistes de l'identité de l'institution, identité ostensible et formulée en une version systématique, constituent de ce fait notre population d'enquête privilégiée. Une population qui « remonte » depuis les établissements de base vers la fédération départementale d'Ille-et-Vilaine pour atteindre ensuite la fédération régionale de Bretagne et enfin aboutir à l'Union nationale des Maisons familiales. Cette verticalité nous semblait particulièrement importante afin de pondérer la « hauteur » (départementale, régionale et nationale) de certains discours par les représentations d'une réalité plus locale, telle celle qui est vécue par les directeurs et présidents de Maisons familiales de base[2].

---

1. Un pouvoir juridiquement acquis selon un vote de l'assemblée générale qui élit un conseil d'administration qui, lui-même, élit un bureau dont le président a toute autorité en matière de recrutement du directeur de l'association.
2. Cet échantillonnage s'avéra judicieux tant il permit d'augmenter le discours assez formel des instances fédératives par nombre d'anecdotes exemplaires qui furent relatées localement et donnèrent ce supplément de substance au matériau recueilli. Non moins représentatives de l'orthodoxie institutionnelle, ces anecdotes exemplaires sont en fait le mode de connaissance et de justification propre au monde « domes-

Centrée, donc, sur les mécanismes de légitimation d'un ordre institutionnel, sur son traitement réflexif devant intégrer nombre d'univers objectifs par le jeu de médiations symboliques, notre problématique appelle l'analyse éminemment qualitative d'un matériau discursif : celui qui exprime au mieux les symboles et le système de valeurs, de normes et de représentations propres aux Maisons familiales. Dès lors, cette herméneutique, qui s'attache à l'analyse du sens que les acteurs institutionnels donnent à leurs pratiques et aux univers (situations, contextes) auxquels ils sont confrontés, ne saurait se faire sans le recours à la méthode de l'entretien.

Ces entretiens, que nous avons voulus semi-directifs, prirent, principalement, la forme d'un exercice de définition. Il fut demandé à chaque personne interrogée[3] d'attribuer librement un ou plusieurs sens à chacun des termes qui compose l'appellation de son institution : « Maison familiale rurale d'éducation et d'orientation » pratiquant l'« alternance ». Le but de cet exercice était de saisir, par cette médiation symbolique, le regard d'une institution sur elle-même, c'est-à-dire les représentations qui soutiennent et justifient la cohésion de son identité collective. Il était en fait relativement facile ici de supposer que ce regard sur « soi » se dédoublait d'un rapport, lui aussi symboliquement médiatisé, à certains univers objectifs avec lesquels l'institution doit composer son identité. Ainsi, les termes « Familiale », « Éducation » et « Orientation » présageaient d'une attention particulière portée par les Maisons familiales à leur « objet éducatif ». « Familiale » et « Rurale » laissaient, quant à eux, entrevoir les prémices des bases doctrinales de l'entendement institutionnel et d'un rapport intéressé (de légitimation) à un univers « idéologique ». La mise au jour d'un véritable syncrétisme restait par la suite tributaire de notre propre travail de reconstruction, notamment historique. Celui-ci nous a permis de remonter d'une

---

tique » (Boltanski et Thévenot, *op. cit.*, p. 220) qu'incarne particulièrement bien la grande famille des Maisons familiales.

3. Soit, au total, dix-huit personnes pour des entretiens d'une durée moyenne de quatre heures. Relativement restreint, cet échantillon ne méritait cependant pas d'être étendu. Outre la quantité impressionnante d'informations (et de digressions plus ou moins intéressantes) délivrées durant chaque entretien, il nous a surtout semblé peu utile de prolonger encore le recueil d'un discours très stéréotypé (bien que c'était là tout son intérêt), c'est-à-dire commun dans sa teneur à l'ensemble des représentants (au sens plein du terme) de l'institution. D'autre part, nous disposions de deux sources d'informations complémentaires et abondantes permettant de saisir la (bonne) parole de l'institution : les interviews données par ses dirigeants dans les revues éditées par les Maisons familiales (cf. *infra*) ainsi que leurs interventions au colloque *Enseignements agricoles et formation des ruraux*. Enfin, et cela rejoint en partie ce qui vient d'être dit, notre matériau empirique n'était nullement limité aux discours obtenus par entretiens. Il s'augmentait, indispensablement, des multiples données documentaires produites par les Maisons familiales (cf. *infra*).

appellation « vernaculaire » – et de son explication par les enquêtés – vers, finalement, un authentique système idéologique qui lui correspond mais qui ne se donnait jamais directement (nommément) comme tel dans les discours recueillis. Enfin, considérée dans sa globalité, l'appellation « MFREO » était susceptible d'évoquer par son originalité la volonté de démarcation identitaire d'une institution scolaire en prise avec ses homologues fonctionnels publics et catholiques. Cependant, cette différenciation supposée n'indiquait *a priori* aucune forme de discours critique, de dénonciation explicite émise par les Maisons familiales à l'encontre de leurs homologues. N'ayant pas, bien évidemment, à susciter un tel discours, il nous a fallu ici être particulièrement attentifs à ce contenu latent, mais récurrent, d'une parole institutionnelle liquidant symboliquement ses concurrents. Seuls des entretiens relativement libres, de type non directif, étaient à même de révéler cette critique sociale latente. C'est dire, finalement, que l'évidence méthodologique [4] selon laquelle l'enquêté doit pouvoir faire siennes les interrogations du chercheur s'imposait d'emblée dans la pratique de l'entretien sociologique. Pouvoir s'approprier ici les questions posées afin d'en devenir sujet et non agent, c'était, pour l'enquêté, la production d'un discours « naturel » et ordinaire, exempt des effets dénaturants de l'objectivation sociologique [5]. Il s'agissait donc d'amener les personnes enquêtées sur un terrain discursif qui leur était familier, qui relevait de leur expérience *doxique* ou familière. Tel est l'impératif d'une herméneutique visant à interpréter les éléments d'une symbolique institutionnelle en référence à la cohérence interne et supposée du système éducatif des Maisons familiales rurales. Puisqu'il est question ici d'« alternance » et de « Maisons Familiales Rurales d'Éducation et d'Orientation » selon la dénomination « indigène [6] » elle-même, nous devions, afin d'en saisir le sens, inviter l'institution à (re) produire un discours sur elle-même, ceci par l'explication de son appellation vernaculaire. Cependant, l'exercice d'explication proposé participait-il réellement de l'expérience ordinaire des responsables de l'institution ? Oui,

---

4. Une évidence méthodologique qui est aussi pour nous épistémologique. Nous soutenons que l'objet sociologique ne doit pas se construire au mépris des représentations, des valeurs et autres expériences quotidiennes et subjectives des acteurs sociaux. Celles-ci sont éminemment et dialectiquement constitutives d'une réalité sociale construite, dont les formes objectives sont toujours prises en charge (subjectivement) par les acteurs.

5. Nous nous appuyons ici sur les enquêtes, et leur méthode, menées par Pierre Bourdieu (1993, p. 903-939) et son équipe.

6. Un terme qui se veut ici exempt de tout « intellectualocentrisme » et qui, surtout, réaffirme notre démarche compréhensive dans laquelle « l'objet sociologique se construit en utilisant les catégories indigènes pour élaborer ses modèles, tout en prenant de la distance avec elles à mesure que les modèles se précisent » (Kaufmann, 1996, p. 86).

parce qu'il était habituel pour les Maisons familiales à travers le déploiement régulier de leur « identité communicationnelle[7] ». Oui, puisque l'on avait aussi affaire à une institution scolaire, objet d'une action éducative spécialisée, réflexive et formalisée.

Nous avons joint dans nos entretiens un second exercice de définition au premier proposé. Il s'agissait ici d'amener l'institution au-delà de sa propre appellation et de la confronter à celles imposées par l'extérieur. On ne peut en effet ignorer le rôle de certains étiquetages (*labelling*) quant à la constitution d'une identité, fut-elle collective. Aussi, il importait pour nous de savoir de quelle manière les Maisons familiales assumaient deux désignations externes, en provenance de leur environnement « législatif » : celle de « composante spécifique du service public d'éducation et de formation » et celle d'« enseignement [agricole] privé[8] ». Ce choix méthodologique évitait la brutalité objectivante d'une question, quelque peu maladroite et sans grand relief sociologique, du style : « quels sont vos rapports avec l'État ou le ministère de l'Agriculture » ? D'autre part, mais selon la même intention, parler d'« enseignement privé », c'était pour les Maisons familiales l'occasion de se situer par rapport à leur homologue privé catholique.

À côté de ces entretiens, nous nous sommes efforcés d'assister à quelques rencontres et réunions rassemblant l'institution scolaire et son public (familles et élèves) autour d'assemblées générales statutaires annuelles, de conférences-débats – dont l'une fut marquée par la participation d'élus locaux – et de journées « portes ouvertes ». Notre objectif initial était de confronter les discours obtenus devant le magnétophone à ceux tenus *in situ* par l'institution à son public, dans ces temps que l'on nous disait « forts » de la vie de l'association. Le bilan fut ici très mitigé. Ces différentes manifestations n'étaient pas la grand-messe attendue. Locales, elles ne rencontraient qu'un public très restreint de convertis, à qui tout avait déjà été dit. Nous avions aussi oublié, ou du moins pas encore clairement compris à l'époque, que le discours des Maisons familiales sur elles-mêmes travaillait surtout à la production et à la légitimation de l'ordre institutionnel auprès de ses propres représentants. Néanmoins, les conférences, de par leur thème et les propos

---

7. C'est-à-dire qui présente un ordre institutionnel légitimé et une image collective qui sont travaillés dans l'intention explicite d'accéder à la compréhension et à la reconnaissance d'autrui au cours d'interactions langagières. C'est alors le même exercice définitoire que le nôtre que pratique elle-même l'institution, notamment dans ces publications internes à destination des parents d'élèves :
   « Maisons Familiales : cinq mots pour le dire
   E comme Éducation [...]. M comme Maison [...]. F comme Familiale [...]. R comme Rurale [...]. O comme Orientation [...]. » (*Le Lien des MFR*, n° 268, septembre 1994, p. 9.)
8. Selon les propres termes de la loi « du 31 décembre 1984 portant réforme des relations entre l'État et les établissements d'enseignement agricole privés ».

qui s'y tinrent[9], furent beaucoup plus instructives en matière d'orientations idéologiques suivies par les Maisons familiales.

Quant au matériau utilisé pour l'enquête proprement documentaire, il fut ici des plus abondants et d'une fécondité heuristique certaine. Néanmoins, son « statut » scientifique s'avéra inégal selon qu'il s'agissait par son emploi d'illustrer (par un supplément d'information objectif) nos propos ou d'élaborer à partir de cette seule source documentaire une véritable analyse de contenu.

Pour ce faire, une première classe de documents dits internes rassemble les productions qui émanent directement de l'institution.

La première sous-catégorie se compose de divers règlements internes écrits (convention collective, planning des tâches ménagères en internat, règlement intérieur des établissements, charte de l'alternance, etc.) et de documents pédagogiques (ouvrages, programmes de formation, fiches pédagogiques, etc.). Amplement diffusés au sein des Maisons familiales, ils sont, au-delà de leur simple intérêt informationnel pour le chercheur, cette objectivation par des écrits (des objets) de représentations et de pratiques propres à l'institution. Des objets qui, par leur forme stable, disponible, et leur visibilité, participent pleinement à la légitimation et à la réification de l'ordre institutionnel. Ils méritent de ce fait notre attention.

La seconde sous-catégorie mobilise les organes de presse qui appartiennent aux Maisons familiales. Là se célèbre et se décline, à l'aide de dossiers thématiques et d'interviews choisis, la (bonne) parole institutionnelle à destination des familles (*Le Lien des MFR*[10]) et des dirigeants (*Le Lien des responsables*) de Maisons familiales.

La troisième sous-catégorie relève de documents plus administratifs mais dont la présence d'extraits dans la presse institutionnelle souligne aussi leur valeur propagandiste. Il s'agit des enquêtes statistiques commandées par l'Union nationale des Maisons familiales rurales. Elles s'attachent principalement à établir les caractéristiques sociales, scolaires et géographiques des élèves, ceci sans oublier d'établir, chaque année, le taux de leur recrutement.

Enfin, il est une quatrième sous-catégorie de documents internes qui s'est avérée particulièrement précieuse pour notre recherche. Ce sont les dossiers de demande d'ouverture de classes et les dépliants publicitaires. Respectivement destinés au ministère de l'Agriculture et à une clientèle scolaire potentielle, ils permirent à eux seuls d'analyser ces rapports communicationnels de l'institution avec ses environnements « législatif » et « économique ». Produits réfléchis, où les argu-

---

9. Nous pensons plus particulièrement à cette conférence-débat intitulée « Environnements et développement rural ».

10. Revue trimestrielle à laquelle chaque famille adhérente de l'association des Maisons familiales est automatiquement abonnée.

ments déployés sont éminemment triés en vue de la présentation « idéalisée » d'un « Soi » institutionnel susceptible de répondre au mieux aux exigences normatives des environnements, ces documents furent un matériau empirique de premier choix pour notre analyse d'une identité institutionnelle « pour autrui ».

Une seconde classe de documents dits externes rassemble, elle, des écrits n'émanant pas des Maisons familiales. Plus illustratifs que démonstratifs, ces documents intègrent principalement des statistiques scolaires du ministère de l'Agriculture ainsi que des textes de loi (enseignement agricole, code de la famille, Promotion Sociale) qui régissent, de près ou de loin, le fonctionnement des Maisons familiales ; pour ces derniers, il s'agit, là aussi, d'une forme objectivée de la présence d'un environnement « législatif » et d'un univers « idéologique ». Notons, pour terminer, nos rapides références à la presse du concurrent catholique ainsi qu'à celle de l'UNAF. La première, dont la lecture fut très sommaire, a permis de relativiser la soi-disant spécificité de l'axiologie éducative des Maisons familiales, bien que ce point, juste mentionné, demeure hors de notre problématique. La seconde servit à caractériser l'idéologie familialiste de l'UNAF qui, rappelons-le, fédère entre autres mouvements les Maisons familiales rurales.

BIBLIOGRAPHIE

Ariès P., (1960), *L'Enfant et la vie familiale sous l'Ancien Régime*, Paris, Plon.

Ballion R., (1982), *Les consommateurs d'école (stratégies éducatives des familles)*, Paris, Stock/Laurence Pernoud.

Barral P., (1968), *Les agrariens français de Méline à Pisani*, Paris, Armand Colin.

Bastide R., (1971), *Anthropologie appliquée*, Paris, Payot.

Baugnet L., (1998), *L'identité sociale*, Paris, Dunod.

Becker H. S., (1985), *Outsiders (Études de sociologie de la déviance)*, Paris, Métailié, (trad. de 1963, *Outsiders*, The Free Press of Glencoe).

Becker H. S., (1988), *Les mondes de l'art*, Paris, Flammarion, (trad. de 1982, *Art Worlds*, The University of California Press).

Berger P., Luckmann T., (1989), *La construction sociale de la réalité*, Paris, Méridiens Klincksieck, (trad. de 1967, *The Social Construction of Reality*, London, The Penguin Press).

Berger S., (1975), *Les paysans contre la politique. L'organisation rurale en Bretagne 1911-1974*, Paris, Le Seuil, (trad. de 1972, *Peasants against Politics*, Harvard University Press).

Bloch M.-A., (1973), *Philosophie de l'éducation nouvelle*, 3ᵉ éd., Paris, PUF, (1ʳᵉ éd. 1948).

Boltanski L., (1982), *Les cadres (La formation d'un groupe social)*, Paris, Les Éditions de Minuit.

Boltanski L., Thevenot L., (1991), *De la justification (Les économies de la grandeur)*, Paris, Gallimard.

Bonniel J., (1972), *La réussite scolaire dans le cadre d'une institution privée de formation : le cas de l'Union nationale des Maisons familiales rurales d'éducation et d'orientation*, Paris, Économie et Humanisme.

BONNIEL J., (1982), *L'enseignement agricole et la transformation de la paysannerie. Les Maisons familiales rurales*, thèse de 3ᵉ cycle en sociologie, Lyon II.

BONNIEL J., (1983), « La transmission et la transformation des savoirs en milieu vigneron », *Terrain*, n° 1, p. 23-30.

BONVIN F., (1982), « L'école catholique est-elle encore religieuse ? », *Actes de la Recherche en Sciences Sociales*, n° 44-45, p. 95-108.

BOUDON R., (1986), *L'idéologie (L'origine des idées reçues)*, Paris, Arthème Fayard.

BOUDON R., BOURRICAUD F., (1990), *Dictionnaire critique de la sociologie*, 3ᵉ éd., Paris, PUF, (1ʳᵉ éd. 1982).

BOULET M., (1983), « La création de l'enseignement professionnel agricole en France (1848-1880) », W. FRIJHOFF (éd.), *L'offre d'école (Élément pour une étude comparée des politiques éducatives au XIXᵉ siècle)*, Actes du Troisième colloque international, Sèvres, 27-30 septembre 1981, Paris, Publications de la Sorbonne-INRP, p. 187-195.

BOULET M., (1986), « L'enseignement agricole entre l'État, l'Église et la profession », *Annales d'histoire des enseignements agricoles*, n° 1, p. 85-94.

BOULET M., (1987), « Les colonies agricoles : une forme d'enseignement ? », *Annales d'histoire des enseignements agricoles*, n° 2, p. 51-59.

BOULET M., MABIT R., (1991), *De l'enseignement agricole au savoir vert*, Paris, L'Harmattan.

BOURDIEU P., PASSERON J.-C., (1970), *la reproduction (éléments pour une théorie du système d'enseignement)*, Paris, Les Éditions de Minuit.

BOURDIEU P., (1977), « Une classe-objet : la paysannerie », *Actes de la Recherche en Sciences Sociales*, n° 17-18, p. 2-5.

BOURDIEU P., (1980), *Le sens pratique*, Paris, Les Éditions de Minuit.

BOURDIEU P., (1982), *Ce que parler veut dire (L'économie des échanges linguistiques)*, Paris, Arthème Fayard.

BOURDIEU P., (1984), *Questions de Sociologie*, Paris, Les Éditions de Minuit.

BOURDIEU P., (1987), *choses dites*, Paris, Les Éditions de Minuit.

BOURDIEU P., CHRISTIN R., (1990), « La construction du marché. Le champ administratif et la production de la politique du logement », *Actes de la Recherche en Sciences Sociales*, n° 81-82, p. 65-85.

BOURDIEU P., WACQUANT L. J. D., (1992), *Réponses (Pour une anthropologie réflexive)*, Paris, Le Seuil.

BOURDIEU P., (1993), *La misère du monde*, Paris, Le Seuil.

BOURDIEU P., (1997), *Méditations pascaliennes*, Paris, Le Seuil.

BOURRICAUD F., (1980), *Le bricolage idéologique (essai sur les intellectuels et les passions démocratiques)*, Paris, PUF.

BRANGEON J.-L., JÉGOUZO G., (1976), *Les paysans et l'école*, Paris, Éditions Cujas.

BRIAND J.-P., CHAPOULIE J.-M., (1993), « L'institution scolaire et la scolarisation : une perspective d'ensemble », *Revue française de sociologie*, n° XXXIV-1, p. 3-42.

CALLOT E., (1963), *Doctrines et figures humanistes*, Paris, Les belles lettres.

CANIOU J., (1983), « Les fonctions sociales de l'enseignement agricole féminin », *Études Rurales*, n° 92, p. 41-56.

CARDI F., (1978), *La clef des champs (les fonctions sociales de l'enseignement agricole en France)*, thèse de 3e cycle en sociologie, Paris VIII.

CARDI F., (1986), *Origines scolaires et sociales, motivations et représentations d'ordre socio-professionnel des élèves de l'enseignement agricole public (Étude Exploratoire)*, Paris, INRP.

CASSIRER E., (1972), *La philosophie des formes symboliques. 3. La phénoménologie de la connaissance*, Paris, Les Éditions de Minuit (trad. de 1957, *Philosophie der symbolischen Formen*, Yale University Press).

CASTORIADIS C., (1999), *L'institution imaginaire de la société*, 2e éd., Paris, Le Seuil (1re éd. 1975).

CHAIX M.-L., (1993), *Se former en alternance (Le cas de l'enseignement technique agricole)*, Paris, L'Harmattan.

CHAMBOREDON J.-C., (1985), « Nouvelles formes de l'opposition ville-campagne », G. DUBY (éd.), *Histoire de la France urbaine*, Tome 5, Paris, Le Seuil, p. 557-573.

CHARTIER D., (1978), « Naissance d'une pédagogie de l'alternance », *Mésonance*, n° 1.

CHARTIER D., LEGROUX J., (1997), « Orientations et actions du centre pédagogique », J.-C. DAIGNEY (éd.), *Soixante ans d'histoire de créations en Maison familiale rurale*, Paris, Union nationale des Maisons familiales rurales, p. 93-114.

CHAUVIÈRE M., (1991), « Les mouvements familiaux », F. DE SINGLY (éd.), *La famille, l'état des savoirs*, Paris, La découverte, p. 288-293.

CICOUREL A. V., (1979), *La sociologie cognitive*, Paris, PUF, (trad. de 1973, *Cognitive Sociology*, Penguin Education, Middlesex, England).

CORBIN A., (1991), *Le Temps, le Désir et l'Horreur (Essais sur le dix-neuvième siècle)*, Paris, Aubier.

CROZIER M., FRIEDBERG E., (1977), *L'acteur et le système (Les contraintes de l'action collective)*, Paris, Le Seuil.

DASCON F., (1985), « L'école est-elle le seul lieu d'apprentissage du métier d'agriculteur? », *Enseignements agricoles et formation des ruraux*. Actes du colloque des 23, 24 et 25 janvier 1985, Paris, Fernand Nathan, p. 27-28.

DE QUEIROZ J.-M., (1995), *L'école et ses sociologies*, Paris, Fernand Nathan.

DEROUET J.-L., (1992), *École et Justice (De l'égalité des chances aux compromis locaux ?)*, Paris, A.-M. Métailié.

DESCOMBES V., (1996), *Les institutions du sens*, Paris, Les Éditions de Minuit.

DOUGLAS M., (1989), *Ainsi pensent les institutions*, Usher (trad. de 1986, *How institutions think*, Syracuse, New York, Syracuse University Press).

DUBAR C., (1996), *La socialisation (Construction des identités sociales et professionnelles)*, 2ᵉ éd., Paris, Armand Colin, (1ʳᵉ éd. 1991).

DUBET F., (1994), *Sociologie de l'expérience*, Paris, Le Seuil.

DUBET F., MARTUCCELLI D., (1998), *Dans quelle société vivons-nous ?*, Paris, Le Seuil.

DUCROT O., (1980), *Les échelles argumentatives*, Paris, Les Éditions de Minuit.

DUFFAURE A., ROBERT J., (1955), *Une Méthode Active d'Apprentissage Agricole : les cahiers de l'exploitation familiale*, Paris, Éditions de l'Artisanat Moderne.

DUFFAURE A., (1985), *Éducation et Promotion*, n° 256, p. 11-17.

DURAND G., (1990), *Les structures anthropologiques de l'imaginaire (Introduction à l'archétypologie générale)*, 10ᵉ éd., Paris, Dunod, (1ʳᵉ éd. 1969).

DURKHEIM E., (1991), *De la division du travail social*, 2ᵉ éd., Paris, PUF (1ʳᵉ éd. 1893).

DURKHEIM E., (1987), *Les règles de la méthode sociologique*, 23ᵉ éd., Paris, PUF, (1ʳᵉ éd. 1894).

DURKHEIM E., (1994), *Les formes élémentaires de la vie religieuse (Le système totémique en Australie)*, 4ᵉ éd., Paris, PUF, (1ʳᵉ éd. 1912).

DURKHEIM E., (1969), *L'évolution pédagogique en France*, 2ᵉ éd., Paris, PUF, (1ʳᵉ éd. 1938).

DURU-BELLAT M., HENRIOT-VAN ZANTEN A., (1992), *Sociologie de l'école*, Paris, Armand Colin.

DURUPT M.-J., (1960), *Les mouvements d'action catholique, facteur d'évolution du milieu rural*, thèse de 3ᵉ cycle en « études politiques ».

ELIAS N., (1973), *La civilisation des mœurs*, Paris, Calmann-Lévy, (trad. de 1939, *Über den Prozess der Zivilisation*).

ELIAS N., (1991), *La société des individus*, Paris, Arthème Fayard, (trad. de 1987, *Die Gesellschaft der Individuen*, Verlag, Francfort/Main).

ERIKSON E. H., (1972), *Adolescence et crise. La quête de l'identité*, Paris, Flammarion, (trad. de 1968, *Identity Youth and Crisis*, W.W. Norton and Company).

FORQUIN J.-C., (1984), « La sociologie du *curriculum* en Grande-Bretagne : une nouvelle approche des enjeux sociaux de la scolarisation », *Revue française de sociologie*, n° XXV-2, p. 211-232.

FREITAG M., (1992), « L'identité, l'altérité et le politique. Essai exploratoire de reconstruction conceptuelle-historique », *Société*, n° 9, p. 1-55.

FREITAG M., (1994), « La métamorphose », *Société*, n° 12-13, p. 1-137.

GARFINKEL H., (1956), « Conditions of successful degradation ceremonies », *The American Journal of Sociology*, Vol. LXI, (trad. en 1986 par J.-M. DE QUEIROZ, « Du bon usage de la dégradation », *Sociétés*, n° 17, p. 24-27).

GIDDENS A., (1987), *La constitution de la société (Éléments de la théorie de la structuration)*, Paris, PUF, (trad. de 1984, *The Constitution of Society*, Polity Press, Cambridge).

GOFFMAN E., (1968), *asiles (études sur la condition sociale des malades mentaux)*, Paris, Les Éditions de Minuit, (trad. de 1961, *Asylum*, Doubleday & Company).

GOFFMAN E., (1973), *la mise en scène de la vie quotidienne, 1. La présentation de soi*, Paris, Les Éditions de Minuit, (trad. de 1959, *The Presentation of Self in Everyday Life*, Edinburgh, University of Edinburgh).

GOLLAC M., LAUHLÉ P., (1987), « La transmission du statut social. L'échelle et le fossé », *Économie et Statistique*, n° 199-120, p. 85-93.

GRANEREAU J., (1968), *Le Livre de Lauzun*, Aurillac, Les Éditions Gerbert.

GRIGNON C., (1971), *L'ordre des choses (Les fonctions sociales de l'enseignement technique)*, Paris, Les Éditions de Minuit.

GRIGNON C., (1975), « L'enseignement agricole et la domination symbolique de la paysannerie », *Actes de la Recherche en Sciences Sociales*, n° 1, p. 75-97.

GRIGNON C., PASSERON J.-C., (1989), *Le savant et le populaire (Misérabilisme et populisme en sociologie et en littérature)*, Paris, Hautes Études/Gallimard et Le Seuil.

GROUSSARD R., (1987), « Vingt ans de Politique des Structures : une aide au financement de l'agriculture ? », *Économie Rurale*, n° 181, p. 5-10.

HÉRAN F., (1996), « École publique, école privée : qui peut choisir ? », *Économie et statistique*, n° 293, p. 17-39.

HERVIEU B., VIAL A. (1972), « L'Église catholique et les paysans », Y. TAVERNIER, M. GERVAIS, C. SERVOLIN (éds.), *L'univers politique des paysans dans la France contemporaine*, Paris, Armand Colin et la Fondation nationale des sciences politiques, p. 291-315.

HERVIEU B., (1993), *Les champs du futur*, Paris, François Bourin.

HOUÉE P., (1972a), *Les étapes du développement rural, Tome 1 : une longue évolution (1815-1950)*, Paris, Éditions Économie et Humanisme et les Éditions Ouvrières.

HOUÉE P., (1972b), *Les étapes du développement rural, t. 2 : la révolution contemporaine (1950-1970)*, Éditions Économie et Humanisme et les Éditions Ouvrières.

HOUÉE P., (1980), « Les étapes du projet jaciste dans le développement rural », *JAC et modernisation de l'agriculture de l'Ouest (journées d'études de l'INRA-Stations d'Économie et de Sociologie de Rennes et Nantes)*, Rennes, INRA-INPAR, p. 6-25.

INRA/INSEE (1998), *Les campagnes et leurs villes*, INSEE.

KAUFMANN J.-C., (1996), *L'entretien compréhensif*, Paris, Fernand Nathan.

KAYSER B., (1990), *La renaissance rurale (Sociologie des campagnes du monde occidental)*, Paris, Armand Colin.

KILANI M., (1994), *L'invention de l'autre (Essais sur le discours anthropologique)*, Lausanne, Payot.

LAMBERT Y., (1980), « La JAC et la modernisation de l'agriculture dans la région d'Ancenis (Loire-Atlantique) », *JAC et modernisation de l'agriculture de l'Ouest...*, p. 27-51.

LAMBERT Y., (1985), *Dieu change en Bretagne (La religion à Limerzel de 1900 à nos jours)*, Paris, Les Éditions du Cerf.

LANGOUET G., LÉGER A., (1994), *École publique ou école privée ? (Trajectoires et réussites scolaires)*, Paris, Fabert.

LATOUR B., WOOLGAR S., (1988), *La vie de laboratoire (La production des faits scientifiques)*, Paris, La Découverte, (trad. de 1978, *Laboratory Life, the Construction of Scientific Facts*, Sage Publication).

LE GUEN R., (1980), « La place de la JAC dans l'évolution des exploitations agricoles du Maine-et-Loire », *JAC et modernisation de l'agriculture de l'Ouest...*, p. 53-105.

LEGRAND L., (1988), *Les politiques de l'éducation*, Paris, PUF.

LEGROUX J., (1979), « Outils pédagogiques et alternance (Fonctions et conceptions d'un matériel didactique) », *Mésonance*, n° 4, 238 p.

LENOIR R., (1985), « L'effondrement des bases sociales du familialisme », *Actes de la Recherche en Sciences Sociales*, n° 57-58, p. 69-88.

LETERRE T., (1996), « L'Autre comme catégorie philosophique. Remarques sur les fondements métaphysiques et logiques de l'altérité », B. BADIE, M. SADOUN (éds.), *L'Autre (Études réunies pour Alfred Grosser)*, Paris, Presses de la Fondation nationale des sciences politiques, p. 67-83.

LEVILLAIN P., (1983), *Albert de Mun (Catholicisme français et catholicisme romain du Syllabus au Ralliement)*, Rome, École française de Rome/Palais Farnèse.

LÉVI-STRAUSS C., (1962), *La pensée sauvage*, Paris, Plon.

LÉVI-STRAUSS C., (1987), *Race et histoire*, Paris, Denoël.

LÉVI-STRAUSS C., (1992), *Histoire de lynx*, Paris, Plon.

LIPIANSKI E.-M., (1978), « Groupe et identité », G. MICHAUD (éd.), *Identités collectives et relations inter-culturelles*, Bruxelles, Éditions Complexe, p. 59-88.

LOUBET DEL BAYLE J.-L., (1969), *Les non-conformistes des années trente (Une tentative de renouvellement de la pensée politique française)*, Paris, Le Seuil.

MARROU H.-I., (1954), *De la connaissance historique*, Paris, Le Seuil.

MAYEUR J.-M., PIETRI C., L., VAUCHEZ A., VENARD M., (1995), *Histoire du Christianisme (des origines à nos jours)*, Tome XI, Paris, Desclée.

MEAD G. H., (1963), *L'esprit, le soi et la société*, Paris, PUF, (trad. de 1934, *Mind, Self and Society from the Standpoint of a Social Behaviorist*, Chicago, University of Chicago Press).

MERTON R. K., (1965), *Éléments de théorie et de méthode sociologique*, 2ᵉ éd., Paris, Plon, (trad. de 1957, *Social Theory and Social Structure*, Glencoe, The Free Press).

MINISTÈRE DE L'AGRICULTURE (1985a), *Enseignements agricoles et formation des ruraux*, Actes du colloque des 23, 24 et 25 janvier 1985, Paris, Fernand Nathan.

MINISTÈRE DE L'AGRICULTURE (1985b), *Le bulletin DGER*, n° 5, Tome 2.

MOLINIÉ G., (1992), *Dictionnaire de rhétorique*, Paris, Le Livre de Poche.

MORIN E., (1967), *La métamorphose de Plozevet. Commune en France*, Paris, Arthème Fayard.

MOULIN A., (1988), *Les paysans dans la société française (De la Révolution à nos jours)*, Paris, Le Seuil.

MOUNIER E., (1932), *Esprit*, n° 1.

MOUNIER E., (1967), *Le Personnalisme*, 10ᵉ éd., Paris, PUF (1ʳᵉ éd. 1949).

NADAU T., (1986), « L'évolution de l'enseignement agricole en France et en Allemagne de 1850 à 1914 », *Annales d'histoire des enseignements agricoles*, n° 1, p. 69-82.

NICOLAS G., (1993), *Instituteurs entre politique et religion (La première génération de normaliens en Bretagne au XIXᵉ siècle)*, Rennes, Éditions Apogée.

NISBET R., (1984), *La tradition sociologique*, Paris, PUF, (trad. de 1966, *The Sociological Tradition*).

OLSON M., (1987), « Logique de l'action collective », 2ᵉ éd., Paris, PUF, (trad. de 1966, *The Logic of Collective Action (Public Goods and The Theory of Groups)*, Harvard University Press), (1ʳᵉ éd. 1978).

PASSERON J.-C., (1991), *Le raisonnement sociologique (L'espace non-poppérien du raisonnement naturel)*, Paris, Fernand Nathan.

PERELMAN C., (1989), *Rhétoriques*, Bruxelles, Éditions de l'Université de Bruxelles.

PONTON R., (1985), « L'éducation morale des ruraux : "Tu seras agriculteur. Histoire d'une famille de cultivateurs" (un manuel de lecture de l'école rurale) », *Actes de la Recherche en Sciences Sociales*, n° 57-58, p. 103-107.

PROST A., (1986), *L'enseignement s'est-il démocratisé ? (Les élèves des lycées et collèges de l'agglomération d'Orléans de 1945 à 1980)*, Paris, PUF.

PROST A., (1997), *Éducation, sociétés et politiques (Une histoire de l'enseignement de 1945 à nos jours)*, 2ᵉ éd., Paris, Le Seuil (1ʳᵉ éd. 1992).

REBOUL O., (1984), *Le langage de l'éducation (Analyse du discours pédagogique)*, Paris, PUF.

REBOUL O., (1998), *La rhétorique*, 6ᵉ éd., Paris, PUF (1ʳᵉ éd. 1984).

RICŒUR P., (1990), *Soi-même comme un autre*, Paris, Le Seuil.

Rinaudo Y., (1986), « 1848 : les fermes-écoles, premier essai d'un enseignement populaire », *Annales d'histoire des enseignements agricoles*, n° 1, p. 33-41.

Robert F., (1946), *L'humanisme (Essai de définition)*, Paris, Les belles lettres.

Rosanvallon P., (1990), *L'État en France (de 1789 à nos jours)*, Paris, Le Seuil.

Roy J., (1992), « L'enseignement agricole au Québec, 1926-1964 », *Annales d'histoire des enseignements agricoles*, n° 4-5, p. 3-12.

Sallaberry J.-C., (1999), « Théorie des systèmes et théorie de l'institution : la rencontre de deux paradigmes », *L'Année de la recherche en sciences de l'éducation 1999*, p. 5-25.

Sanselme F., (2000a), « L'histoire sociale d'une différence identitaire ou le choix originel de l'hérésie scolaire : les Maisons familiales rurales », M. Boulet (éd.), *Les enjeux de la formation des acteurs de l'agriculture, 1760-1945*, Actes du colloque du 150e anniversaire de l'Enseignement Agricole, 19-21 janvier 1999, p. 129-136.

Sanselme F., (2000b), « La "ruralité" entre sciences sociales et sens commun ou la coproduction d'un concept », A. A. Abdelmalek (éd.), *La ruralité : regards croisés. Transformation de la réalité et de l'objet d'étude*, Actes de la Journée régionale de Rennes de l'ARF/LAS du 25 novembre 1998, Rennes (à paraître).

Sanselme F., (2000c), « Le *Nouveau Larousse Agricole* (1952) et "La gestion rationnelle des entreprises" : une tentative d'introduction du modèle de l'entreprise capitaliste industrielle en agriculture », P. Alphandéry, H. Lamarche et J.-L. Mayaud (éds.), *Agrariens et agrarismes, hier et aujourd'hui, en France et en Europe*, Actes du 23e colloque de l'ARF, Lyon, les 27, 28 et 29 octobre 1999, Lyon, PUL (à paraître).

Segrestin D., (1985), *Le phénomène corporatiste. Essai sur l'avenir des systèmes professionnels fermés en France*, Paris, Arthème Fayard.

Simon P.-J., (1991), *Histoire de la sociologie*, Paris, PUF.

Sirota R., (1988), *L'école primaire au quotidien*, Paris, PUF.

Sperber D., (1996), *La contagion des idées (Théorie naturaliste de la culture)*, Paris, Odile Jacob.

Strauss A., (1992), *La trame de la négociation (Sociologie qualitative et interactionniste)*, Paris, L'Harmattan, (trad. de 1976, *A Social world perspective*, Greenwich, CT, JAI Press).

Terrail J.-P., (1984), « Familles ouvrières, école, destin social (1880-1990) », *Revue française de sociologie*, XXV, p. 421-436.

Thomas W. I., (1923), *The Unadjusted Girl*, Boston, Little and Brown.

Ulmann J., (1982), *La pensée éducative contemporaine*, 2e éd., Paris, Librairie philosophique J. Vrin, (1re éd. 1976).

ULMANN J., (1987), *La nature et l'éducation (L'idée de nature dans l'éducation physique et dans l'éducation morale)*, 2e éd., Paris, Klincksieck, (1re éd. 1964).

VERDIER Y., (1979), *Façons de dire, façons de faire (La laveuse, la couturière, la cuisinière)*, Paris, Gallimard.

WALZER M., (1990), *Critique et sens commun (Essai sur la critique sociale et son interprétation)*, Paris, La Découverte.

WALZER M., (1997), *Sphères de justice (Une défense du pluralisme et de l'égalité)*, Paris, Le Seuil, (trad. de 1983, *Spheres of Justice. A Defense of Pluralism and Equality*, New York, Basic Books).

WEBER M., (1959), *Le savant et le politique*, Paris, Plon.

Périodiques institutionnels :

Bulletin d'information du ministère de l'Agriculture.

Le Lien des MFR.

Le Lien des responsables.

Présence de l'enseignement agricole privé.

Réalités familiales (Revue de l'Union nationale des associations familiales).

Achevé d'imprimer
sur les presses de la reprographie
de l'université Rennes 2 Haute-Bretagne
1er semestre 2000